ÉLÉONORE

1. LE QUARTIER DE L'ORGUEIL

Roman

Nadia Lakhdari King

Éléonore

1. Le quartier de l'orgueil

Les Éditions
Goélette

Graphisme:
Marjolaine Pageau

Recherche:
Katia Senay

Révision, correction:
Corinne Danheux, Corinne De Vailly et Geneviève Rouleau

Photographies de la couverture:
La Croissanterie: Caroline Boivin
Autres photographies: gracieusetés de Stéphanie Lefebvre
Portrait de l'auteur: Karine Patry

Dépôt légal: 2ᵉ trimestre 2010
Bibliothèque et Archives nationales du Québec
Bibliothèque nationale du Canada

Les Éditions Goélette bénéficient du soutien financier de la SODEC pour son programme d'aide à l'édition et à la promotion.

Nous remercions le gouvernement du Québec de l'aide financière accordée par l'entremise du Programme de crédit d'impôt pour l'édition de livres, administré par la SODEC.

Imprimé au Canada

ISBN: 978-2-89638-621-5

À Samuel

Prologue

Éléonore s'allume une cigarette, les mains tremblantes. Elle prend une profonde inspiration, avale une gorgée de pinot gris et compose de nouveau le numéro de sa boîte vocale.

Elle ne peut s'empêcher de frémir lorsqu'elle entend la voix taquine, charmeuse. La voix de celui qui l'a fait fondre. Celui qui est venu à bout des forteresses dont elle s'entoure depuis l'adolescence.

Elle réécoute le message. Les propos sont simples, sans artifices. «Rappelle-moi.» C'est le ton qui la fait presque céder. Sûr de lui, un tantinet moqueur.

Mais Éléonore n'a qu'à revoir le visage pâmé d'Allegra, lorsqu'elle lui racontait que… et elle se braque. C'est tout son orgueil de femme meurtrie qui remonte à la surface et lui hurle de ne pas céder, de ne pas le rappeler. De ne jamais le rappeler.

Elle imagine son regard suffisant, s'il pouvait la voir terrée dans son appartement du Mile-End, à réécouter en boucle son message… Dans un élan de fierté, elle efface le message, puis appelle sa compagnie de téléphone cellulaire pour changer de numéro.

Chapitre un

– Éléonore Castel! T'es dans la lune ou quoi?

Éléonore sursaute. Elle se tourne vers sa meilleure amie Yasmina.

– Je repensais à notre première journée, à Saint-Germain. C'était ma mère tout craché, ça.

– Je sais! J'avais tellement de peine pour toi, j'allais demander à ma mère de dire que t'étais ma sœur. Sauf que je savais pas encore ton nom!

Éléonore avait six ans. C'était le premier jour de sa première année d'école. Madame Gaston lui avait fait des tresses bien serrées, qui lui donnaient mal à la tête. Elle avait revêtu son plus bel habit de jogging, le rose avec des perroquets.

À la sortie des classes, les professeurs étaient réunis dans la cour avec les enfants afin de rencontrer leurs parents. Éléonore cherchait sa mère; madame Gaston l'avait bien prévenue, ce matin-là, que c'était elle qui allait venir. Une petite fille délicate au teint basané s'était avancée vers elle et lui avait demandé «Tu veux jouer avec moi?» d'un ton incertain, comme si son avenir entier pesait dans la balance. Éléonore avait répondu «Oui!» et elles s'étaient amusées en jouant à la marelle quelques instants. Puis la mère de sa nouvelle amie était arrivée, et elles étaient allées à la rencontre de la maîtresse.

Éléonore avait regardé autour d'elle : tous les enfants semblaient maintenant être avec leurs parents. Pressée de trouver sa mère, elle se faufilait entre les groupes, dévisageant les adultes. Un petit garçon observait son manège. Il avait quitté sa mère pour se fondre dans la foule vers elle.

– Heille !

Éléonore continuait de chercher, de plus en plus inquiète.

– Heille, toi ! Je te parle ! La petite fille toute seule !

Éléonore s'était finalement retournée. « Moi ? » avait-elle demandé innocemment.

– Ben oui, toi ! Ça paraît, me semble, que t'es la seule toute seule ! Tes parents veulent plus de toi, c'est ça ?

– Thomas !

La mère du garçon l'avait entendu et vite réprimandé. Néanmoins, ses paroles avaient porté et plusieurs personnes dévisageaient maintenant Éléonore, constatant qu'elle était effectivement toute seule. La maîtresse s'était approchée.

– Tes parents sont où, ma petite ?

Éléonore était atterrée et ne savait que répondre. Les joues rouges d'émotion, elle ressentait une honte immense d'être la seule petite fille dans la cour d'école sans sa maman. Alors que tous les autres enfants avaient la leur. La maîtresse allait croire qu'elle était abandonnée ! Elle se tortillait sur place, regardant fixement ses souliers de course, muette.

Tout à coup, elle avait entendu un chuchotement agiter la foule assemblée autour d'elle. « As-tu vu, c'est Claude Castel ! »

Éléonore s'était retournée, avait regardé la maîtresse bien dans les yeux, et lui avait répondu, de sa voix claire : « Mon père, c'est lui. »

À ce moment-là, Claude Castel fendait la foule, attrapait sa fille dans ses bras et la faisait tournoyer dans les airs. « Ma grande puce qui a commencé l'école ! » répétait-il tout en la couvrant de bisous sous les regards attendris des mamans.

– Ton père, en tous cas, il avait fait tout un *show*, continue Yasmina.
– Ça aussi, c'est lui tout craché. Heille, as-tu réussi la deuxième équation ?

Éléonore adore passer ses après-midi chez Yasmina. L'odeur qui l'accueille dès qu'elle franchit la porte d'entrée est remplie d'une promesse : celle d'une gâterie au miel et aux amandes, avec une tasse de thé à la menthe. La mère de Yasmina, madame Saadi, est française d'origine, mais a complètement adopté les coutumes marocaines de son mari. C'est d'ailleurs avec ces mots qu'elle commence la majorité de ses phrases : « Mon mari… » Cela ne manque pas d'étonner Éléonore, puisque sa propre mère a plutôt l'habitude de commencer ses phrases avec « Moi, vous savez… » ou encore « Moi, dans mon vécu… »

Non, madame Saadi, si polie, raffinée et effacée, n'a rien en commun avec Charlie Castel. La mère d'Éléonore est une blonde pulpeuse, au décolleté plongeant, toujours habillée de blanc ou de beige sable, reflétant la luminosité de sa peau tantôt crémeuse, tantôt dorée, au gré des saisons et de ses séjours « dans le Sud ». Elle vit toujours de sa gloire d'actrice, dans les années 70, alors qu'elle avait tenu un rôle de diva dans le premier grand téléroman québécois, *Amours et trahisons*. Heureusement, Éléonore avait été jugée trop petite pour écouter la télésérie à l'époque; quand elle attrape par hasard des reprises d'été, elle frissonne de honte en voyant sa mère jouer l'aguicheuse avec des acteurs moustachus. Aujourd'hui, Charlie Castel (née Charlène Beaulieu) se contente d'apparitions bien payées dans les infomerciaux produits par l'entreprise de son mari, Castel Communications.

Néanmoins, les maintes obligations sociales de Charlie la gardent très occupée. C'est pourquoi elle a acquiescé avec plaisir quand sa fille unique lui a demandé la permission de passer ses après-midi chez Yasmina après l'école, sous prétexte de faire ensemble leurs devoirs. Avec madame Gaston à la maison qui prépare le souper, Charlie est maintenant libre jusqu'à 19 heures tous les soirs, ce qui lui permet d'organiser des rendez-vous en catimini avec son jeune amant du moment, le superbe chanteur Félix Lacroix.

Ironie du destin, c'est devant une affiche de ce même Félix Lacroix que Yasmina et Éléonore se pâment en cet après-midi de septembre.

– Qu'il est beau... soupire Yasmina.

– Dire que c'est mon père qui le représente, dit Éléonore.

– On le sait! Tu ne pourrais pas t'arranger pour qu'on le rencontre?

– Peut-être... Mon père n'est pas à la maison cette semaine. Je ne sais pas trop quand il rentre. Il est au New Jersey. Un de ses nouveaux groupes enregistre un disque là-bas.

– En tout cas, il n'y a certainement pas un chanteur plus beau que Félix Lacroix! Surtout sur cette affiche-là... Ma mère me traite vraiment comme un bébé, elle veut pas que j'accroche des photos de vedettes dans ma chambre. Elle voudrait encore que j'accroche des images de chats ou de chevaux, franchement!

– Moi, ma mère, je pense pas qu'elle remarque ce que j'accroche dans ma chambre. Donne-la-moi, si tu veux, ton affiche, je la mettrai dans ma chambre et comme ça tu pourras le contempler, le beau Félix, quand tu passes la fin de semaine chez moi!

– Oui, ben dis-moi pas que tu vas pas le contempler toi aussi, c'est bien toi qui as des dizaines de «Éléonore Lacroix» avec des cœurs dessinés sur tes cahiers!

– Ha, ha! ricane Éléonore en rougissant.

La porte de la chambre s'ouvre d'un coup sec.

– Malik! Espèce de malpoli! Tu pourrais pas cogner? crie Yasmina.

– Vous faites encore semblant de travailler, les filles?

– Rapport? rétorque Éléonore avec tout l'aplomb tremblant de ses quinze ans, en priant intérieurement pour que Malik n'ait pas surpris leur conversation.

Le grand frère de Yasmina a le don de la mettre à l'envers. Quel grossier personnage. Éléonore se demande bien comment ce garçon insupportable a trouvé le tour de devenir le plus populaire du cégep à Brébeuf, aux dires des filles du même âge aux Marcellines. Les grandes ne parlent que de lui avant les danses réunissant les finissants des deux écoles, et la cote de Yasmina a curieusement augmenté depuis qu'on a appris que cette élève de secondaire 4 gentille et polie était la petite sœur du meilleur *prospect* en ville.

À la maison, il est charmant avec sa mère et très taquin avec sa petite sœur et ses copines, qui rougissent chaque fois qu'il ouvre la bouche. Toutes, sauf Éléonore, qui a le sens de la répartie, et que Malik trouve bien jolie pour une fille de secondaire 4. Elle a poussé d'un coup cet été et doit bien atteindre les 5 pieds 9, quelques pouces seulement de moins que Malik, qui mesure 6 pieds. À dix-sept ans, il s'attend à grandir encore un peu ; son père frôle les 6 pieds 2 et le jeune homme se jure bien de le rejoindre, sinon de le dépasser. Le fait qu'il n'y puisse rien n'affaiblit nullement sa détermination. Au moins, ces quelques pouces manquants n'empêchent pas Malik de briller dans l'équipe de basket du collège.

– Madame la *First Lady*, comment ça va aujourd'hui ? demande Malik à Éléonore avec une courbette.
– Franchement, Malik, tu peux pas arrêter d'écœurer mes amies ? s'écrie Yasmina.
Mais Éléonore conserve un visage de glace.
– Tu sauras, Yasmina, que ça en prend plus que ça pour m'écœurer.

Yasmina bafouille, ne sachant que dire. Pendant ce temps, Éléonore se penche sur son cahier de math et ignore Malik avec superbe, en se concentrant sur une équation particulièrement difficile à résoudre.

– Les enfants, c'est l'heure du thé, annonce madame Saadi en entrant dans la pièce, mettant heureusement fin au malaise qui s'est installé.

Éléonore, reconnaissante, est la première à table dans la grande salle à manger. Elle saisit la théière dorée, gravée de symboles arabes. Comme toujours, le plateau de sucreries à trois étages est rempli de dattes et de pâtisseries aux amandes et au miel qui fondent dans la bouche.

Madame Saadi regarde les enfants, comme elle les appelle encore, siroter leur thé à la menthe dans les jolis verres marocains ornés d'or. Elle soupire en observant le visage buté d'Éléonore. Elle a surpris l'échange entre son fils et la jeune fille. Éléonore est si impénétrable, ne laissant jamais paraître le moindre signe de faiblesse. La pauvre petite n'a que quinze ans et elle agit parfois comme une femme aguerrie, à la poigne d'acier. Madame Saadi a cru comprendre qu'Éléonore est souvent laissée à elle-même, dans la grande maison d'Outremont, et elle espère que ces après-midi passés dans leur foyer l'adouciront peu à peu. Si seulement Malik pouvait arrêter de la provoquer... Elle lui en glissera un mot lorsqu'ils seront seuls.

Quelques jours plus tard, sur l'heure du midi, Éléonore se précipite vers le réfectoire. Elle est l'une des premières en file. Comme tous les vendredis, elle a le choix entre une pizza à la croûte pâteuse bien épaisse, agrémentée d'un peu de sauce tomate, et une assiette de bâtonnets de poisson accompagnés de haricots trop bouillis. On ne mange pas de viande aux Marcellines le vendredi.

– Les bâtonnets de poisson, s'il vous plaît.

Beurk, ils sont un peu brûlés cette semaine. Éléonore s'assoit à la grande table, regardant impatiemment autour d'elle et cherchant Yasmina du regard. Éléonore sourit à sa grande amie, qui vient se joindre à elle en silence. Les jeunes filles se regardent en ricanant, tentant de déguiser les soubresauts qui agitent leurs épaules. Enfin, sœur Bernadette s'avance et entonne le chant habituel.

– « Bénis, Seigneur, ce pain quotidien; et surtout ceux qui l'ont préparé. Amen. »

Les jeunes filles de douze à seize ans enchaînent. Enfin, les deux complices peuvent se confier les mille secrets qui pèsent sur leurs lèvres depuis ce matin.

– Qu'est-ce que tu manges?

– Ah, c'est juste un sandwich de pain pita. Avec des keftas froides, une salade de pois chiches et une sauce au citron.

– Ah bon, juste ça? Tu veux me l'échanger contre des bâtonnets de poisson? Ils sont garnis d'une sauce au citron, eux aussi! lance Éléonore, taquine.

Yasmina ne sait pas quoi dire. Elle échange souvent ses lunchs maison contre les plats qu'Éléonore achète à la cafétéria mais vraiment, le vendredi, il aurait fallu être une sainte. À sept ou huit ans, bercée par l'évangile des cours de préparation à la première communion, Yasmina avait bien rêvé devenir sainte un jour, mais cela lui avait passé depuis que la ferveur de son enfance avait laissé place à des préoccupations d'adolescente bien plus terre à terre.

– Tu m'attends à la sortie des cours? demande Éléonore.

– Ah, non, pas ce soir. Mon père atterrit à cinq heures et on va tous ensemble le chercher à l'aéroport. Ça te dérange pas?

– Non, non, je prendrai le bus. Madame Gaston va être à la maison. Il revient d'où, ton père?

– Du Caire, je crois. On s'en va passer le week-end au chalet.

Monsieur Saadi ne manque pas d'impressionner Éléonore. Son père à elle prend autant d'avions que Jamel Saadi, mais plutôt pour des destinations comme Détroit

ou Chibougamau. Le père de Yasmina est tellement plus...
cosmopolite. Un jour, elle a fièrement révélé à son père le
domaine dans lequel travaille monsieur Saadi : le marché
des monnaies. «Pouah! Un *gambler*!» avait rétorqué
Claude Castel. Cela n'empêche pas Éléonore d'admirer
l'imposant Marocain. Il représente à ses yeux l'image
d'un vrai père, qui chicane ses enfants et les emmène en
vacances dans la villa familiale, en Italie.

Éléonore soupire. Un long week-end en perspective,
puisqu'elle sera privée de la présence de la famille Saadi.

– Madame Gaston? crie Éléonore en claquant la porte
d'entrée de la maison.
Silence. Éléonore entre dans la grande cuisine de bois
franc. Personne. Elle mord dans une pomme et dépose son
sac à dos sur la robuste table de chêne.

– Ma-da-me Gaston! chantonne Éléonore en grimpant
les escaliers. Elle entend une porte qui claque dans la
chambre de ses parents. Madame Gaston doit être en train
de faire du ménage. Éléonore ouvre la porte et se trouve
face à face avec sa mère en robe de chambre.

– Maman?
– Éléonore? Qu'est-ce que tu fais là?
– Ben rien, je cherche madame Gaston. Elle est pas là?
– Non, je lui ai donné l'après-midi de congé. Mais toi,
qu'est-ce que tu fais là? T'es pas chez ton amie?
– Mon amie, elle s'appelle Yasmina, et non, je suis pas
chez elle, je suis ici, ça paraît, me semble?
– Je t'interdis de parler à ta mère sur ce ton!
– Parfait, je te parlerai plus, ni sur ce ton ni sur un autre!

Éléonore quitte la pièce en claquant la porte.

Merde, se dit Charlie. Elle ouvre la porte de la salle de bains. Félix a l'air ridicule, assis sur le bidet, essayant de se cacher l'entrejambe avec une nuisette transparente.

– Bon, qu'est-ce que je vais faire de toi, maintenant ? se demande Charlie à voix haute.

– C'est ta fille ? Ouin, c'est pas un cadeau !

– Ça ne règle pas la question.

– Je pourrais rester caché jusqu'à ce qu'elle se couche... et ensuite venir te rejoindre, suggère Félix, l'œil brillant.

– T'es fou, riposte Charlie. Claude rentre ce soir.

– Crisse, faut que j'y aille ! J'ai pas envie de perdre mon agent avec des conneries pareilles !

Félix sort à toute vitesse de la salle de bains, met ses boxers et ramasse son pantalon, que Charlie avait caché sous le lit. Pendant qu'il enfile la deuxième jambe de ses jeans, Éléonore ouvre la porte, prête à s'excuser auprès de sa mère. Les yeux écarquillés, elle regarde Félix Lacroix à moitié nu, en train de se rhabiller en sacrant dans la chambre de ses parents. Elle fige sur place. Lorsque Félix l'aperçoit, elle rassemble ses esprits et sort en courant, claquant derrière elle la porte de la chambre pendant que Charlie tire la chasse des toilettes.

– Félix, dit-elle en rentrant dans la chambre, tu peux pas partir comme ça ! Ma fille risque de te voir.

– Ta fille, si c'est une grande échalote aux cheveux bruns, elle m'a déjà vu.

– Non !

– Elle est entrée en coup de vent, j'ai pas eu le temps de me cacher.

– Sors d'ici en vitesse, je vais lui parler. Bye, mon coco! dit-elle en soufflant un bec à son amant.

– Éléonore?

– ...

– Éléonore!!!

Éléonore s'est enfermée dans la salle de bains et refuse de répondre aux appels répétés de sa mère. Elle hausse le volume de son lecteur de CD et écoute, avec une satisfaction noire, *L'amour est sans pitié* de Jean Leloup. Ce soir, les paroles semblent écrites pour elle: «Toujours ta solitude, ça devient une habitude.» Charlie s'égosille et tambourine sur la porte. Têtue, Éléonore attend l'inévitable moment où sa mère perdra patience. Elle n'est donc pas surprise lorsqu'elle entend Charlie s'éloigner et lancer, sur un ton impatient: «Bon! Puisque c'est comme ça. Il n'y a pas moyen de te parler.» Éléonore parierait toute sa collection de CD qu'un bon martini se prépare en ce moment même dans la cuisine. Elle n'a aucune envie de parler à sa mère, ni de voir dans ses yeux trompeurs la confirmation de sa trahison.

Éléonore aperçoit son reflet dans le miroir de la salle de bains. L'air borné, les lèvres serrées, elle hoche la tête au rythme de la musique qui émane de ses écouteurs. Ses yeux s'emplissent de larmes. Elle se trouve plus l'air d'un chaton abandonné que celui de l'ado rebelle et enragée qu'elle voudrait bien être. Le ton cynique et persifleur de ses pensées s'essouffle et Éléonore éclate en gros sanglots bruyants.

Maintenant que sa peine explose, rien ne semble pouvoir contenir ce geyser de douleur qui monte en elle. Elle a si mal qu'elle pourrait hurler. Elle étouffe un cri en mordant sauvagement son poing. Les pensées défilent pêle-mêle dans sa tête, elle n'arrive pas à les ordonner, ni à en chasser la scène honnie : Félix Lacroix qui sautille bêtement sur une jambe en essayant de remettre ses jeans, à quelques pieds du lit parental désordonné. Le détail de ses boxers roses à pois blancs surgit dans les souvenirs d'Éléonore. Elle en ressent un haut-le-cœur et se penche au-dessus de la toilette pour expulser le contenu de son estomac, ne réussissant qu'à pousser de longs hoquets qui lui déchirent la poitrine.

Plusieurs minutes plus tard, lorsque son corps semble vidé de ses sanglots, elle se recroqueville et se berce doucement. C'est à ce moment, dans le silence qui revient, que Charlie cogne de nouveau à la porte, tout doucement cette fois-ci.

– Éléonore ?

Vaincue tant par sa léthargie d'après la crise que par le ton incertain de sa mère, Éléonore débarre la porte d'un coup sec. Charlie entrouvre à peine et demande, dans l'embrasure :

– Viens-tu, mon chat ? Je pense qu'on va avoir une conversation de femmes, toi et moi.

Épuisée, Éléonore suit docilement sa mère jusqu'à la cuisine. Sur le comptoir de granit trônent deux martinis ornés d'une olive. Devant l'air méfiant de sa fille, Charlie hausse les épaules et marmonne : « Il y a des jours où on en a besoin. » Éléonore s'assoit et boit une grande gorgée.

Charlie, quant à elle, a eu le temps de se calmer, de boire un premier martini et de fumer une cigarette apaisante. Même si elle trouve la scène regrettable, voire de mauvais goût, elle ne ressent pas le moindre sentiment

de culpabilité. Elle refuse de se diaboliser, de se proster-
ner aux pieds de sa fille pour lui demander pardon. Elle
considère qu'Éléonore est assez grande pour comprendre
certaines choses, et qu'il n'y a aucune raison pour que ce
petit incident ne puisse se régler entre femmes, à huis clos.
Par contre, il est important d'amadouer Éléonore, qui a
une relation privilégiée avec son père. C'est donc sur un
air faussement piteux qu'elle s'assoit devant sa fille et
entreprend de lui expliquer les choses de la vie. Les choses
du mariage, plus précisément.

En écoutant sa mère parler des besoins naturels d'une
femme dans la force de l'âge, de ces ententes discrètes
qui font le succès de plus d'une union, tout en Éléonore
se révolte et refuse. De nature foncièrement idéaliste, elle
ne peut se résigner à croire à de telles bassesses. Surtout
pas de la part de son père. De savoir son père victime des
tromperies de sa mère la terrasse ; de l'en savoir complice
l'achève. C'est tout un monde de laideur, de pis-aller et
d'arrangements dans l'ombre qui s'ouvre à elle.

Éléonore se sent emplie de mépris envers ces élans
bestiaux qui poussent sa mère à agir de manière aussi dés-
honorante. Elle repense à sa maigre expérience avec la gent
masculine : quelques tentatives bâclées de *frenchs* dans des
camps d'été, un garçon plus aventureux qui l'avait pelotée
après quelques bières, dans un parc. Rien de ces ébauches
ne lui permet de comprendre le comportement de sa mère.
De ses pensées en tempête jaillit celle-ci : jamais elle ne
s'abaissera de pareille façon. Jamais elle ne cédera à ces
élans qui font oublier toute notion d'honneur et de dignité.

Pour le moment, elle répond peu à sa mère, murmure un
vague acquiescement lorsque Charlie semble demander

une réponse, puis elle court s'enfermer dans sa chambre. *Smells Like Teen Spirit* de Nirvana menace de faire exploser les haut-parleurs. Charlie, qui a interprété les réticences de sa fille comme une manifestation d'une gêne normale à son âge lorsqu'il est question de relations amoureuses, se félicite de ne s'en être pas trop mal tirée. Elle esquisse un sourire résigné, quelques heures plus tard, en voyant les affiches et les CD de Félix Lacroix bien en évidence dans la poubelle de la cuisine.

Claude, rentré tard dans la nuit, n'a pas eu vent de la tempête qui a secoué son domicile. Quand il se réveille, il est heureux de découvrir une Charlie câline, déterminée à se faire pardonner il ne sait quel petit méfait. Il profite allègrement des manières doucereuses de sa femme et c'est d'excellente humeur qu'il se rend à la cuisine préparer son premier espresso de la journée. S'affairant à la machine à café italienne, il sifflote une ballade de son jeune temps quand il entend une porte claquer. Quelques instants plus tard, Éléonore déboule dans la cuisine, l'air rageur. Claude l'accueille avec bonhomie.

– Eh ben! Un beau rayon de soleil dans la cuisine à matin!

Éléonore le mitraille du regard pendant qu'elle se verse un bol de céréales. Claude se le tient pour dit et recommence à siffloter sa chanson d'amour. Au durcissement des épaules de sa fille, il voit bien qu'il l'agace prodigieusement et décide d'en rajouter, y allant d'une petite steppette joyeuse lorsqu'il va chercher son journal à la porte. Le bol de céréales pas rincé est largué sans cérémonie sur le comptoir de la cuisine. Éléonore réapparaît quelques minutes plus tard, munie de son éternel lecteur de CD et d'un sac à dos bien rempli.

– On s'en va où, comme ça, de bonne heure un samedi matin? demande Claude.

– Chez grand-maman, répond Éléonore en étouffant un sanglot.

Claude n'a même pas le temps de lui demander si elle veut un *lift* qu'elle a déjà claqué la porte et dévalé les escaliers de l'imposante demeure de la rue Maplewood. Surpris par ce comportement inhabituel, Claude va s'enquérir de ce qui se passe auprès de Charlie.

– Qu'est-ce qu'elle a, ta fille, à matin, coudon? On dirait qu'elle a le feu aux fesses.

– Ah, parce que c'est *ma* fille, maintenant. Pis quand elle a des bonnes notes à l'école, c'est *ta* fille, c'est ça?

– Cherche pas des bibittes, Charlie, pis dis-moi ce qui se passe. Elle est pas d'humeur, j'ai jamais vu ça.

– Mais comment tu veux que je le sache, répond Charlie, de mauvaise foi. À son âge, ça doit être une histoire de p'tit gars. Ou ses affaires qui commencent. Il serait temps, moi, j'étais femme à douze ans!

– T'as toujours été femme, toi.

– Viens voir ta petite femme, mon gros nounours, dit Charlie en ouvrant les bras, heureuse de constater à quel point il est toujours facile de distraire un homme.

Pendant ce temps, Éléonore entame le long périple qui la conduira à Knowlton, dans les Cantons de l'Est. Malgré ses pensées noires, elle a sombré hier soir dans un sommeil profond, épuisée par tant d'émotions fortes. Elle s'est réveillée ce matin de mauvaise humeur, alourdie par le sommeil et animée d'une seule idée: fuir la maison de ses parents au plus vite.

Impatiente de voir entrer en gare le métro qui se fait attendre en ce samedi matin d'automne, elle donne un coup de pied rageur à une vieille canette qui traîne sur le quai. Alors qu'elle se complaît dans son rôle d'ado rebelle, elle croise le regard désapprobateur d'une vieille dame assise près d'elle. Éléonore a toujours été une jeune fille rangée, polie, travaillante. Ce matin, elle sent bouillonner en elle une envie de rébellion, de tout foutre en l'air, qu'elle ne sait comment exprimer et encore moins réaliser. Elle glisse le dernier disque de Red Hot Chili Peppers dans son lecteur de CD, regrettant l'époque des *mix* sur cassette. Elle a envie d'enfiler tour à tour tous ses classiques préférés, ceux qui refléteront le mieux sa furie grandissante.

En descendant de l'autobus Voyageur, Éléonore se surprend à sourire en respirant l'air givré de la campagne. En partant ce matin, elle a à peine remarqué le temps frais amené par la fin du mois d'octobre, tant la ville et ses odeurs occultent les saisons. Mais ici, en marchant d'un bon pas le long du champ des Sicotte, elle respire à pleins poumons l'air vif du matin. Elle aperçoit au loin la maison de sa grand-mère, qui trône avec insouciance sur le lac Brôme et sa brume. Un filet de fumée s'échappe de la cheminée de pierre. Éléonore n'est pas surprise. Elle sait bien que sa grand-mère Castel est debout depuis l'aurore, occupée à ses jardins, à sa cuisine, à ses bouquins, aux mille projets qui peuplent l'existence de cette grande passionnée. Elle est contente de n'avoir pas prévenu sa grand-mère et de pouvoir lui faire la surprise. Elle se faufile par la porte de la cuisine et trouve sa grand-mère à ses chaudrons.

– Éléonore Castel, tu tombes à point! Je fais mijoter un potage à la courge musquée et au cumin dont tu me donneras des nouvelles. Goûte, et dis-moi si tu trouves que ça manque de poivre.

S'affairant auprès du poêle de fer forgé, Mathilde Castel soutient un flot enjoué de paroles, ne laissant pas à sa petite-fille la chance de placer un mot. Elle l'assoit d'autorité devant un bol de potage fumant et lui sert une brioche au fromage, livrée de bon matin par le boulanger du coin. Éléonore est soulagée de n'avoir pas encore besoin de parler. Elle se doute bien que son père a dû appeler pour annoncer son arrivée mais pour le moment, cette ingérence lui convient. Elle se fond dans la chaleur réconfortante de la cuisine de sa grand-mère et se sent redevenir une enfant choyée et protégée. Elle réchauffe avec bonheur ses doigts engourdis sur le bol de céramique coloré.

Mathilde a décoré elle-même presque toute sa vaisselle, au gré des années et des inspirations. Le résultat est éclectique, mais chaleureux. Certaines assiettes soulignent des événements spéciaux, des naissances, des mariages. D'autres sont le reflet des états d'âme de Mathilde, de son regard sur le temps qui passe. Le bol qu'Éléonore a entre les mains est très gai, un mélange de rouge et d'orange et il porte cette phrase de Jules Barbey D'Aurevilly, retranscrite dans l'écriture élégante de Mathilde : « Le plaisir est le bonheur des fous, le bonheur est le plaisir des sages. » Éléonore se demande si, comme elle en a parfois l'habitude, sa grand-mère a choisi ce bol spécialement pour elle. Elle mange avec appétit et en redemande. Lorsque la table est débarrassée, Mathilde sert deux bols de chocolat chaud d'un cacao profond et s'assoit face à sa petite-fille.

– Bon. Tu vas me dire ce qui se passe, maintenant ?

– Qu'est-ce qu'il t'a dit, mon père ?

– C'est pas important, Éléonore, ce que pense ton père. Ce qui est important, c'est ce que tu penses, toi.

Éléonore hésite. Elle se ronge la peau autour de l'ongle du pouce, une mauvaise habitude qui revient lorsqu'elle est anxieuse. Comment peut-elle confier ce qu'elle a vu, même à sa chère grand-mère? Surtout à sa chère grand-mère. Elle ne sait comment prononcer ces mots infâmes, qui viendraient ternir cette cuisine qui respire le bonheur. En même temps, elle hésite à mentir, sachant que sa grand-mère ne sera pas dupe.

– C'est compliqué.
– Je t'écoute.
– Je sais pas si c'est disable.
– T'as une bouche pour parler, j'ai des oreilles pour écouter.
– C'est des affaires d'adultes, grand-maman.
– Ah bon, parce que je suis pas adulte, moi? J'ai pas élevé six enfants, moi?
– Je sais, mais c'était pas pareil dans ton temps.
– Dans mon temps, c'était pareil, Éléonore. Il y avait des gens de cœur, pis il y avait des gens qui faisaient des choses qui blessent leur famille. Ça n'a jamais changé, ça. Pis ce qui n'a pas changé non plus, c'est qu'il y a des gens forts, qui continuent leur chemin, même quand les problèmes leur tombent dessus, pis qu'il y a des gens peureux, qui s'écroulent et qui laissent les erreurs ou les fautes des autres leur gâcher la vie. Tu trouves pas?
– Je sais pas…

Ce qu'Éléonore a surtout compris, c'est que sa grand-mère a deviné la cause de son malaise. Avec son franc-parler habituel, elle lui a fait savoir que même si

Charlie ne gagnera jamais le prix de la mère de l'année, il revient à Éléonore de continuer à affronter la vie avec intégrité et bonne humeur. Les méfaits de sa mère ne sont pas les siens, ses défauts non plus. Sur ces paroles encourageantes, Éléonore annonce qu'elle s'en va à la ferme des Sicotte, voir si elle peut leur emprunter leur chien le temps d'une balade dans les champs. Éléonore adore Maisie, une border collie pleine d'énergie qui le lui rend bien.

Mathilde sourit en voyant sa petite-fille prendre son envol, un foulard de laine enroulé autour du cou. Elle se dit que c'est cette fougue de la jeunesse qui la sauvera, ce besoin de bouger et de changer d'air. Une longue course en plein air, s'amuser avec un animal taquin, voilà qui ramènera un peu de paix au cœur de son inquiète. Mathilde se promet d'avoir une conversation musclée avec son aîné. Les quelques mots échangés plus tôt n'ont pas satisfait sa curiosité. Une vague mention d'une probable chicane entre Éléonore et Charlie, puis Claude avait déjà raccroché.

Mathilde ne sait pas ce qui se trame chez son fils, mais à la réaction d'Éléonore, il lui apparaît clairement que Charlie a quelque chose à y voir. La matriarche n'a jamais porté sa bru dans son cœur, et elle ne s'en cache pas. Pendant des années, elle a fermé les yeux sur les manquements de Charlie, confiante qu'Éléonore, dans son innocence, n'en souffrait pas trop, mais cette époque semble bel et bien révolue. Si seulement Éléonore pouvait devenir pensionnaire... Une solution à bien des maux familiaux. Mais à Outremont, elle vit à moins d'un kilomètre des meilleures écoles de Montréal.

Le soir venu, Mathilde décide néanmoins d'en parler à sa petite-fille, alors qu'elles s'affrontent dans une partie de Scrabble près du feu.

– Éléonore, mon cœur, ça ne te dirait pas d'être pensionnaire ?

– Pensionnaire ? Pour quoi faire ? J'habite pas loin de l'école.

– Parce que c'est une aventure. Ton père a adoré ses années au pensionnat, tes oncles aussi.

– Oui, mais mon père, c'est parce que vous étiez loin des écoles, ici. De toute manière, j'ai fait une demande pour aller à Brébeuf l'an prochain.

– À la campagne aussi, il y a des pensionnats.

– Grand-maman, je sais pas d'où ça te sort, cette idée-là, mais oublie ça tout de suite. J'aime ça la campagne les fins de semaine, mais je suis une fille de la ville, moi. De toute manière, mon père ferait une syncope si j'allais pas à Brébeuf pour le secondaire 5 et le cégep. Tu sais bien qu'il aurait rêvé d'avoir un fils, qui aurait fréquenté cette auguste institution, termine Éléonore d'un ton faussement pompeux.

– Tu peux bien te moquer. Ton père t'adore, tu es la prunelle de ses yeux. Il veut le meilleur pour toi.

– Je sais. Je pense que ça le chicote encore, de pas être allé à Brébeuf, et c'est pour ça qu'il y tient autant. Il pense que ça va m'ouvrir des portes, dans la vie. Mais pour le pensionnat, c'est non. Tu voulais me rapatrier plus près de chez toi, c'est ça ?

Mathilde avoue gaiement que oui, c'était là sa motivation profonde et machiavélique. Éléonore ne va pas chercher plus loin, ne pouvant pas s'imaginer sa vie autrement que chez elle, à Outremont, entourée de ses parents, certes absents, mais aussi de Yasmina, de ses copines, de ses habitudes. Elle entreprend de battre sa grand-mère au Scrabble, ce qui n'est pas une mince tâche, puisque la vieille dame est une experte des mots croisés et de la grille des mordus. La soirée s'achève dans les rires et c'est apaisée qu'Éléonore s'endort ce soir-là, blottie sous un immense édredon.

Chapitre deux

Allegra Montalcini parcourt le Centre Rockland avec sa mère. La honte. Celle-ci est déterminée à trouver une robe seyante pour sa fille. Allegra a beau se tuer à lui dire que le bal des finissants n'a lieu que dans quatre mois, rien à faire. C'est un tel honneur que sa fille soit la seule élève de secondaire 4 du Pensionnat du Saint-Nom-de-Marie à être invitée au bal des finissants de Brébeuf. Il faut absolument qu'elle soit belle, élégante, raffinée. Qui sait, Allegra rencontrera peut-être son futur mari à ce bal.

La mère d'Allegra, Nicole Castonguay, avait vu plusieurs de ses amies d'enfance se « caser » ainsi. Que c'était donc simple, dans leur temps. Ses meilleures amies, ses grandes *chums* avaient toutes été sur les bancs d'école avec elle. Leur photo de classe de première année les fait encore mourir de rire : les tresses, les uniformes des années 50, l'air strict des bonnes sœurs.

Elle et ses amies avaient toutes passé leur secondaire sous la gouverne sévère des sœurs de la congrégation des Saints Noms de Jésus et Marie. Cela ne les empêchait pas de reluquer les garçons qui marchaient sur la Côte-Sainte-Catherine, vers le Collège Brébeuf. À seize ans, les premières invitations avaient fusé, les premiers secrets avaient été chuchotés, les premiers baisers chastes échangés. Les trois grandes amies de Nicole avaient toutes épousé leur premier chum, celui des danses au

Collège Brébeuf. Leurs maris sont aujourd'hui chirurgien plasticien, juge et avocat.

Nicole, elle, avait été la *flyée* de la gang. Celle qui était tombée sous le charme de l'Expo, de Montréal qui s'ouvrait sur le monde. Elle était aussi tombée sous le charme d'un Italien aux yeux doux qui travaillait sur l'île Notre-Dame. Matteo. Matteo Montalcini. Qu'il était beau! Elle se souvient encore des poèmes enflammés qu'il lui composait, des sentiments chevaleresques qu'il lui déclarait. En couventine habituée aux manières maladroites des jeunes Québécois d'avant la Révolution tranquille, en fille avide d'exotisme et de découverte, la passion exaltée du jeune Matteo lui avait paru être le gage de la plus grande aventure du monde. C'est sans regret qu'elle avait quitté l'austère demeure familiale d'Outremont pour le trois et demi miteux que Matteo partageait avec deux compatriotes.

Cela avait marché quelque temps, eux deux. Malgré le mariage en coup de vent lorsque Nicole était tombée enceinte, malgré la naissance de Chiara, leur aînée, malgré la déception de Matteo, qui rêvait d'un hériter mâle, malgré les années de pain sec, alors que Matteo passait ses étés sur des jobs de la construction et ses hivers devant la télé, malgré les fausses couches, malgré les études de Nicole, malgré la naissance d'une deuxième fille quatre ans plus tard, leur relation avait su demeurer passionnée.

Jusqu'au jour où Nicole, après des années de labeur à temps partiel entre deux couches et une comptine, avait réussi à décrocher son diplôme universitaire en architecture. Jusqu'au jour où elle avait obtenu un stage dans un cabinet important. Jusqu'au jour où elle s'était vu offrir son premier vrai contrat et que Matteo avait compris que sa femme gagnait maintenant plus que lui. Pire, que s'il la croisait un jour sur un chantier, elle aurait le droit de le bosser.

Le beau et macho Matteo s'était senti émasculé et s'était juré de gagner plus d'argent que sa femme, d'une manière ou d'une autre. Il avait commencé à passer ses après-midi d'hiver à jouer au vidéo-poker Chez Sergio, dans la Petite Italie. Malheureusement, ses pertes s'étaient vite accumulées ; il avait fini par accepter de livrer un paquet pour son ami Sergio, afin de rembourser ses dettes de bar. Un paquet, puis un autre, jusqu'au jour où un revendeur installé dans un semi-sous-sol à Montréal-Nord lui avait enfilé des menottes. La SQ voulait créer un précédent en cette fin des années 70 folles et dissolues. Matteo avait hérité du maximum : dix ans.

Les parents de Nicole, maître Castonguay et sa femme, étaient intervenus et avaient rescapé leur fille et leurs deux petites-filles, dont l'une était encore au berceau. Maître Castonguay avait épongé les dettes de Matteo et promis d'assumer l'éducation de ses petites-filles, à une condition : elles ne reverraient pas leur père. Matteo avait purgé sa peine et était rentré en Italie, détruit.

Les premières années d'Allegra se sont passées au sein de la résidence familiale des Castonguay, côte du Vésinet, à Outremont. L'auguste maison en pierre avait abrité ses jeux d'enfance, la détresse de Nicole, devenue soudainement monoparentale, et le début de la crise d'adolescence de Chiara. Le grand-père menait la maisonnée d'une poigne de fer, ce que la jeune fille avait du mal à accepter. Nicole s'était vue obligée de déménager, louant puis achetant un haut de duplex ensoleillé sur de l'Esplanade. Ses voisins étaient grecs, juifs, ou italiens. Chaque fois qu'elle entendait la *signora* d'en bas interpeller l'une de ses filles avec le même accent que Matteo, Nicole en ressentait un pincement. «Allegra! Chiara! *Ciao, Belle!*» Elle entendait encore leur père rouler amoureusement les «r» de leurs prénoms.

Chiara s'était un peu calmée en vivant dans le Mile-End. L'influence du grand-père demeurait forte; la petite famille se réunissait chaque dimanche pour le dîner dominical, et le vieil homme imposait ses opinions quant à la conduite que devaient adopter ses petites-filles. Après tout, c'était lui qui tenait les cordons de la bourse et il avait déjà fait preuve de souplesse et d'aveuglement une fois, avec Nicole; il était de son devoir de ne pas répéter cette grave erreur.

Quand le grand-père avait appris que Xavier Montclair, le fils du psychiatre, avait invité Allegra au bal des finissants de Brébeuf, il avait donné son accord. *Voilà un bon parti*, s'était-il dit. Et c'est ainsi qu'Allegra avait abouti avec sa mère au Centre Rockland, en cet après-midi givré de mars, à la recherche de la robe idéale.

– Peut-être chez La Baie? propose Nicole.

– Maman, tu sais bien qu'il n'y a plus personne qui magasine chez La Baie depuis les années 50!

– On trouve de très belles choses, chez La Baie. Des vêtements de qualité.

– Maman! s'exclame Allegra, s'écroulant intérieurement de honte devant la bêtise manifeste des arguments maternels.

Allegra rumine impatiemment. Elle a entendu les filles de secondaire 5 parler, au pensionnat. Toutes les filles qui sont invitées au bal prévoient magasiner ensemble, pendant les vacances de Pâques. Elles iront sur Laurier ou chez Holt Renfrew, exclusivement. Pas l'une d'entre elles ne frôlera les escaliers roulants du Centre Rockland. *Pourquoi pas le Centre Laval, tant qu'à y être ?* se dit Allegra avec aigreur.

Elle aura encore une fois l'air d'une folle. À cause de sa mère. Encore à cause de sa mère. C'est comme son nom idiot. Sa mère n'a vraiment, mais vraiment aucune idée. Allegra a passé son enfance à se faire appeler, au gré de l'imagination des enfants de la cour d'école, «Ah, le gras!», «Elle est grasse», ou encore simplement «Gras», ce qui avait évolué avec les années en «Gras de viande», «Gras de d'sous-d'bras», et mille variantes qu'Allegra tentait d'oublier. Le fait que, petite, elle annonçait déjà une certaine rondeur pulpeuse de Méditerranéenne n'avait en rien aidé l'affaire.

– Maman ?
– Oui, ma belle ?
Allegra soupire, résignée à dénicher au moins la plus belle robe du Centre Rockland.
– Chez Eaton... je crois qu'ils ont quelques designers européens. On pourrait pas regarder là ?
– Mais bien sûr, ma chérie ! s'exclame Nicole, heureuse d'avoir enfin trouvé de quoi satisfaire sa fille. Tu seras la plus belle, tu verras !

La vendeuse regarde d'un œil incertain la robe que lui tend Allegra. C'est une superbe robe de velours noir, sans bretelles, conçue pour dessiner amoureusement les courbes de sa propriétaire.
– Je voudrais essayer celle-là, s'il vous plaît, madame ?
– Je ne sais pas si nous avons ta taille, mon petit, répond la vendeuse.

Allegra la dévisage d'un air farouche ; elle n'est quand même pas si grosse ? Elle a perdu du poids, depuis qu'elle a lu dans un magazine de jeunes filles un truc à tout casser : la diète liquide. Trois jours à n'absorber que des liquides. L'article recommandait la diète avant des événements importants, comme un bal ou un rendez-vous, mais comme Allegra a du chemin à rattraper, elle suit religieusement la diète liquide une fois par semaine.

– Attends-moi ici, je vais aller voir.

Allegra replace nerveusement le bandeau mauve qui retient ses cheveux dorés. Cette robe est parfaite. Élégante et sexy. Nicole sourit à sa fille.

La vendeuse est de retour, les mains vides.

– Je suis désolée, madame, dit-elle en s'adressant à Nicole. Nous n'avons pas la taille de votre fille.

– Pourrait-on la commander ? demande Nicole, soucieuse de plaire à sa fille.

– Non, j'ai vérifié dans nos dossiers, cette robe ne vient qu'en taille 4 ou plus. Rien de plus petit. Il faut un minimum de buste pour la tenir, et votre fille aurait besoin d'une taille deux, sinon zéro. Je suis désolée.

– Ah bon...

Allegra se réjouit intérieurement d'apprendre qu'elle porte maintenant du deux, mais avale de travers l'insulte de la vendeuse quant à son manque de buste. La mère et la fille quittent Eaton sans dire un mot. Elles se dirigent d'un commun accord vers l'ascenseur menant à leur voiture.

– Bon, lance Nicole alors qu'elle s'engage sur le viaduc Beaumont, cette femme-là n'avait manifestement rien à offrir à une jeune fille élégante et svelte comme toi.

Allegra ne dit rien.

– Est-ce qu'il y a un autre endroit où tu voudrais aller ? demande Nicole.

– ...

– Allegra ? Voyons, c'est pas la fin du monde, on a cherché dans un magasin, pas dix !

– Les filles de mon école vont acheter leur robe sur la rue Laurier.

– Bon ! Alors, allons-y, sur Laurier !

– Maman, si ça te dérange pas, j'aimerais mieux magasiner toute seule, pour ma robe.

Tout à coup, l'idée de se changer et de parader devant sa mère la met mal à l'aise.

– Si tu veux, ma chouette. J'aimerais ça que tu me montres la robe que tu as choisie avant de l'acheter, par contre.

– OK, grommelle Allegra.

Le reste du chemin se fait en silence.

Claude Castel pousse un soupir satisfait. Installé au soleil sur la terrasse du Café Souvenir, il avale un espresso serré en lisant le journal. Il observe à la dérobée deux belles femmes d'environ son âge, assises quelques tables plus loin. La brise printanière transporte leurs paroles murmurées.

– C'est quand même un bel homme, chuchote Nicole Castonguay.

– Où ça ? s'écrie sa grande amie Johanne Lachance, en se retournant vivement.

– Sois subtile un peu ! Là, derrière toi, c'est Claude Castel qui lit *La Presse*.

– Voyons, c'est rien de nouveau, ça. C'est à croire qu'il vit sur Bernard.

– Je sais, je sais. Mais je trouve qu'il a une belle prestance.

Nicole observe le sourire narquois qui se dessine sur les lèvres de Claude et devine que celui-ci a surpris leur conversation.

– Mon Dieu, Nicole, t'as les yeux dans la graisse de bines, reprend Johanne avec élégance. Je t'ai pas raconté ce qui s'est passé chez Simone l'autre jour : son mari a été appelé pour une chirurgie d'urgence. Il avait oublié sa *pagette* à la maison. Quand elle a sonné, Simone a rappelé le numéro, pis c'est une femme qui a répondu ! Une jeune, à part ça. Voyons, Nicole ! M'écoutes-tu ?

Nicole hoche vaguement la tête. Claude, distrait, zieute les passants tout en feuilletant machinalement son journal. Soudain, Nicole voit le visage de Claude qui s'éclaire. Il hausse les sourcils et pousse un sifflement admiratif. Malgré elle, Nicole se retourne pour voir qui a pu susciter une telle réaction chez cet homme d'apparence inébranlable.

– Oh mon Dieu ! Le vieux pervers !

– Qui ça, le mari de Simone ? Le mot est un peu fort, tu trouves pas ? demande Johanne.

– Non ! chuchote Nicole avec urgence. Claude Castel ! Il vient de siffler mes filles !

Allegra et Chiara ont aperçu leur mère et se dirigent vers elle.

– Allo maman ! lance Allegra de sa voix encore enfantine.

Claude a la grâce de paraître penaud et cache son visage derrière son journal, après avoir discrètement demandé l'addition à la serveuse.

– Est-ce qu'on peut avoir des sous pour aller au Bilboquet ? demande Chiara d'une voix câline.

Nicole leur tend distraitement un billet de vingt dollars, pressée de les voir s'en aller pour mieux pouvoir discuter de l'incident avec Johanne, et accuser le choc. Ses filles, sifflées par un homme de son âge, qu'elle-même trouve de son goût!

Chiara prend l'argent sans demander son reste et entraîne sa sœur avec elle. Elles entrent au Bilboquet. Allegra salive en regardant l'éventail de saveurs de crème glacée. Elle devrait faire attention, mais peut-être qu'une seule boule de sorbet au citron…

Elle s'avance vers la dame, prête à commander, quand sa sœur la retient d'un geste brusque.
– Qu'est-ce que tu penses que tu fais là?
– Ben, je commande ma crème glacée.
– On mange pas de crème glacée, épaisse. J'ai besoin de l'argent pour ma sortie de ce soir.
– Ben là! C'est pas juste! Et moi alors?
– Toi, crois-moi, je te rends service. T'es plus aussi toutoune que t'étais, mais t'as encore du chemin à faire si tu veux avoir de l'allure avant de commencer à Brébeuf l'an prochain.
– Tu… tu penses?
– Crois-moi, ma vieille, la grande salle, ça ne pardonne pas.

Allegra boit les conseils de sa sœur comme des paroles d'Évangile. À ses yeux encore innocents, sa sœur Chiara représente le succès social absolu. Elle termine ses trois années à Brébeuf, où elle est la reine incontestée d'un petit cercle élitiste qui la porte aux nues. Depuis trois ans, Allegra observe, les yeux grands ouverts, les allées et venues de ce groupe. Les filles semblent si belles, si sûres d'elles, l'écharpe au vent, la cigarette au bec. Les garçons sont si beaux, si brillants, qu'on les croirait tout droit sortis d'une télésérie américaine.

Allegra se souvient encore d'un après-midi, il y a trois ans, alors qu'elle était encore une petite fille rondelette. Jean-Philippe Deschambault, le *stud* de l'année de Chiara, s'était arrêté devant chez elle sur son *scooter*; sa sœur avait enfourché la mobylette avec désinvolture et ils étaient partis vers l'avenue Mont-Royal. Que de nuits Allegra avait rêvé au jour où ce serait son tour de sauter sur le *scooter* du plus beau gars d'Outremont. Mais les amis de Chiara, le fameux JP inclus, portent peu d'attention à sa petite sœur, très timide en leur présence.

Allegra se jure de perdre encore cinq livres avant la rentrée de septembre. Et d'ici là, elle compte beaucoup sur le fameux bal de secondaire 5 pour faire son entrée dans le milieu de Brébeuf, où elle connaît peu de garçons. La pensée jaillit en elle que Xavier Montclair deviendra peut-être même son chum et qu'elle arrivera à Brébeuf déjà admise dans le groupe des cégépiens… Ce rêve à peine formulé la pousse à demander l'aide de sa sœur.

– Chiara…
– Quoi?
– Tu sais, pour le bal de Brébeuf… Tu pourrais m'aider à choisir ma robe?
– Je suis super occupée, j'ai mes exams de fin de session bientôt.
– Je sais, je sais, mais tu t'habilles tellement bien, et moi à force d'être en uniforme je sais même pas ce qui est à la mode.
– Ça, c'est bien vrai! rétorque Chiara d'un air moqueur.
– *Come on!*

– Ouin, OK. C'est surtout pour que tu me fasses pas honte. Demain après-midi, on va aller chez Mousseline, sur Laurier, OK ? Pis t'achètes ce que je te dis, sans rouspéter. En dix minutes chrono.

Allegra sauterait bien au cou de sa grande sœur, mais son regard blasé l'en dissuade.

Le lendemain est un dimanche. Chiara s'est défilée du repas dominical chez les grands-parents, prétextant un urgent travail de philo à terminer. Elle profite d'un rare moment de silence dans leur appartement pour regarder sur VHS le dernier épisode de la télésérie *Scoop*, qu'elle manque souvent à cause de ses sorties mais que sa mère lui enregistre religieusement. Elle s'étend sur le fauteuil du salon, un bol de Doritos sous la main, et soupire d'aise.

Sur la côte du Vésinet, l'atmosphère est autrement plus austère. Chaque semaine, maître Castonguay aime régaler sa femme, sa fille et ses petites-filles du récit de ses lectures et de ses réflexions. Cette semaine, son allocution porte sur l'œuvre et la vie de François Mauriac, qu'il redécouvre avec plaisir dans ses temps libres.

– Vous savez qu'il a soutenu un certain temps Pierre Mendès France, avant de se rallier au général de Gaulle sous la Ve République. En fait, c'est bel et bien la tentative de coup d'État du putsch d'Alger qui l'a amené à modifier ses alliances. En plus, il faut savoir qu'à cette époque…

Allegra n'écoute déjà plus. Elle pense à sa robe, au bal qui approche, à Brébeuf. Elle ne se sent plus à sa place au Pensionnat du Saint-Nom-de-Marie, où toutes les élèves l'ont connue bouboule et timide. Elle a besoin de renouveau, d'une nouvelle chance, de tourner la page et d'émerger, telle une chrysalide, dans un nouvel univers où elle saura charmer ses pairs.

— Allegra !
— Euh, oui, grand-père ?
— As-tu lu les *Préséances*, de François Mauriac ?
— Euh, non, je ne crois pas.
— C'est là une lacune inadmissible. C'est un petit roman délicieux, où il se moque de la bourgeoisie de Bordeaux, sa ville natale. C'est une caricature qui pourrait s'appliquer à bien des sociétés bourgeoises, la nôtre y compris ! Si tu dois naviguer dans un environnement social adulte dès l'an prochain, je ne peux que te recommander chaudement cette lecture. Tiens, je te prêterai mon exemplaire et tu nous en parleras dimanche prochain.
— Euh, c'est que j'ai déjà des lectures pour l'école.
— Foutaises ! Ce petit roman-là, ça se lit comme du bonbon. Allez ! conclut le grand-père.

En quittant la côte du Vésinet, Allegra jette un coup d'œil au livre jauni que lui a remis son grand-père. Ses yeux se portent tout de suite à la dernière page : 185. Ouf. À coup de trente pages par jour, elle peut y arriver. Allegra n'a aucune prétention intellectuelle, mais ne peut souffrir de décevoir son grand-père. Sa mère a beau lui répéter qu'elle ne peut plaire à tous, Allegra ne peut s'empêcher d'essayer. Elle voudrait tant être académicienne pour son grand-père, *fashionista* branchée pour sa sœur, épouse de médecin pour sa mère.

Par moments, cette pression l'étouffe : elle a l'impression qu'elle ne réussira jamais à tout faire. Certaines aspirations semblent hors de sa portée. Elle voudrait d'un coup de baguette magique se faire plus intelligente, plus dégourdie, plus jolie. Elle a le sentiment que son avenir échappe à son contrôle. Par contre, elle est très satisfaite de son régime : elle a réussi à ne manger que la salade et quelques bouchées de poulet grillé chez ses grands-parents. Elle a bien hâte de rentrer à la maison et de pouvoir se peser. Voilà un aspect de sa vie qu'elle contrôle à merveille. Elle espère voir l'aiguille descendre pour la première fois sous les cent dix livres. Ce serait parfait, juste à temps pour sa séance de magasinage avec sa sœur. Allegra retrouve le sourire et répond gentiment aux questions de sa mère sur ses travaux scolaires.

Le mois de juin arrive, et c'est enfin le grand jour. Le bal auquel Allegra a tant rêvé. Nicole ne saurait dire qui, d'elle ou de sa fille, est la plus excitée. Allegra passe de longues heures devant le miroir, empruntant pour l'occasion le maquillage et le parfum Guerlain de sa mère. Lorsqu'enfin Allegra apparaît, vêtue d'une robe rose vaporeuse et gamine, Nicole sent sa gorge se serrer. Sa fille sera une grande beauté. En la contemplant, elle se sent emplie d'humilité et a de la difficulté à croire que c'est elle qui a produit cette merveille. Nicole remarque bien qu'Allegra a beaucoup maigri, peut-être même un peu trop ; mais elle ne dit rien, ne voulant en aucune façon gâcher le plaisir si manifeste de sa fille. Puis, elle éprouve une certaine gêne à parler de son corps avec sa fille. La puberté est un sentier miné pour les parents, même pour les mères. Après avoir passé tant d'années à laver, habiller, panser et embrasser chaque parcelle de ce petit corps, voilà qu'il est tout à coup hors d'atteinte. La moindre accolade se fait dans la gêne et Allegra protège farouchement son intimité.

Pour le moment, Allegra flotte sur un nuage. Elle se sent comme Cendrillon qui va au bal et rien, même la remarque désobligeante de Chiara qui trouve que sa sœur « marche croche sur ses talons hauts », ne réussit à entacher son bonheur. Nicole court à la porte quand elle entend sonner. Elle accueille gentiment Xavier et le complimente sur son *tuxedo* loué. Xavier enfile timidement une rose au poignet d'Allegra, s'étant informé par téléphone de la couleur de sa tenue. Nicole fait prendre la pose à ses deux stars d'un soir tour à tour dans le salon, près du foyer, sur le balcon, assis au piano.

Dans son enthousiasme, elle ne perçoit pas le malaise grandissant des deux jeunes, qui ont hâte de se retrouver entre eux et qui sont gênés de jouer au couple parfait sous l'œil de la caméra, alors qu'ils se connaissent à peine dans la vraie vie. En garçon bien élevé, Xavier demande à Nicole la permission d'y aller, expliquant que la limousine les attend et qu'ils doivent passer chercher d'autres amis. Nicole les laisse enfin partir, essuyant une larme en regardant du balcon sa belle grande fille prendre place dans la limousine blanche. Elle se précipite sur le téléphone pour raconter à son amie Johanne tous les détails : la robe d'Allegra, ses cheveux, l'attitude galante du garçon, « fils de psychiatre comme on le sait », et mille autres choses encore.

Dans la limousine, dès que le chauffeur démarre, Xavier se tourne vers Allegra.

– Ouf ! Intense, ta mère.

– Je sais, dit Allegra, ne sachant comment expliquer l'engouement démesuré de sa mère pour cette soirée.

– Tiens, bois ça, ça va nous relaxer un peu.

Allegra prend timidement le thermos orné d'un Superman que Xavier lui tend. Devant son regard interrogateur, Xavier lui révèle qu'il l'a emprunté à son petit frère pour l'occasion. Elle approche le thermos de son nez. L'odeur lui serre la gorge. Elle tente une petite gorgée et manque de s'étouffer tellement c'est fort. Elle avale courageusement et sourit à Xavier.

– Pas pire, hein ? C'est mon mélange maison. Juste une goutte de chaque bouteille et le tour est joué, mes parents ne se rendent compte de rien.

Xavier boit à son tour puis, s'approchant d'Allegra, lui caresse doucement la cuisse en lui redonnant le thermos. Elle frissonne de plaisir et lui décoche son sourire le plus éclatant, avant de boire à son tour une longue rasade. Elle sent tout de suite son estomac vide se rebeller au contact de l'alcool fort. Un liquide acide lui remonte dans la gorge et elle déglutit péniblement, s'empressant de questionner Xavier sur ses plans pour l'été afin de se donner le temps de se ressaisir.

Au fil des arrêts, la limousine se remplit de joyeux fêtards. Xavier est dans son élément et le thermos de Superman est bientôt vide. Qu'à cela ne tienne, d'autres contenants de circonstance font leur apparition. Allegra goûte tour à tour des saveurs de menthe, de pêche, du rhum, au gré des bouteilles des fonds de bars familiaux où les jeunes ont pigé au hasard. Ces mélanges assassins l'étourdissent très vite, mais elle n'ose jamais refuser une gorgée.

Lorsque le chauffeur les dépose devant le Hilton du centre-ville, Allegra est soulagée de pouvoir enfin prendre l'air. Elle n'a mangé qu'une pomme ce matin, ne voulant pas risquer d'avoir le ventre gonflé dans sa robe ajustée. Une fois à table, la même crainte l'empêche de se jeter voracement sur les petits pains ronds, comme le font ses camarades. La conversation autour de la table est enlevée ; Allegra boit les paroles de ces garçons et de ces filles qui lui semblent si cool et pleins de vie. On parle de jobs d'été, de choix de concentration au cégep, de voyages en Europe. Surtout, on potine allègrement sur des tonnes d'autres étudiants dont Allegra n'a jamais entendu parler. Elle suit tout de même la conversation et la trouve passionnante. Surtout que Xavier est très attentionné et lui tient la main sous la table tout au long du repas.

Voulant éviter un mets trop lourd, Allegra a pris soin de demander le plat végétarien. Manque de chance, c'est un risotto aux portobellos et Allegra a horreur des champignons tout visqueux. Elle se contente donc de grignoter sa salade et de piquer un brocoli dans l'assiette de filet mignon de Xavier.

Une fois le repas terminé, Allegra regarde toutes les amies de Xavier envahir la piste de danse. Elle aimerait bien se joindre à elles et quémande une invitation du regard. Mais les filles de secondaire 5 s'intéressent peu à la *date* de Xavier. Elles se trémoussent sur les airs de *Good Vibrations* de Marky Mark, ignorant les garçons qui prétendent être trop cool pour danser. Lorsqu'elle entend *Unbelievable* d'EMF, Allegra n'en peut plus :
– Xavier, *come on*, on danse ! C'est ma toune préférée !
Xavier rit et l'entraîne plutôt à l'extérieur.
– Tu vas voir, Charles a amené du bon stock.

Dans une ruelle derrière l'hôtel, près des conteneurs à ordures, Charles allume un énorme joint, duquel il tire une longue bouffée avant de le passer poliment à Allegra. Celle-ci hésite. Elle n'a jamais fumé et a peur que ça paraisse. Mais elle n'ose pas refuser et se dit qu'après tout, il est à peu près temps qu'elle essaie. Elle prend le joint et aspire longuement. Elle a vu Charles retenir longtemps la fumée dans ses poumons et elle tente de faire de même, avant de s'étouffer et d'être prise d'une quinte de toux.

Xavier lui tapote gentiment le dos, puis l'invite à essayer de nouveau.

– Une p'tite *puff*, cette fois-ci. Prends ton temps.

La deuxième bouffée se prend mieux, comme si le chemin avait déjà été préparé. Puis, une troisième, et une longue rasade d'un alcool douteux, issu d'une bouteille cachée dans la poche du veston de Charles.

Allegra commence à sentir que ça tourne, tout doucement d'abord, puis de plus en plus vite. Elle s'accroche au bras de Xavier. Celui-ci se méprend sur ses intentions et en profite pour l'enlacer. Voyant qu'il est de trop, Charles s'esquive, laissant un peu d'intimité aux tourtereaux. Xavier avait parié cinquante dollars avec ses amis qu'il allait coucher avec Allegra ce soir-là, prétextant que « toutes les filles veulent se faire dévierger dans un bal de finissants ». Charles se dit que son ami est sur le point de gagner son pari et il se dépêche d'aller rejoindre sa *date* à lui.

Xavier prend Allegra dans ses bras. Elle se retient à son cou. Il la sent si fluide contre lui, si collée ; l'excitation monte en lui de la savoir si abandonnée et il se frotte déjà contre sa cuisse. Sa main baladeuse remonte, effleure ses fesses dans la robe, puis triture un sein. Dans son empressement, il interprète le « Xavier » murmuré par Allegra non pas comme un appel à l'aide, mais plutôt comme une invitation au plaisir, un miroir de son propre désir. Ses mains se font plus insistantes, il relève sa jupe et croit perdre le contrôle lorsqu'il glisse la main dans sa petite culotte. Allegra titube et l'entraîne presque avec elle dans sa chute. Il la retient, puis se penche pour l'embrasser.

C'est à ce moment qu'Allegra, prise d'un haut le cœur, vomit copieusement sur la poitrine et dans le cou de

Xavier. Celui-ci a le réflexe de la lâcher et elle s'affaisse par terre comme une poupée molle. Xavier prend peur en la regardant: elle semble évanouie et il ne sait pas quoi faire. Il lui parle, tapote sa joue, mais Allegra ne réagit pas. Il commence à paniquer. En élève de bonne famille aux parents autoritaires, il a tout de suite peur d'être blâmé pour l'état de la jeune fille. Il ressent la fulgurante envie de se sauver, de l'abandonner à son sort, mais il ne peut s'y résoudre. Un plan flou s'échafaude dans sa tête embrumée par l'alcool. Il dira à un professeur qu'Allegra a disparu en plein milieu de la soirée, qu'il était inquiet et est parti à sa recherche, et qu'il l'a trouvée comme ça dehors. Il part à la course.

Dans sa hâte, Xavier ne réalise pas qu'il est toujours couvert de vomi. Lorsque ses amis le voient arriver dans la salle, ils éclatent de rire. Les cris et les blagues fusent de tous bords. «Yo, Xavier! Pas capable de supporter l'alcool?» «C'est la meilleure celle-là, *man*! Montclair couvert de *puke*!» «Une p'tite point cinq, Montclair?»

Xavier ne pense qu'à préserver sa réputation et entraîne ses amis dans un coin pour commencer une campagne de salissage à tout casser. «Je vous jure, les gars, elle m'a sauté dessus, elle me voulait.» «Je sais pas ce qu'elle a pris, mais j'ai vu une boîte de pilules dans son sac.» «Je te jure, elle m'a *puké* dessus, c'était trop dégueulasse.» En quelques chuchotements bien placés, Xavier redevient le héros de sa propre saga. Soulagé, il se joint à ses amis pour se trémousser au son de MC Hammer et *U Can't Touch This*.

Pendant ce temps, Allegra gît toujours abandonnée dans sa ruelle. Jusqu'à ce qu'un employé des cuisines sorte, muni d'un énorme sac à ordures. Il aperçoit la jeune fille couchée en boule par terre et appelle tout de suite le

911. L'ambulance ne tarde pas. Dans le petit sac à main d'Allegra, on trouve son permis de conduire indiquant son adresse. On voit surtout, à sa date de naissance, qu'elle est mineure.

Nicole sirote un verre de vin blanc, complètement absorbée par *Out of Africa*, l'un de ses films fétiches, qu'elle a acheté en format VHS pour pouvoir s'offrir le plaisir de le visionner plus souvent. Elle sursaute en entendant sonner. Elle met à contrecœur son film sur pause ; on approchait de sa scène préférée, celle où Robert Redford dit à Meryl Streep : « *You've ruined it for me, you know.* » « *Ruined what?* » « *Being alone*[1]. »

Elle se demande qui peut bien la déranger à 23 heures, un samedi soir. Elle descend en maugréant, allume la lumière du palier et pâlit en voyant deux policiers en uniforme. Son cœur de mère s'affole.

– Oui ?

– Vous êtes bien la mère d'Allegra Montalcini ?

– Oh mon Dieu, qu'est-ce qui est arrivé à ma fille ?

La demi-seconde avant que le policier n'ouvre la bouche semble éternelle.

– Je suis désolé de vous apprendre que votre fille est à l'hôpital, madame. C'est un cas d'intoxication. Je ne peux vraiment pas vous en dire plus, il faudra vous rendre à Sainte-Justine et parler à son médecin.

Nicole ressent un soulagement éphémère (sa fille est en vie !) avant de céder à la panique. Allegra à l'hôpital ! Dans sa hâte, elle claque la porte au nez des policiers, monte à la course chercher ses clés, puis redescend en trombe. Elle

---

1. – T'as gâché ça pour moi, tu sais.
– Gâché quoi ?
– Être seul.
(Traduction libre)

saute dans sa Jetta noire et parcourt, en un temps record, les quelques kilomètres qui la séparent de l'hôpital Sainte-Justine. Elle stationne sa voiture à la hâte et court vers la réception, étonnée de constater qu'elle est en pyjama. Qu'à cela ne tienne, elle est sûre que le personnel médical en a vu d'autres.

En effet, la préposée qui la guide vers sa fille est pleine de compassion.
– Elle dort.
Nicole s'assoit.
– Vous pouvez lui tenir la main, vous savez.
Le cœur de Nicole se serre. La main de sa fille est si menue, si fragile. Elle semble perdue dans sa jaquette d'hôpital et son teint est blême. Lorsque le médecin de garde passe faire son tour, il débite succinctement la liste des traitements infligés à Allegra. Lavement d'estomac, réhydratation par intraveineuse, administration d'un puissant somnifère.

– Votre fille doit dormir. Elle est au bord de l'épuisement. Avec ce qu'on lui a donné, elle ne devrait pas se réveiller avant demain après-midi. Je vous conseille de rentrer chez vous, madame, vous n'avez rien de plus à faire ici.

Une fois le docteur sorti, l'infirmière adresse un sourire compréhensif à Nicole et propose de lui apporter une chaise plus confortable. Elle sait bien qu'en aucun cas cette maman désemparée ne quittera le chevet de sa fille en si piètre condition. Nicole acquiesce avec reconnaissance lorsque l'infirmière lui suggère d'aller se chercher un bon café chaud et quelque chose à se mettre sous la dent avant de s'installer pour la nuit.
– Je reste avec elle, ne vous inquiétez pas, elle ne sera pas toute seule.

Nicole glisse des pièces dans la machine à café et avale en quelques gorgées le liquide amer. Elle pense tout à coup à sa plus grande et se dirige avec empressement vers le téléphone public. Chiara n'est pas encore rentrée. Nicole lui laisse un long message, expliquant ce qui est arrivé et essayant de se rassurer elle-même en adoptant un ton de voix positif. Elle espère que Chiara écoutera le message et qu'elle ne sera pas trop inquiète de passer la nuit seule.

De retour auprès de sa fille, Nicole entame une veille interminable, préoccupée par des remises en question incessantes. Qu'est-il arrivé à sa fille ? Où a-t-elle failli dans son rôle de mère ? Comment faire pour la sortir de là ? Au petit matin, Nicole se réveille brusquement lorsqu'une préposée entre dans la chambre munie d'un plateau. Elle le pose doucement à côté de Nicole.

– Gênez-vous pas pour manger, madame, je pense qu'elle en a encore pour un bout avant de se réveiller.

Nicole se lève et étire ses membres courbaturés. Elle avale sans y goûter quelques bouchées de rôtie froide. Voyant l'heure, elle s'empresse d'appeler Chiara avant que celle-ci ne parte à ses cours, oubliant qu'on est dimanche. Le téléphone sonne longtemps dans l'appartement. Enfin, Chiara décroche.

– Allo ? dit-elle d'une voix endormie.

– Ma chouette, c'est maman. Je sais que tu dois être inquiète, mais tout va bien, tout...

Chiara interrompt sa mère.

– Maman, je ne suis pas inquiète, je suis endormie. Rappelle-moi à une heure décente.

Et elle raccroche. Nicole hausse les épaules et ne se formalise pas du ton sec de sa fille ; elle n'a jamais été de bonne humeur le matin.

Plusieurs heures plus tard, quand enfin Allegra se réveille, elle semble réellement confuse. Elle regarde autour d'elle. Une chambre verte, des draps blancs bien tirés – où peut-elle donc se trouver ? Des souvenirs de la veille lui reviennent pêle-mêle et elle sent, avant de la voir, la présence de sa mère à ses côtés, pleine de sollicitude.

– Allegra, mon chaton ? C'est moi, c'est maman ! Tu as besoin de quelque chose ?
– De… de l'eau, dit Allegra d'une voix rauque.

Après avoir bu une gorgée à la paille, elle se palpe. Elle n'a rien, rien d'autre qu'un mal de ventre terrible. Elle est nue sous sa jaquette d'hôpital. Que lui est-il arrivé ? Xavier a-t-il… ? Elle a si honte qu'elle n'ose rien demander à sa mère. Elle ferme les yeux très serré et essaie de se rendormir, mais c'est peine perdue après les seize heures de sommeil qu'elle vient de traverser. Elle entrouvre les paupières. Nicole la contemple, les yeux pleins d'eau. Allegra détourne le regard et aperçoit la perfusion intraveineuse.

– Qu'est-ce que c'est ? demande-t-elle à sa mère.
– C'est juste pour t'hydrater, mon amour, te donner des sucres, t'alimenter un peu.
– Quoi ? Mais qui leur a permis de me foutre ces cochonneries-là dans le corps ?

Agitée, Allegra tente d'arracher le tube inséré sous sa peau, dans le pli du coude.

– Allegra ! Arrête-moi ça ! Tu vas te faire mal ! Allegra !

Désemparée, Nicole appuie sur le bouton rouge pour demander de l'aide. L'infirmière intervient promptement. Elle tient fermement les bras d'Allegra de chaque côté d'elle et la prévient qu'elle ne la lâchera que si elle se tient tranquille. Allegra acquiesce, soudainement épuisée. Deux heures plus tard, un médecin se présente. Il demande un entretien privé à Nicole, pendant qu'une préposée restera auprès d'Allegra.

– Madame, je ne vous cacherai pas que nous sommes inquiets de l'état de votre fille. Elle semble sous-alimentée, très faible, et son équilibre psychologique me paraît assez précaire. J'ai demandé à la faire examiner par un collègue en psychiatrie.

– Voyons donc, docteur, ma fille n'est pas folle ! Voyons donc ! Un bal de graduation qui a mal tourné, c'est quand même pas la première fois que ça arrive ! Vous allez pas tous les envoyer chez les fous ? C'est des enfants qui connaissent pas leurs limites, qui ont bu un coup de trop. C'est tout...

Le médecin laisse Nicole finir sa tirade avant de lui expliquer doucement que, selon lui, sa fille présente tous les symptômes classiques de l'anorexie. Le mot résonne, laid et sec, dans le corridor vide. Nicole accuse le choc. Elle se laisse guider vers une chaise, silencieuse, pendant que le docteur lui parle de pronostic, de traitements, de statistiques. Elle n'est déjà plus là. Elle est auprès de sa petite fille, en train de la serrer sur son cœur et lui promettre que jamais rien de méchant ne l'atteindra. Comme elle a vite failli à cette promesse... Allegra n'a même pas seize ans et la voilà déjà si écorchée par la vie.

Pendant les jours qui suivent, les discussions sont brèves : Allegra sera admise immédiatement comme patiente à la Clinique de médecine de l'adolescence de l'hôpital Sainte-Justine. Elle ne pèse plus que quatre-vingt dix-sept livres et il importe d'agir sans tarder. On explique l'approche thérapeutique à Nicole, qui consent à tout. Tout pour que sa petite fille prenne du mieux. Elle rentre chez elle, complètement sonnée, et ne se sent pas la force de retourner les mille messages qui clignotent sur son répondeur ni de répondre aux questions moqueuses de Chiara, qu'elle envoie paître pour la première fois de sa vie, au grand étonnement de son aînée.

L'été est long pour Allegra. Déjà, la soirée du bal de Brébeuf lui semble un très lointain souvenir. A-t-elle réellement vomi sur Xavier Montclair, alors que celui-ci allait enfin l'embrasser ? Ses souvenirs sont flous et elle préfère cela ; autrement, l'humiliation de ce qui devait être sa grande soirée serait trop lourde à porter.

En plus, elle n'a que ça à faire, penser. Penser à sa vie, aux gens qui l'entourent, à ses aspirations, à tous ces éléments intangibles qui font d'elle ce qu'elle est : une anorexique. Allegra se réconforte cyniquement avec la pensée qu'après tout, la première étape vers la guérison n'est-elle pas d'admettre qu'on a un problème ? C'est ce qu'elle passe sa vie à faire, ces jours-ci : faire face à ses problèmes. Parler, parler, parler, toujours et encore plus parler.

Au cœur de ce cheminement, Allegra se découvre une volonté de fer. Elle suivra la voie qu'elle s'est tracée, quoi qu'il advienne. Elle commencera son secondaire 5 à Brébeuf en septembre. Elle sait bien qu'il faut les convaincre de la laisser sortir de là. En bonne élève assidue, en jeune fille qui a toujours cherché à plaire, elle sait instinctivement ce que ses médecins ont envie d'entendre ; elle mange patiemment, jamais beaucoup, mais juste assez. Elle évite de paniquer au sujet de sa prise de poids en se disant qu'après tout, ça ne compte pas : c'est de la triche pour pouvoir sortir d'ici.

À la mi-août, à la grande surprise de Nicole, on permet à Allegra de rentrer chez elle. On lui demande de revenir rencontrer son psychiatre toutes les deux semaines, puis tous les mois. Allegra acquiesce à tout et est ponctuelle à son premier rendez-vous. Elle se dit qu'il sera toujours temps d'espacer les visites après. Elle entend se lancer à fond dans cette nouvelle aventure et n'a pas l'intention de passer sa vie avec un docteur pour les fous. Non, cette étape ne sera rien de plus qu'un incident de parcours dans la vie d'Allegra Montalcini, la jeune fille en est convaincue.

À la maison, sa sœur Chiara l'accueille avec une accolade bourrue et sa brusquerie habituelle.

– Bon! Une bonne chose de réglée. Je te jure, maman était tellement pas du monde cet été, j'étais plus capable.

– Je m'excuse…

– Arrête de t'excuser sur tout! Bon, vu que t'as pas eu le temps de magasiner cet été, je te prête mon manteau en jeans pour la rentrée.

– Pour vrai?

– Faut bien que t'aies quelque chose à te mettre! Viens ici, je vais arranger tes cheveux, un peu.

Maniant la brosse dans les cheveux de sa sœur avec une douceur peu coutumière, Chiara a la voix bien rauque lorsqu'elle dit:

– Tu sais, Allegra, tu es déjà bien assez mince comme ça.

Allegra ne répond pas et s'abandonne à la caresse de sa sœur.

Chapitre trois

Le téléphone sonne très tôt chez les Castel. Éléonore dévale les escaliers en courant.

– Allo ?

– Debout de bon matin, à ce que je vois ?

– Grand-maman !

– Tu sais, Éléonore, l'avenir appartient à ceux qui se lèvent tôt, ne l'oublie jamais.

– Ce matin, j'étais réveillée à six heures. Trop énervée pour me rendormir !

– Alors, aujourd'hui, je te souhaite savoir, sagesse et culture.

– Moi, je me souhaite surtout des amis.

Éléonore n'aime rien tant que la rentrée. Les feuilles qui tirent au rouge, l'air frais et vif, le beau soleil d'automne, les cahiers neufs et surtout l'odeur de possibilités qui flotte dans l'air. Pour être honnête, Éléonore doit admettre que cette rentrée-ci est la plus excitante de toutes : elle commence dans une nouvelle école ; elle dit adieu à l'uniforme ; et surtout, elle ira à l'école avec des garçons ! Éléonore a beau dédaigner les aventures amoureuses qui passionnent plusieurs de ses amies, elle ne peut s'empêcher de trouver que la présence de garçons ne manquera pas d'ajouter un certain… piquant à ses journées.

Elle a préparé ses vêtements la veille avant de se coucher, comme c'est son habitude à chaque rentrée. Mais au lieu de l'éternelle jupe à carreaux, c'est un jeans neuf qui trône sur sa commode, accompagné d'un t-shirt mauve simple mais flatteur, d'un collier en bois et d'une paire de souliers Kickers vert pomme. Éléonore s'habille et descend dans la cuisine avaler son bol de céréales du matin. Claude prépare déjà son espresso. Il sourit de voir sa fille si gaie.

– C'est le grand jour, Éléonore ?
– Eh oui !
– Je te souhaiterais bien bonne chance, mais je sais que t'en auras pas besoin.
– On sait jamais, ça peut être *tough* à Brébeuf.
– Voyons donc, avec mon cerveau pis la beauté de ta mère, tu vas réussir partout où tu passes.
– C'est moi, ça. Le portrait craché de ma mère.

Ils rient d'un air complice. Éléonore est clairement la fille de son père : grande, forte, pleine de vitalité. Elle dépasse sa mère d'un bon cinq pouces depuis ses quatorze ans et a le nez droit et les yeux bleu clair de son père et de sa grand-mère Mathilde. Éléonore ne demande pas où est Charlie ; elle sait bien que sa mère n'émerge jamais avant 10 heures. Son absence ce matin ne la surprend donc pas. Elle profite de ces quelques moments privilégiés passés avec son père, à commenter *La Presse* et *Le Devoir*, puis elle se dirige d'un bon pas vers la Côte-Sainte-Catherine. Dans l'autobus 129, elle écoute sur son lecteur de CD *Shiny Happy People* de R.E.M., la chanson la plus gaie de son répertoire, celle qui renforce toujours sa bonne humeur.

La seule note discordante en cette matinée heureuse, c'est la pensée que, pour la première fois de sa vie, elle sera à l'école sans Yasmina. Éléonore aurait bien voulu que Yasmina fasse le saut avec elle, mais ses parents ont insisté pour qu'elle termine ses études aux Marcellines, par loyauté envers les bonnes sœurs qui se sont consacrées à son éducation pendant toutes ces années. Qu'à cela ne tienne, les deux amies se sont promis de se retrouver encore après l'école et de faire leurs devoirs ensemble, ce qui donnera prétexte à mille occasions de se confier et d'échanger les potins de leurs écoles respectives.

Assise dans la bibliothèque du collège, Éléonore observe la cinquantaine de filles qui l'entourent, tentant de jauger ces inconnues et de déterminer lesquelles deviendront des amies. Un groupe de professeurs apparaît et un homme au complet beige et à la moustache rousse prend la parole.

– Je vous souhaite la bienvenue au Collège Jean-de-Brébeuf. Vous êtes ici aujourd'hui parce que vous représentez la crème de la crème, l'élite de la société de demain. Parmi vous se trouvent de futurs chefs d'entreprise, des diplomates, des juges, des médecins, des politiciens. L'avenir de notre pays dépend de vous et je sais que vous saurez faire honneur à cette institution vénérable qu'est le Collège Brébeuf, grâce au travail acharné des pères jésuites.

Éléonore est estomaquée. «Il y va un peu fort, non?» chuchote-t-elle à la fille toute mince qui se trouve à ses côtés. Celle-ci se contente de lui adresser un sourire gêné. Monsieur Lalonde, le directeur du secondaire, continue de pérorer sur les vertus de son honorable institution. Éléonore en profite pour regarder autour d'elle. À Brébeuf, le secondaire est uniquement réservé aux garçons, mais depuis plusieurs années, on accepte une cinquantaine de filles en secondaire 5, question de faciliter leur transition vers le cégep. Les élèves de secondaire 5 se trouvent donc dans une espèce de zone grise, à part du secondaire et de ses relents de casiers, mais pas tout à fait intégrés aux cégépiens, presque adultes. Et ces cinquante filles, premières de classe dans leurs écoles respectives, se fondent à un groupe tricoté serré de cent cinquante garçons qui ont passé les quatre dernières années dans une atmosphère de franche camaraderie.

C'est déjà l'heure du cours de français. Éléonore est ravie puisque c'est l'une de ses matières préférées. En digne fille de son père, elle a toujours adoré les histoires, qu'elles soient lues, jouées dans une pièce de théâtre ou un film, ou encore racontées dans une chanson. L'expérience humaine sous toutes ses formes fascine Éléonore. La fille mince de la séance d'accueil la suit comme une ombre et s'assoit à côté d'elle.

Éléonore se fait la remarque que cette fille-là ne passera pas inaperçue : vêtue d'un pantalon en velours côtelé argent hyper moulant, de chaussures plateforme et d'un t-shirt bedaine bleu pâle laissant apercevoir un ventre plat sous le manteau en jeans, elle ne manquera pas d'attirer les regards. En effet, dès la première cloche sonnée, alors que tous les élèves se retrouvent dans l'immense corridor du secondaire 5, Allegra est la source de bien des discussions chuchotées entre les garçons, qui parcourent la salle comme des repéreurs à la recherche de nouveaux talents.

Allegra ne se rend compte de rien. Elle est intimidée par les élèves de Brébeuf, les garçons comme les filles. Elle a l'impression qu'il existe un code secret, qu'elle ignore, et qui fait que les autres sont capables de s'approcher et de se parler sans gêne. Elle ignore que, jumelé à sa grande beauté, son air timide peut facilement passer pour de l'arrogance et qu'elle décourage sans le savoir les tentatives de rapprochement. Pour éviter de rester plantée là, sans personne à qui parler, elle prend l'habitude de s'esquiver dès qu'il y a une pause pour aller faire un tour aux toilettes. Elle se lave les mains, retouche sa coiffure, applique du mascara, puis s'enferme dans le cubicule, où elle réussit à écouler quelques minutes. Elle se serre machinalement la ceinture en sortant.

Il a bien fallu qu'elle prenne du poids, pour qu'ils acceptent de la laisser sortir de «là», mais il faudra qu'elle se surveille. Cent dix livres, pas plus. Allegra a fixé là le seuil de poids acceptable à ses yeux et peu susceptible d'éveiller l'inquiétude de sa mère ou de son médecin traitant. Le poids de la paix d'esprit, en quelque sorte. Elle met la même énergie maniaque à le maintenir qu'elle mettait autrefois à maigrir. Résister aux oscillations de poids, manger un peu mais pas trop, voilà qui devient son nouveau jeu du contrôle qu'elle aime exercer sur elle-même, à défaut de pouvoir le faire sur d'autres.

À l'heure du lunch, Éléonore se rend à la grande salle, le sourire aux lèvres. Sa première journée se passe à merveille. Les cours sont intéressants, les étudiants sont sympathiques, elle a déjà l'intention de s'inscrire aux auditions pour la pièce de théâtre. Elle a tout d'abord manifesté de l'intérêt pour la mise en scène, mais on lui a répondu que ce rôle était assumé par un professeur suppléant. Elle échange quelques mots avec une fille de son cours de math, puis elle sursaute en entendant :

– Miss la *First Lady*! Quel honneur!

Éléonore se retourne, les yeux brillants de plaisir, tentant de n'en laisser rien paraître.

– Malik! Qu'est-ce que tu fais là?
– Ben rien, je viens de finir mon cours.

– Non, mais je veux dire, tu devrais pas être du côté du cégep ?

– C'est pas si grand, Brébeuf, ma chère. J'aurai souvent l'occasion de vous faire la cour, dit-il d'un ton espiègle en faisant une courbette.

– Pfft ! T'oserais t'afficher en public avec une fille de secondaire 5 ? Ça serait pas du suicide social, ça ?

– Inquiète-toi pas pour moi, j'ai un assez bon standing social pour me permettre quelques écarts.

– Oh la la ! T'as pas peur que ta tête explose, bientôt ?

– Malik ! Ici !

Un ami l'interpelle de loin. Il lui fait signe qu'il arrive, change son sac à dos d'épaule et fait un clin d'œil taquin à Éléonore, en lui lançant :

– À bientôt, mademoiselle !

Éléonore le regarde partir, le sourire aux lèvres. Elle ose à peine se l'avouer, mais en le voyant ici, à l'extérieur de la maison familiale des Saadi, c'est comme s'il cessait de n'être que le grand frère moqueur de Yasmina pour devenir... lui. Le plus beau garçon de Brébeuf.

En arrivant chez Yasmina, Éléonore déborde d'anecdotes et d'observations diverses. Yasmina rit de la voir si rayonnante et se dit que le changement d'environnement lui fait vraiment du bien. Elle a bien remarqué, l'an dernier, que son amie était plus taciturne, plus renfermée et songeuse, mais malgré ses questions répétées, Éléonore a toujours refusé de lui donner des détails ; elle se limite à marmonner « Ah, c'est ma mère, encore... Rien de nouveau sous le soleil. »

– Ton frère est pas rentré ? demande Éléonore d'une voix innocente.

– Non, il a une pratique de basket. Ça va être intense cette année, je pense. On le verra pas beaucoup à la maison. La paix, la sainte paix !

Éléonore accompagne d'un rire forcé celui de son amie.

Chez elle, lors d'un rare souper familial, Éléonore mange en silence. Charlie bavarde gaiement, sans paraître remarquer l'air buté de sa fille. Elle revient d'une rencontre avec Pierre Leclerc, l'animateur de l'émission de variétés de TVA qui fracasse toutes les cotes d'écoute. Dimanche prochain, le thème de l'émission sera *Nostalgie, quand tu nous tiens* et Charlie Castel en est l'invitée d'honneur. Pierre Leclerc compte sur elle pour épicer la conversation en racontant quelques anecdotes salaces sur le showbiz québécois des années 70. Il n'a pas à s'inquiéter. Les anecdotes salaces, Charlie connaît ça ; d'ailleurs, les meilleures de son répertoire devront malheureusement demeurer inconnues du grand public, puisque Charlie y figure elle-même.

– Ça va être tout un *show*, en tout cas, Claude, lance Charlie. Il y a même les Yé-yés qui vont venir jouer une toune en studio ! Heille, ça nous rajeunit pas, quand même, un *show* nostalgie ! Ben, qu'est-ce que tu veux, faut être fier de son vécu ! Une émission en direct, c'est tellement intense, là, tu peux pas savoir à quel point ça fait du bien. Ça te recharge comme toutes les batteries à l'intérieur.
– …
– Claude !
– Ah, scuse-moi, poupoune, j'avais complètement la tête ailleurs.
– C'est ben toi, ça, toujours perdu dans les nuages ! *Anyway*, ce que je te disais, c'est…

Claude Castel écoute vaguement sa femme. Il regarde Éléonore. On ne peut pas dire qu'il soit un père très présent. Ni sa carrière, ni son tempérament ne vont dans ce sens. Il aime profondément sa fille et essaie de se rattraper quand il est là, de créer des moments uniques et d'imprimer de sa présence les souvenirs d'enfance d'Éléonore, mais il ne peut le nier : il passe très peu de temps à la maison et ne la voit pas vraiment grandir. Malgré tout, Claude conserve le regret de ne pas avoir eu une famille nombreuse. Aîné de six enfants, il garde des souvenirs heureux de son enfance avec toute la tribu, dans les champs des Cantons de l'Est. Mais Charlie n'a pas la fibre maternelle, c'est le moins qu'on puisse dire ; après la naissance d'Éléonore, elle a catégoriquement déclaré que plus jamais elle ne ferait subir cela à son corps. Elle avait passé les deux années suivantes en cours d'aérobie et en cassettes de Jane Fonda pour retrouver sa ligne.

Éléonore est donc enfant unique et Claude se demande, en la regardant ce soir-là, si c'est cet isolement qui est la cause de l'air distant de sa fille, ou s'il s'agit simplement de la proverbiale crise d'adolescence. Quoi qu'il en soit, Éléonore n'a pas toujours été si… éteinte. Ses sautes d'humeur le déstabilisent ; ce matin encore, elle pépiait comme un pinson. Claude cherche à placer dans ses souvenirs le moment où sa belle grande fille a perdu de sa gaieté et de son enthousiasme. *Probablement pendant que j'étais entre deux avions et une séance en studio*, se dit-il amèrement. Au moins, il y a Charlie pour veiller sur elle. À moins que sa mère ait raison, et que Charlie elle-même soit à la source du problème ?

– Éléonore Castel ! Veux-tu bien te rasseoir ! As-tu demandé la permission pour sortir de table ?

Éléonore jette à sa mère un regard de glace. Pathétique. Juste parce que son père est là, elle se met à jouer à la maman parfaite et consciencieuse. Vraiment. Alors que tous les autres soirs de la semaine, Charlie se contente de grignoter quelques légumes crus arrosés d'un généreux martini devant la télé, pendant qu'Éléonore mange seule dans la cuisine, le nez dans un magazine de cinéma. Sans dire un mot, elle quitte la pièce. Quelques secondes plus tard, la porte d'entrée claque violemment.

– Qu'est-ce qu'elle a ? Tu vas pas la suivre ?
– Vraiment, Claude, s'il fallait que je joue le jeu à chacune de ses crisettes, on serait pas sorti du bois. C'est ses hormones, c'est tout. Laisse-la bouder toute seule dans son coin. Ça va lui faire du bien de prendre l'air un peu. Prendrais-tu encore un peu de rouge ?

Claude ressent un bref malaise. Puis, il hausse les épaules et se dit qu'à force de chercher des bibittes, on finit toujours par en trouver. Il a eu une dure semaine au travail et il entend bien profiter d'un rare mercredi soir tranquille à la maison. Le bordeaux coule à flots, le carré d'agneau est délicieux et Charlie, en grande forme. Il se verse de nouveau une généreuse rasade de vin et décoche un sourire lumineux à sa femme.

Dans l'atmosphère enfumée du Café Souvenir, Éléonore écrase quelques larmes en même temps que sa cigarette. Elle s'en veut de laisser encore sa mère l'atteindre. Depuis l'après-midi quelques mois plus tôt où elle l'a surprise en galante compagnie dans la chambre conjugale, le cœur d'Éléonore s'est durci. Elle va à ses cours, passe ses après-midi chez Yasmina, voit des amis, participe à toutes les activités scolaires possible, n'importe quoi pour éviter de croiser sa mère dans la grande maison vide. Elle passe de moins en moins de temps chez elle et cela semble leur convenir à toutes les deux.

Mais voilà, il y a son père… Son père envers qui elle ne parvient pas à ressentir la même rage, malgré les accusations de Charlie. Peut-être est-ce parce qu'elle ne l'a jamais pris sur le fait et qu'elle peut ainsi garder dans son cœur l'image d'un papa aimant et responsable. Et puis, peut-être que Charlie invente, pour se déculpabiliser. Éléonore l'en croit bien capable. Dans l'immédiat, par contre, cela pose problème. Éléonore tient à sa relation harmonieuse avec son père et veut la préserver, mais ça lui est impossible. Dès que sa mère est là, elle se transforme malgré elle en ado rebelle et bougonne. Ça l'enrage que son père ne voie rien passer et cède si facilement aux minauderies de sa mère. Elle ne comprendra jamais les hommes. Éléonore fouille dans son sac à main pour en extraire une nouvelle cigarette. Elle s'aperçoit que son paquet de du Maurier Légère est vide. Elle regarde autour d'elle, cherchant à en quêter une. Assise deux tables plus loin, perdue dans les volutes de sa cigarette, il y a la jolie fille toute mince de son cours de français.

– Salut! Ça va? Je m'appelle Éléonore Castel, je suis dans ton cours de français.

Allegra esquisse un sourire. Bien sûr qu'elle sait qui est Éléonore! La fille de l'homme médiatique le plus puissant du Québec. Elle tend la main.

– Allegra Montalcini.
– Ton nom me dit quelque chose. D'où on pourrait se connaître?
– Tu étais dans mes cours de ballet quand j'étais petite. À l'académie Rose Bonbon?

– Ah, c'est ça! Sérieusement, à Outremont, c'est à croire que tout le monde se connaît. C'est quasiment incestueux. Heille, mon paquet est vide, je pourrais-tu te quêter une smoke?

– Oui, oui, pas de problème, tiens.

Allegra tend une Marlboro Light argent. Éléonore l'invite à se joindre à elle, puis allume la cigarette.

– Pas mal chic, tes cigarettes.

– C'est ma mère qui me les rapporte de voyage, explique Allegra.

– Wow, elle est cool, ta mère! Moi, c'est pathétique, je fume encore en cachette.

– Bof, ma mère, je sais pas si elle est si cool. Elle passe son temps à essayer d'être ma meilleure amie. Ça m'étouffe, t'as pas idée.

Éléonore est étonnée de la franchise d'Allegra, mais elle accueille cette honnêteté spontanée comme une bouffée d'air frais. Elle-même n'a pas trop l'habitude de parler de ses parents. Avec Yasmina, on dirait qu'elle n'ose pas. Ce n'est pas que son amie la jugerait, c'est plutôt que sa vie familiale à elle semble si parfaite, si sereine, qu'elle a l'impression que Yasmina ne comprendrait pas. Tandis qu'avec Allegra, qui est plus ouverte, elle peut plus facilement se confier.

– Au moins, ta mère sait que tu existes. La mienne, je te jure, je la dérange!

– Crois-moi, elle sait que j'existe, ma mère, on dirait qu'elle vit juste pour ça.

– Mais quoi, elle a pas de vie, à part toi?

– Non, non, c'est pas ça. Peut-être que je suis trop dure. Elle a une job quand même hot: elle est architecte. Elle a plein d'amies. Mais je sais pas, elle a pas de chum, elle a pas... on dirait qu'elle a pas de passion à part moi et ma sœur, est-ce que ça fait ridicule de dire ça?

– Non, je comprends. Ma mère en tout cas, c'est tout le contraire. Mon père, par exemple, il est vraiment cool.

– Il a l'air.

– Oui, c'est fou hein, le monde me demande souvent s'il est comme à la télé, et je dis toujours oui. Plus grand que nature, c'est ça mon père. Toujours parti sur un gros projet, pis toujours plein d'énergie. Je te jure que ma mère pourrait s'inspirer de lui, un peu.

– Elle fait quoi, ta mère?

– Pas grand-chose à part se poupouner. Elle manque d'ambition. Je comprends pas ça, les femmes qui vivent aux crochets de leur mari. On dirait qu'il y en a plein autour de nous. Ta mère, au moins, elle est pas comme ça. Elle a sa carrière.

Au fil de la conversation, Allegra découvre en Éléonore une fraîcheur étonnante. C'était peut-être un préjugé, mais elle se serait imaginé cette fille de vedette plus préoccupée par le côté matériel, les apparences et le qu'en-dira-t-on. Bien qu'ayant grandi à Outremont, Éléonore n'a pas les manières affectées de bien des filles de ce milieu, qui ne daignent manger de crème glacée que si elle vient du Bilboquet et dont les horizons ne dépassent pas la rue Bernard. Au contraire, Éléonore la déstabilise en énonçant quelques déclarations assez profondes, sur ses valeurs et sa vision de la vie. Elle parle beaucoup de sa grand-mère et de l'admiration évidente qu'elle lui porte. Les positions d'Éléonore et son sens de l'honneur ébranlent Allegra, qui se questionne peu sur ces sujets. Elle a l'impression qu'Éléonore vient chercher le meilleur d'elle-même. Devant son absence totale de jugement, elle ose lui confier jusqu'à ses problèmes d'anorexie.

– Pis, j'ai été hospitalisée tout l'été.

– Pauvre chouette.

– Tu me trouves pas folle ?

– Mais non, voyons, t'étais malade !

Éléonore demande de nouveau du café à la serveuse. Dans le silence qui s'installe, Allegra semble nerveuse.

– Écoute, je me demande si je ne t'en ai pas trop dit… On se connaît à peine, je voudrais pas que tu penses que je déballe mes affaires au premier venu. Ce que je t'ai dit là, je l'ai jamais dit à personne, pis je voudrais pas que ça se répande…

Éléonore est émue par la vulnérabilité soudaine d'Allegra, par son insécurité. Elle lui jure de ne rien dire. À son tour, Éléonore ressent une liberté de parole comme elle en a rarement connu. Il y a quelque chose chez Allegra qui exige d'elle une honnêteté totale, sans fards ni artifices. Peut-être est-ce la candeur avec laquelle Allegra lui a dévoilé ses propres démons.

Allegra repart sur le sujet de sa mère, qui la couve comme un nouveau-né depuis son séjour à l'hôpital.

– En tout cas, depuis, je te jure, ma mère c'est à peine si elle me laisse aller à la toilette toute seule. Elle me rend complètement folle.

– Ouin… La mienne, c'est à peine si elle m'embarre pas dehors. Ma mère…

Éléonore prend une profonde inspiration, puis se lance, presque malgré elle.

– Ma mère trompe mon père. Une fois, je l'ai surprise.

– Quoi, tu veux dire, surprise sur le fait ? Ouach !

– Non, non, quand même pas, mais disons que je suis entrée et le gars était en train de se rhabiller. Je te jure, j'ai cette image-là imprimée à l'encre indélébile dans mon cerveau.

– Eurk, dégueu !

– À qui le dis-tu, c'est atroce.

– Mais écoute, si ça peut te rassurer, ta mère est pas la première, pis elle sera certainement pas la dernière.

– Je sais, mais quand je pense à mon père j'ai envie d'arracher la tête de ma mère.

– Ça, je t'avoue que je peux pas trop comprendre, parce que mon père a foutu le camp quand j'étais petite, donc moi, si ma mère se faisait un chum et pouvait me lâcher un peu, je serais au septième ciel !

– Ah oui ? Ton père est parti ?

La conversation continue longtemps. C'est tout l'historique familial des deux filles qui est passé en revue. Au gré des discussions, une réelle complicité se forge entre elles, à coups de confidences, de cigarettes blondes et de café noir. Elles se découvrent une passion commune pour le cinéma de répertoire et planifient un marathon de vidéos de la Boîte Noire au prochain week-end pluvieux.

Allegra rentre chez elle la tête dans les nuages. Si cela ne semblait pas ridicule, elle irait jusqu'à dire qu'elle a ressenti une espèce de coup de foudre, un coup de foudre amical.

Le lendemain matin, Allegra mentionne le nom de sa nouvelle amie à la maison et Nicole saute sur cette source de renseignements savoureux, demandant à savoir mille détails, qu'elle répétera bien sûr d'abord à son amie Johanne, puis au reste de la clique. Mais Allegra se ferme comme une huître et au-delà de son assertion que « Éléonore est une fille bien cool », elle refuse de satisfaire la curiosité de sa mère à l'égard des Castel, qu'elle juge malsaine.

Les deux filles se retrouvent avec plaisir à Brébeuf. Allegra a le bonheur de se sentir enfin à sa place dans le corridor du secondaire 5. Elle aussi a une amie à cher-cher des yeux, à retrouver, à qui chuchoter ses secrets. Elle continue d'éviter la grande salle, surtout le coin des cégépiens où trônent Xavier Montclair et ses imbéciles d'amis. À l'heure du lunch, Éléonore et Allegra partent se balader sur Côte-des-Neiges et mangent une salade au Café République. Les deux filles rigolent ensemble et leur franchise à tout casser ne se dément pas : Éléonore raconte sans gêne la honte qu'elle a ressentie pendant le cours d'histoire, alors qu'elle a répondu complètement de travers à une question pourtant simple du prof. Pour sa part, Allegra avoue sans hésiter s'être levée devant la classe d'anglais pour un oral avec un morceau de papier de toilette sale collé à sa chaussure.

Le seul sujet sur lequel Éléonore reste résolument discrète, à l'heure du lunch, c'est l'effet que lui fait Malik Saadi lorsqu'il passe près d'elle dans un corridor et lui glisse un « Salut, miss ! » qu'Allegra n'a pas entendu.

Chapitre quatre

Yasmina entame à peine la lecture de *Macbeth* pour son cours d'anglais que le téléphone sonne.

– Allo?

– Allo!

Ça fait des années qu'Éléonore ne se donne plus la peine de s'identifier lorsqu'elle appelle sa meilleure amie. Elle avait prévu rejoindre Yasmina chez elle ce soir-là, mais elle vient d'apprendre, à son grand bonheur, qu'elle a été retenue pour la pièce de théâtre de secondaire 5, de même qu'Allegra. La première lecture de texte doit avoir lieu après les cours. Éléonore jubile et Yasmina fait son possible pour répondre avec le même degré d'enthousiasme.

C'est peut-être vraiment enfantin comme réaction, mais elle ne peut s'empêcher d'être jalouse. Jalouse de Brébeuf, d'Allegra, de cette foutue grande salle dont les intrigues semblent éloigner d'elle sa meilleure amie. Yasmina se sent comme l'amie plate, celle à qui il n'arrive rien de nouveau et qui n'a pas de grands drames à raconter. Elle a rencontré Allegra à quelques reprises, mais il serait malhonnête de dire que le courant a passé entre elles. Elle trouve Allegra très accaparante avec ses questionnements existentiels et ses tragédies grecques quasi quotidiennes. La dernière fois que les trois filles ont pris un café, Allegra a monopolisé la conversation, ne parlant que de ce qu'elle devrait faire, le jour où elle croiserait Xavier Montclair dans la grande salle. Éléonore était tout à fait absorbée par l'affaire, donnant de multiples conseils judicieux, et Allegra avait continué à approfondir le débat toute la soirée. Yasmina quant à elle était restée plutôt silencieuse, rageant intérieurement de voir son amie subordonnée à une *drama queen* en puissance qui semblait avoir bien peu de temps pour penser aux autres et à leurs histoires.

Heureusement ou malheureusement, Yasmina et Allegra se croisent peu. Il est tacitement convenu que les invitations à étudier chez les Saadi ne s'adressent pas à Allegra. De même, Yasmina n'ayant pas le droit de sortir les soirs de semaine, les séances d'études dans les cafés qu'affectionnent Éléonore et Allegra jusqu'à tard le soir se déroulent sans elle. Yasmina passe presque toutes ses fins de semaine au chalet du Mont-Tremblant. Éléonore a l'habitude de se joindre à elle au moins une semaine sur deux, mais Yasmina se dit amèrement que cela risque de changer, maintenant qu'elle est prise par les pratiques de théâtre et ses autres obligations parascolaires.

Jacqueline Saadi voit bien que sa fille broie du noir. Avec quelques questions bien placées, elle l'amène à se confier. Madame Saadi use toujours de beaucoup de retenue avec ses enfants et elle s'en est vue récompensée au cours des années, obtenant plus de confidences que la plupart des mères d'adolescents qu'elle connaît. Yasmina explique en quelques phrases ce qui l'agace.

– Tu sais, Yasmina, à votre âge, c'est difficile de ne pas se laisser embarquer dans un nouveau contexte social… Et puis, l'amitié n'est pas une chose exclusive, pas comme l'amour.

– Ouais, je sais, mais…

– Ma puce, t'es-tu demandé comment se sent Éléonore dans tout ça ?

– Euh non, j'avoue que je n'y avais pas pensé.

– Et maintenant que tu y penses ?

Yasmina réfléchit rapidement.

– Elle doit se sentir un peu déchirée et un peu coupable face à moi.

– Ce qui ne sont pas des émotions agréables à ressentir…

– Donc moi, pour être une bonne amie…

– Je te laisse finir.

– Pour être une bonne amie, je devrais lui laisser un peu d'air et être moins dure avec Allegra.

– Tu as tout compris.

Yasmina ronchonne pour la forme, mais ne peut s'empêcher d'admettre le bien-fondé des arguments maternels. Sa mère finit toujours par être une sorte de guide moral dans sa vie, quelqu'un avec qui examiner ses choix, quelqu'un qui éclaire la voie à suivre grâce à ses bonnes questions. Bien sûr, Yasmina a parfois trouvé lourd d'avoir des parents aux valeurs si traditionnelles. Par exemple, quand toutes ses amies ont eu le droit de sortir jusqu'à minuit les vendredis soir, tandis qu'elle devait être chez elle à 21 heures, ou quand elle était la seule fille du primaire à ne pas avoir le droit d'aller dormir chez ses amies, son père étant d'avis qu'elle avait un lit chez elle pour qu'elle y dorme. Mais il y a des moments, comme aujourd'hui, où elle sent confusément sa chance.

Pleine de bonne volonté, Yasmina appelle Éléonore plus tard ce soir-là et cette fois-ci son enthousiasme n'est pas feint ; elle est réellement contente d'entendre son amie si heureuse. Quand Éléonore décline une invitation à aller au chalet la fin de semaine suivante en raison des répétitions et des textes à apprendre, Yasmina ne s'en formalise pas et passe vite à autre chose.

Éléonore se découvre une réelle passion pour le théâtre. Elle passe des heures dans la pénombre, à observer le professeur qui dirige ses acteurs. Tous les secrets de la mise en scène lui sont dévoilés peu à peu: de quelle manière l'éclairage influence l'ambiance, à quel point un changement de position sur scène peut transformer un dialogue et lui ajouter de l'intensité. Monsieur Faribourg, le metteur en scène, la prend sous son aile et lui enseigne les secrets du métier. Devant son jugement étonnamment fiable, il prend vite l'habitude de la consulter avant de conclure une mise en scène. Éléonore se retrouve donc à avoir un double rôle au sein de cette production et elle s'épanouit au contact de la scène.

De son côté, Allegra est tout aussi emballée par les nuances de son jeu d'actrice et c'est une nouvelle passion qui lie les deux amies, les amenant à répéter jusqu'à tard dans la nuit, chacune assumant divers rôles afin de permettre à l'autre de réciter tout son texte. Lorsqu'Allegra veut améliorer son jeu, elle demande conseil à son amie, dont l'opinion tranchante et judicieuse est digne d'une professionnelle aguerrie.

Pendant ce temps, Éléonore et Allegra se fondent dans le milieu social du secondaire 5. Allegra fait toujours fureur auprès de la gent masculine et Éléonore se sent comme un imposant bûcheron à côté de la beauté toute en courbes et en délicatesse de son amie. «Des hanches à faire des bébés, ça!» l'a souvent taquinée son père en lui tapotant les fesses au passage. Éléonore ne lui en tient pas rigueur et elle répond toujours du tac au tac avec une taquinerie de son cru.

Claude semble péter le feu ces jours-ci. Il déborde de projets professionnels et ne manque pas d'en tenir sa fille informée. Depuis qu'elle s'est découvert un amour pour le théâtre, Éléonore s'intéresse beaucoup plus aux histoires d'affaires de son père. Elle commente son choix de telle ou telle comédienne pour un projet, propose des lieux de tournage ou de concert inédits. Claude est au septième ciel de voir sa fille porter un tel intérêt à ses affaires et surtout, d'y démontrer un talent certain. Un après-midi, le célèbre réalisateur Jacques Martel est passé à la maison, pour signer un petit contrat avec Claude. Éléonore a eu la chance de rencontrer l'une de ses idoles et elle l'a bombardé de questions pendant les cinq minutes qu'a duré leur échange.

Mais la vie d'Éléonore n'est pas faite que de travail et de répétitions. Allegra et elle sont invitées à de multiples partys, où Éléonore entraîne toujours Yasmina qui dort chez son amie ces soirs-là afin de contourner le couvre-feu paternel. La bière coule à flots et les compétitions de «calage» à l'entonnoir sont légion. Allegra reçoit un nombre de déclarations d'amour proportionnel à la quantité de Molson Dry consommée. Yasmina aussi se fait cruiser, la nouveauté ayant souvent bien meilleur goût. Éléonore rigole et se contente de les encourager des tribunes. Elle ignore les regards admirateurs qui se tournent de son côté, vite réprimés par son air réprobateur. Elle n'est pas sévère, loin de là ; elle adore rire avec ses amis, mais elle ne prend jamais au sérieux les tentatives de séduction et a plutôt l'impression de se faire niaiser. Elle remet vite à leur place ceux qui ont la témérité de s'essayer.

Pourtant, elle aurait le choix des prétendants avec sa bonne humeur, ses grands yeux bleus, son teint santé, ses cheveux de jais. Sans compter qu'elle a l'attribut enviable d'être «la fille de». Elle n'est pas la seule, à Brébeuf. Acteurs, politiciens, impresarios, milliardaires, des célébrités de tout acabit envoient leurs rejetons se côtoyer à Brébeuf. Certains prennent avantage de cette célébrité par procuration. On les voit faire du bruit dans la grande salle et se pavaner avec leurs vêtements de marque, avant de sauter dans leur BMW ou leur cabriolet, gloussant à la moindre provocation.

Ce n'est pas le cas d'Éléonore. Elle rabroue tous ceux qui tentent de l'interroger sur ses parents ou, pire encore, d'obtenir des billets de concert. Ceux-là sont déjà si transparents qu'ils sont faciles à éviter. Les plus pernicieux sont ceux qui prétendent se foutre de tout ça, mais placent tranquillement leurs pions, espérant se faire inviter chez Éléonore, rencontrer Claude Castel et, qui sait, lui faire écouter un enregistrement de leurs compositions... Éléonore a donc pris l'habitude de se méfier. Elle est copine avec tous, mais intime avec aucun.

Et puis, elle tient toujours à sa résolution, celle qu'elle a prise un certain après-midi d'automne, recroquevillée dans sa salle de bains : les histoires d'amour, ce n'est pas pour elle. Elle ne comprend pas l'énervement que peuvent ressentir ses amies lorsqu'un beau gars les invite au cinéma ou, pire, les effleure et les embrasse. Cette attitude franchement rabat-joie a au moins le mérite de rapprocher un peu Allegra et Yasmina, qui se chuchotent dans les coins de party les dernières tentatives dont elles ont été l'objet, sachant bien que cela intéressera peu leur amie.

Allegra se préoccupe peu des nombreuses déclarations qu'elle reçoit. Ça lui fait plaisir, bien sûr, et surtout ça flatte son ego, de se savoir si admirée. Mais elle garde en mémoire les gars du secondaire 5 de sa sœur, tellement plus beaux à ses yeux que les mochetons qui le peuplent aujourd'hui. Elle ne réalise pas que les quelques années qui les séparent lui font voir ces garçons à travers des lunettes roses, leur attrait étant amplifié par leur statut inatteignable. Elle persiste à trouver les gars du cégep «vraiment plus hot» et avoue avoir, comme toutes les filles, un petit faible pour Malik Saadi, ne se gênant pas pour bombarder Yasmina de questions à son sujet.

Yasmina, quant à elle, rêve de la grande histoire d'amour et elle ne s'en cache pas. Romantique dans l'âme, férue de littérature et de poésie, Yasmina veut vivre les émotions fortes de la grande passion. Le fait d'avoir sous les yeux un modèle familial heureux, de surprendre encore son père dansant langoureusement avec sa mère dans la cuisine à l'heure de la vaisselle lui donne un optimisme et une naïveté que ses amies ne partagent pas. Après quelques partys fertiles en événements, elle ne parle que de sa rentrée à Brébeuf l'an prochain, n'en pouvant plus de végéter chez les bonnes sœurs.

Malgré toutes les bonnes intentions du monde, et quelques *frenchs* échangés en fin de soirée, Yasmina ne se fait pas de chum cet automne-là. Elle blâme le temps, éternel pour une adolescente, qui la sépare de la prochaine fois où elle reverra le garçon en question. Ne pouvant sortir les soirs de semaine et devant passer la plupart de ses fins de semaine au chalet, Yasmina participe peu aux activités sociales de ses amies. Elle s'en console comme elle peut, en se plongeant dans ses lectures et en rêvant à l'an prochain, quand elle sera elle aussi à Brébeuf. Éléonore l'épaule du mieux qu'elle peut, l'accompagnant souvent à son chalet où elle adore faire de la randonnée pédestre sous les couleurs d'automne.

Un mercredi soir de novembre, Claude fait une rare apparition à l'heure du souper. Charlie en profite pour mettre les petits plats dans les grands. Malgré ses nombreuses distractions mondaines, elle a toujours à cœur de plaire à son mari. Éléonore aussi est ravie de la présence de son père. Dans son enthousiasme à lui parler de sa pièce de théâtre, elle retrouve sa bonne humeur et oublie d'être froide et distante en présence de sa mère.

– Mon amie Allegra s'en vient répéter une scène, après le souper. Tu veux nous faire tes commentaires, papa?

Claude acquiesce de bonne grâce, heureux de voir sa fille si animée. Les affaires roulent bien, ces temps-ci, et la satisfaction de voir les succès s'empiler et l'argent rentrer ajoute à la bonhomie naturelle de Claude. Deux de ses chanteuses viennent d'obtenir un disque platine, ce qui compense l'étoile pâlissante de Félix Lacroix, qui semble avoir gaspillé son heure de gloire en courant les filles et la poudre blanche.

Claude n'est pas surpris: il a connu trop de ces chanteurs pour midinettes, au fil des ans, pour s'attendre à autre chose. Le propre de ce type de chanteur, c'est d'être le *hit* de l'heure; deux ou trois ans plus tard, on passe au prochain. Claude prédit qu'il reste à Félix une dernière tournée des petites salles de région, pour les nostalgiques, et qu'on n'en entendra plus parler. Qu'à cela ne tienne, les dépisteurs de Claude œuvrent déjà dans l'ombre pour dénicher la prochaine vedette au joli minois.

À la télévision aussi, les projets roulent bon train: les Productions Castel, une nouvelle division de Castel Communications, mettront trois téléséries en ondes l'an prochain. Claude se sert un verre d'armagnac, puis s'installe confortablement près du foyer du salon pour accueillir ses deux comédiennes en herbe.

Lorsqu'Allegra entre dans la pièce, salue timidement Claude et se place face à Éléonore pour déclamer son texte, il l'observe, tétanisé. Allegra est très belle, cela ne fait aucun doute; mais surtout, elle dégage une sensualité rare chez une fille si jeune. Claude la regarde bouger, faire la moue, dégager ses cheveux d'une main impatiente et il a la conviction absolue, comme il l'a rarement eue dans son métier, que cette fille-là sera une star. Elle a une présence magnétique tout à fait unique. Il fait quelques commentaires brefs aux deux actrices, puis monte dans son bureau feuilleter quelques dossiers, fébrile. Son cerveau opère à toute vitesse, il passe en revue tous ses projets de l'année et se demande où y caser Allegra. Charlie le rejoint et tente de l'entraîner vers le lit. Trop pris, Claude réfléchit à voix haute et fait part à Charlie de sa découverte.

– La petite fille en bas, là? L'amie d'Éléonore? Voyons, mon chéri, c'est une enfant.

– Enfant, pas tant que ça, elle a seize ans. Marina Orsini était dans *Lance et compte* à dix-sept ans. Non, je te le dis, Charlie, celle-là, elle a quelque chose de spécial. J'en mettrais ma main au feu, il va lui arriver quelque chose de *big*.

Charlie n'a jamais autant senti son âge. Il y a vingt ans, c'était elle la jeune première à qui l'on prédisait du succès. Celle pour qui Claude s'était emballé. En l'écoutant décrire le charme unique d'Allegra, Charlie serait presque inquiète, si elle ne savait pas que son mari n'a jamais couru les petites filles. Elle se couche quand même la première, boudeuse, et abaisse un masque de soie sur ses yeux, signifiant clairement son manque de disponibilité pour activités conjugales en tous genres.

La curiosité de Claude, piquée par la beauté précoce d'Allegra, l'amène à accepter l'invitation d'Éléonore à la pièce de théâtre de secondaire 5, présentée peu avant les vacances de Noël. Allegra réussit à illuminer l'ennuyeux Molière. Elle a une réelle présence sur scène et les yeux de Claude sont rivés sur elle, pendant qu'Éléonore fait rire la galerie dans son rôle de bouffon. De l'avoir vue à l'œuvre convainc Claude de l'inviter à passer une audition. Éléonore est d'abord étonnée lorsque son père lui demande le numéro de téléphone de son amie, puis ravie lorsqu'elle comprend de quoi il s'agit. Lorsque Claude l'appelle, Allegra répond par monosyllabes, raccroche, puis rappelle tout de suite Éléonore pour laisser exploser sa joie.

La rencontre a lieu le samedi suivant à la Moulerie, le restaurant de la rue Bernard que Claude affectionne pour ses rendez-vous d'affaires. Allegra arrive, accompagnée de sa mère. En la voyant si menue dans son grand chandail de laine anthracite, Claude est pris d'un doute, mais il le chasse vite en s'entretenant avec la jeune fille. Il lui propose tout de go une audition pour un projet qui se prépare, confidentiel pour le moment. Il lui offre aussi de la représenter, si le tout s'avère concluant.

– Mais il n'y aurait pas conflit d'intérêts, si vous êtes son agent pour votre propre projet? demande Nicole, soucieuse de protéger sa fille.

– Écoutez, madame, c'est libre à vous. Si vous trouvez qu'Allegra serait mieux représentée ailleurs, allez-y. Ça ne change rien à mon invitation à passer une audition. Mais je vais être honnête: dans le milieu artistique, il y a de tout. Faites bien attention sur qui vous pourriez tomber. J'ai quand même pas trente-cinq ans de métier pour rien. Votre fille a un grand talent, madame, allez pas le gaspiller avec n'importe qui.

Nicole acquiesce. Sur le chemin du retour, sa fille la réprimande : c'est un tel privilège de pouvoir travailler avec Claude Castel, d'être représentée par lui, n'importe qui remercierait le ciel, pis il faut que sa mère cherche la chicane ! Nicole rassure sa fille comme elle le peut, mais celle-ci est dans un état d'excitation avancé. De lointaines étoiles brillent dans ses yeux et elle s'imagine déjà en star, en grande star ! Elle s'empresse d'appeler Éléonore et de lui raconter la conversation dans le menu détail. Éléonore questionne son père ce soir-là, pour essayer d'en savoir un peu plus sur le mystérieux projet, mais il décrète sans appel qu'il ne négociera pas avec une comédienne par l'intermédiaire de sa fille, fût-elle son amie. Éléonore se le tient pour dit et se contente de faire des suppositions avec Allegra.

De son côté, Yasmina accueille la nouvelle avec des émotions mitigées. Ce n'est pas qu'elle envie Allegra, loin de là ; avec sa personnalité discrète, elle se sent plus à l'aise dans les bibliothèques que sous les projecteurs. Par contre, elle craint un nouveau mélodrame qui donnera toute la place à Allegra, reléguant encore une fois Éléonore à un rôle de soutien. En effet, Allegra et Éléonore passent des heures au téléphone et dans les cafés, à analyser la moindre intonation de Claude et à tenter de déchiffrer ce qui s'y cache.

Le jour de l'audition arrive enfin, après des vacances de Noël qu'Allegra a passées dans un état d'énervement constant, magnifié par les bêtises dont l'assomme sa sœur Chiara au moindre prétexte. « Imagine, tu vas peut-être te planter en audition. » « Franchement, je connais bien des filles super belles qui mériteraient d'être invitées. » Allegra ignore sa sœur avec superbe, se concentrant sur son habillement et son maquillage pour le grand jour.

Claude invite Allegra à son studio et demande à un caméraman de filmer une petite scène où Allegra donne la réplique à un jeune premier, dont le rôle est tenu pour les besoins de la cause par un mixeur de son qui bafouille. Malgré cela, Claude voit tout de suite que son intuition ne l'a pas trompé : Allegra adore la caméra et celle-ci le lui rend bien. Il invite la jeune fille à célébrer l'événement en allant luncher à la Moulerie, où il commande du champagne et ignore les clins d'œil entendus que lui font quelques amis, habitués à le voir en galante compagnie. Nicole, retenue au bureau par une urgence, ne se joint à eux qu'au dessert.

– Ma chère Allegra, débite Claude d'un air heureux, c'est avec plaisir que je t'offre officiellement un rôle dans une nouvelle télésérie qui sera mise en ondes à l'automne : *Colocs en ville – nouvelle génération*. Un beau rôle, à part de ça. « Tchin-tchin », fait-il en tendant sa coupe de champagne.

Allegra lève son verre. En son for intérieur, elle doit s'avouer qu'elle est un tantinet déçue. *Colocs en ville* est une télésérie pour ados et jeunes adultes qui a connu un grand succès, il y a quelques années. Un succès en termes de cotes d'écoute, mais pas nécessairement auprès des critiques. C'est indéniablement un projet intéressant, qui a lancé la carrière de plusieurs acteurs québécois d'envergure, mais… c'est quand même une télésérie pour ados. Allegra, dans son enthousiasme, s'était déjà imaginée sur le tapis rouge à Cannes. Elle fait néanmoins bonne figure et pose beaucoup de questions à Claude. Celui-ci lui révèle qu'elle a obtenu le rôle de la belle fille de la gang de colocs, celle qui est la source de toutes les bisbilles. Voir son apparence physique ainsi reconnue et célébrée crée un sentiment d'euphorie chez Allegra. Son manque de confiance en elle la rend très sensible aux flatteries en tous genres et cette fois-ci ne fait pas exception : elle laisse

Claude chanter ses louanges et met de côté sa déception face au projet.

Nicole s'inquiète tout de suite des contrats et des horaires. Claude la rassure en lui disant que la majorité des comédiens étant d'âge scolaire, il a été décidé de faire le tournage pendant les vacances d'été, ce qui permettra d'éviter les conflits d'horaires de toutes sortes. Allegra piaffe d'impatience, elle aurait voulu commencer à tourner tout de suite, maintenant. Elle se calme un peu en apprenant qu'une conférence de presse annoncera sous peu la nouvelle série et ses nouveaux visages, accompagnée de quelques entrevues bien placées dans divers magazines et journaux.

Chiara accueille la nouvelle avec scepticisme. Elle ne peut accepter que sa petite sœur insignifiante deviendra connue. Elle se complaît dans l'idée que la série connaîtra sûrement peu de succès, en tout cas en dehors des sphères restreintes des ados. Mais la chose continue de l'agacer. Sa mauvaise humeur légendaire en est exacerbée et cela rend le climat familial très tendu. Dans un moment de désespoir, Nicole confie à son amie Johanne qu'elle songe à encourager Chiara à partir vivre en appartement.

– Ben oui, pourquoi pas ? Bonne idée, il est temps qu'elle vole de ses propres ailes.
– Johanne, tu comprends pas. T'as pas d'enfants. Je culpabilise tellement, là, juste à l'idée de penser à ça.
– Voyons donc, la culpabilité ! Vous, les mères, vous avez juste ce mot-là à la bouche. Tes filles, Nicole, t'as déjà tout fait pour elles, qu'est-ce que tu veux bien faire de plus, peux-tu me le dire ?
– Chiara a juste dix-neuf ans...

– Oui, pis toi à dix-neuf ans, tu créchais dans un petit appartement miteux avec ton Matteo !

– C'est fou quand même, hein ?

– Ben oui, pis tu te foutais pas mal de ce que papa-maman pouvaient avoir à dire.

– Justement, rétorque Nicole en prenant une gorgée de café au lait, j'aurais peut-être dû m'en soucier un peu plus, de ce que mes parents pensaient.

Elle prend une grande inspiration.

– Johanne… Penses-tu que c'est ça, le problème de mes filles ? De ne pas avoir de père ?

– Tes filles, ma belle, elles ont la meilleure mère du monde, pis c'est ça qui compte. Et elles ont leur grand-père, elles ne sont pas sans présence masculine dans leur vie.

– Je sais, mais des fois je me culpabilise tellement, de les avoir élevées sans leur père. Me semble que j'aurais pu…

Johanne s'insurge.

– Encore ce maudit mot-là ! T'es pas arrêtable. Répète après moi : «Je suis une bonne mère. Je ne suis coupable de rien. »

Johanne prend les mains de Nicole dans les siennes et la regarde profondément dans les yeux. Nicole répète, étouffant un fou rire.

– C'est quand même fou, hein, ce qui arrive à ma fille ! Comédienne à la télé, à seize ans ! Ça me rend tellement fière, t'as pas idée.

Johanne écoute Nicole vanter les talents de sa fille avec le sourire aux lèvres. Les succès des enfants de ses amies sont aussi un peu les siens. Mais leurs échecs n'appartiennent qu'à elles. C'est le propre du groupe d'amies de

Nicole et Johanne. Amies depuis la petite école, émules de la même société unicolore, connaissant les moindres secrets les unes des autres, elles sont loyales, mais elles peuvent être dures. Un air faussement apitoyé, des gloussements de joie déguisés en échos de sympathie, la gang chérit toujours sans le dire ces moments où une catastrophe est dévoilée : un fils s'est fait renvoyer du collège pour possession de drogue, une fille s'est présentée en silence à la clinique d'avortement, un mari a succombé aux charmes d'une trop jeune collègue. Les téléphones sonnent fort ces jours-là, pour de savoureux *post-mortem* dans le dos de la victime. « Celui-là allait mal tourner, on l'a toujours su. » « C'est pas étonnant, avec le nombre d'heures qu'il travaille. C'était écrit dans le ciel. »

Malgré tout, Nicole et ses amies s'adorent. Ensemble, elles ont vécu des mariages, des divorces, ont eu des enfants, ont connu l'infertilité, les liaisons, les promotions, les rétrogradations. Elles tiennent dur comme fer à leur brunch dominical « entre filles » et ne pourraient plus se passer de cette présence loyale et inconditionnelle. Oui, elles sont parfois dures, se critiquent entre elles, se lancent parfois dans des croisades contre l'une ou l'autre, mais malgré cela, tout les lie : une enfance commune, une amitié indéniable et le plaisir d'appartenir à ce cercle fermé et un tantinet élitiste des intellectuelles d'Outremont. Journalistes, écrivaines, juges, ministres : à part Simone, qui détonne en affichant comme seul titre de gloire celui de femme de médecin, toutes se targuent de leurs grands succès professionnels. Plus d'une fois, Nicole s'est dit qu'elle ne pourrait imaginer son quotidien sans ces têtes fortes qui la stimulent, la poussent à se dépasser et à toujours se questionner. La nouvelle carrière d'Allegra est applaudie dans ce cercle tourné vers les arts et l'on en profite pour potiner de nouveau sur la vie privée de la famille Castel,

Nicole faisant maintenant office d'experte, par les relations privilégiées qu'elle entretient avec Claude.

Quelques semaines plus tard, Chiara annonce inopinément, à l'heure du souper, qu'elle a déposé une demande pour faire une année d'échange à Barcelone. Elle veut perfectionner son espagnol et surtout « sortir de cette maison de fous ». La jeune fille rêve d'indépendance et de liberté, loin des inquiétudes de mère couveuse de Nicole et des drames quotidiens d'Allegra. Nicole est prise au dépourvu, proteste un peu pour la forme, mais se rallie vite aux arguments de son aînée. Chiara a besoin de prendre l'air, ça se voit. C'est une tête forte, qui sait ce qu'elle veut dans la vie, et Nicole ne ressent pas à son égard l'anxiété qui l'anime au sujet de sa cadette. En femme de carrière, Nicole est très fière d'imaginer sa fille poursuivre des études universitaires en Europe et elle se dépêche d'annoncer la nouvelle à ses amies.

Début février, Éléonore arrive à Brébeuf tenant fièrement dans la main un exemplaire de la revue pour ados *Cool*, avec une grande photo et un titre rose bonbon : « Allegra – La nouvelle coloc arrive en ville. » Les élèves de secondaire 5 s'agglutinent autour d'elle dans la grande salle, répétant avec des éclats de rire mi-moqueurs, mi-admirateurs des extraits de l'entrevue dans laquelle on demande notamment à Allegra de révéler son animal favori (le cheval) et sa couleur préférée (le rose).

Ce soir-là, Éléonore passe en coup de vent chez Yasmina pour lui laisser un exemplaire, avant de filer rejoindre Allegra qui tient salon à la Croissanterie, entourée d'admirateurs qui veulent en savoir plus sur son nouveau projet. Yasmina laisse son amie partir, puis feuillette vaguement le magazine avant de le jeter sur le plancher, en marmonnant : «Celle-là, coudon, elle a pas fini d'écœurer le peuple. »

Son frère, qui passait par là, l'entend et lui demande :
– Qui, ça ? Éléonore ?
– Non, ben non, sois pas cave. C'est... mais tu vas me trouver niaiseuse.
– Moi ? Trouver ma chère petite sœur niaiseuse ? Ça s'est jamais vu.
– Ha ! ha ! Très drôle. C'est Allegra.
– Ah, la grande star de Brébeuf.
– Tu vois, même au cégep vous parlez d'elle.
– Ben, mettons que je la ferais pas coucher dehors.
– Tu vois ? Vous êtes tous pareils !
– Mon Dieu, sainte Yasmina, seriez-vous jalouse ?
– Ben non, fais pas l'épais. C'est juste que je suis tannée qu'elle prenne toute la place. Pis là, ça va être encore pire. Il y a en d'autres qui vivent, OK, qui font des choses intéressantes, et on dirait que tout le monde en a juste pour elle.
– Écoute, Yasmina, remets un peu les choses en perspective. «Tout le monde» dont tu parles, c'est une petite gang de secondaire 5 dans une petite école, pis écoute, sa série télé, c'est cool, mais c'est quand même limité. C'est pas comme Ariane Montredeux, t'sais, elle est en cégep 1, et elle va jouer dans le prochain film de Jacques Martel. Ça, c'est de l'art, pis je vais te dire que ça impressionne pas mal plus.
– Ouin, peut-être...
– Pas peut-être, c'est comme ça. Reviens-en !

Sur ces paroles encourageantes de grand frère, Malik s'apprête à sortir rejoindre ses amis, les couvre-feux de monsieur Saadi ne s'appliquant pas à lui qui est majeur et surtout, un homme.

Chapitre cinq

– Éléonore!

Éléonore se retourne, surprise d'entendre Charlotte l'interpeller. Charlotte Bonsecours est à la tête de la gang la plus cool du secondaire 5, et elle n'est pas reconnue pour son intérêt envers les pauvres mortels qui ne trouvent pas grâce à ses yeux. Fille de l'éminent homme d'affaires Charles Bonsecours, pressenti comme le candidat privilégié à la mairie de Montréal, elle n'est pas méchante, mais souffre plutôt d'un sentiment de supériorité naturel. Monsieur Bonsecours a eu des enfants sur le tard et il gâte à outrance ses deux filles, surtout Charlotte, qui jouit d'une intelligence vive et à qui il tient comme à la prunelle de ses yeux. Enfant, elle profitait d'un poney l'été, d'un instructeur de ski privé l'hiver. Rien n'était trop beau pour elle et son père avait les moyens de céder au moindre de ses caprices. Cette petite fille élevée dans la ouate a développé un sentiment exagéré de son importance et cette assurance l'a menée à exercer naturellement une certaine autorité auprès de ses pairs. Elle se fait régulièrement traiter de «boss des bécosses» dans son dos, les dissidents ne souhaitant pas mériter l'opprobre de la fille la plus populaire de leur année.

– Éléonore, viens ici, j'ai besoin de te parler.

Les yeux de Charlotte brillent. Elle entraîne Éléonore dans un coin.

– Est-ce que c'est vrai?

– Est-ce que c'est vrai quoi ?

– Pour Allegra. Est-ce que c'est vrai qu'elle est ano ?

– Ano ?

– Fais pas ton épaisse. J'ai parlé à une fille du pensionnat et il paraît qu'elle a été hospitalisée pour ça. Imagine,
il fallait que ça soit *bad* !

– Écoute, même si c'était vrai, qu'est-ce que ça peut bien
te faire ?

– *Come on*, c'est *bad* à mort si c'est vrai. Quoi, elle est
supposée devenir une superstar de la télé, pis elle doit pas
être très très stable.

– Je vois pas ce que ça a à voir.

Éléonore est terrorisée à l'idée que Charlotte répande
ce potin dans tout Brébeuf. Elle se creuse les méninges
pour trouver une stratégie visant à la faire taire, mais ne
trouve rien. Elle sait bien que l'engouement de Charlotte
pour cette histoire tient surtout à la jalousie qu'elle ressent
à l'égard d'Allegra, dont la beauté en fait l'une des filles
les plus en vue du collège, malgré sa grande timidité.

La rumeur fait vite le tour du secondaire 5 et atteint le
cégep. Charlotte obtient ce qu'elle voulait le jour où Xavier
Montclair s'arrête pour lui parler et lui demander des précisions sur cette histoire. Charlotte enjolive et en profite
pour faire les yeux doux à Xavier. Celui-ci retourne lui
parler le lendemain et lui demande nonchalamment si elle
a l'intention d'aller au Café Campus, le vendredi suivant.
Elle répond oui tout de suite et s'empresse d'aller réquisi-
tionner les fausses cartes de Valérie Brabant, une gentille
fille toute douce dont le principal attrait est d'avoir une
grande sœur généreuse de dix-huit ans. Les échos de cette
soirée font le tour de la grande salle le lundi suivant et
personne n'est surpris de voir Charlotte et Xavier enlacés
sur un banc.

Éléonore n'a pas eu le courage de dévoiler à Allegra les médisances dont elle fait l'objet. Allegra ignore donc le rôle qu'elle a joué dans la création du nouveau couple de l'heure. Elle se contente de plaindre Charlotte qui se retrouve selon elle avec un beau goujat. Allegra a gagné de la confiance en elle depuis le début de l'année. Elle a même osé aborder Xavier Montclair dans la grande salle, pour le saluer tranquillement sous les regards ricaneurs de ses copains. La cote d'Allegra ayant monté en flèche à Brébeuf depuis l'annonce de son rôle à la télévision, Xavier avait profité de l'occasion pour l'inviter à un party. Elle s'était fait un immense plaisir de rejeter publiquement l'invitation et gardait, depuis, beaucoup moins d'amertume face à sa mésaventure de l'an dernier.

– C'est un bel épais. Il est vraiment cave, je te jure.
– C'est vraiment le joueur de hockey typique, hein? Du gros jambon entre les deux oreilles.
– Mets-en. Il est limite misogyne.
– Ça doit être tous les plaquages sur la glace…
– Oui, en tout cas, c'est sûr que les joueurs de basket ont pas ce problème-là, enchaîne Allegra. T'as vu Malik Saadi aujourd'hui? Il est tellement pétard que ça a même pas d'allure.
– Hmm, marmonne Éléonore, qui est toujours muette lorsqu'il s'agit de Malik.
– Bof, on rêve toutes à lui pour rien, il paraît qu'il a une nouvelle blonde.
– Ah?

En effet, la machine à rumeurs se remet à tourner de plus belle dans la grande salle. La nouvelle blonde de Malik Saadi n'est pas n'importe qui. Séverine Villard n'est pas très grande, mais sa poitrine pulpeuse, dessinée par son éternel t-shirt blanc, a fait fantasmer plus d'un adolescent. Ses lèvres charnues lui dessinent un beau sourire et les cheveux bruns bouclés qui lui tombent au bas du dos soulignent des hanches à faire rêver. Elle est par ailleurs très sympathique et prend vite l'habitude de saluer gentiment Éléonore lorsqu'elle la croise au détour d'un corridor. Yasmina rapporte que Séverine est très appréciée par monsieur Saadi, mais accueillie plus froidement par sa mère qui se méfie toujours des conquêtes de son fils. Elle préfère les soumettre à l'épreuve du temps avant de s'attacher ou de les intégrer à la routine familiale. Malik, quant à lui, demeure tout aussi moqueur lorsque le hasard le met en présence d'Éléonore à l'école. Il aime faire rougir cette fière effrontée et continue de l'agacer du mieux qu'il le peut avant de continuer son chemin, la superbe Séverine à sa suite.

Au mois de mai, alors que la chaleur de l'été commence à envelopper Montréal, Yasmina apprend à Éléonore que les précautions de madame Saadi se sont avérées fondées. Malik, qui part à New York effectuer un stage d'été au sein d'une firme d'investissements privés s'occupant des affaires de son père, a décidé de mettre fin à sa grande histoire d'amour avec Séverine, pour, dit-il, « se garder des portes ouvertes ». La belle Séverine est reléguée aux oubliettes et sa seule chance dans la grande peine d'amour qui l'accable est que l'année scolaire est déjà terminée pour les cégépiens, ce qui empêchera son cas de faire la manchette.

Quelques semaines plus tard, Yasmina se présente chez Éléonore de bon matin afin de l'aider à se préparer pour son bal de graduation. C'est un événement qu'Éléonore a refusé de glorifier à outrance. La fin du secondaire 5, c'est important, oui ; c'est une étape qui se termine. Mais après tout, elle reste à la même école, avec les mêmes amis, et elle répète depuis le début qu'elle ne voit pas où est le *big deal*. Elle a même convaincu sa gang d'amis proches d'aller au bal tous ensemble et de laisser tomber le jeu des *dates* et des invitations.

Yasmina boucle patiemment les cheveux d'Éléonore.
– Veux-tu bien arrêter de gigoter ! s'écrie-t-elle.
– Mais ça chauffe, bougonne Éléonore.
Elle déteste se pomponner. Elle regrette encore d'avoir dû mettre de côté son uniforme habituel, composé d'un jeans, d'un t-shirt et de vieux Kickers, pour ce qui promet d'être le meilleur party de l'année.

À la limite, Éléonore aurait bien voulu porter un pantalon noir et un chemisier blanc (son habit «propre» des sorties avec ses parents), mais Yasmina s'en était mêlée, avec une force peu commune quand on connaissait sa douceur habituelle.
– Là, ça va faire, Éléonore Castel, avait-elle tonné. Tu as dix-sept ans, pas cinquante-sept ans, pis avec cet habit-là, les gens vont te prendre pour la serveuse. Fais-moi confiance, on va magasiner.

Après moult négociations, Éléonore avait opté pour une robe cocktail noire toute simple, sans manches, de chez Jacob. Yasmina avait donné son accord en considérant l'élégance de la coupe, à la Audrey Hepburn, mais elle était désespérée que son amie n'ait pas choisi une robe plus... plus sexy, plus glamour, moins madame. Enfin. Au moins, c'était une robe ! La bataille s'était ensuite déplacée sur le terrain des chaussures. Éléonore tenait au confort de ses pieds, tandis que Yasmina lui dénichait des escarpins aux talons vertigineux. «Je suis bien assez grande comme ça», maugréait Éléonore. Yasmina lui avait rétorqué avec assurance que là n'était pas la question: «Un talon haut fait un beau galbe à la jambe, un point c'est tout.» Un compromis avait enfin été trouvé et Éléonore avait rechigné en achetant une paire de chaussures noires à semelles compensées de chez Browns un peu trop chère à son goût.

– Il est presque quatre heures, Yas, il faut que j'y aille. La limo passe me chercher dans quinze minutes pour l'avant-bal chez Thomas.

– Je trouve ça quand même un peu plate, votre histoire d'y aller entre amis, dit Yasmina. C'est pas très romantique. Moi, à mon bal, je ne pourrais pas m'imaginer sans *date*.

– Qu'est-ce que tu veux, on n'a pas toutes un beau Alexis Duhamel dans notre poche arrière, dit Éléonore, faisant allusion à l'étudiant de Notre-Dame que Yasmina a invité à son bal de finissantes aux Marcellines.

– Tu veux que je te le prête?

– Moui, OK.

– Euh, à bien y penser, non, je me le garde!

À ce moment, le téléphone sonne. C'est Allegra au bout du fil, au comble de l'excitation. Allegra attend ce jour depuis un an; cette fois-ci, ce sera *son* bal et elle pourra se remettre une fois pour toutes de l'humiliation subie l'année précédente. De la meilleure manière qui soit: en passant la soirée la plus fantastique du monde.

– Élé! hurle-t-elle dans le combiné. Tu devineras jamais!

– Je devinerai jamais quoi?

– J'ai invité un gars au bal!

– Quoi? Au bal de ce soir? Je pensais qu'on y allait en gang!

– Je sais, je sais, mais avoue, c'est un peu *dull* en gang. OK. Cet après-midi, je suis allée avec ma mère reconduire ma sœur à l'aéroport. Ça m'écœurait tellement d'y aller au lieu de me préparer, mais ma mère insistait, gnan gnan

gnan, parce que ma sœur va être partie un an à Barcelone en échange, gnan gnan. Mais *anyway*, ça a trop valu la peine, parce que je l'ai croisé !

– Qui ?

– Sais-tu quoi, j'aurais jamais osé l'inviter, dans la vraie vie, ni même lui parler, mais là, le hasard de le croiser…

– T'as croisé qui ?

– T'sais quoi ? Je pense que je te le dirai pas. Tu vas trop capoter, pis je veux te voir la face ! À tantôt !

Éléonore raccroche en rigolant. Elle raconte l'histoire à Yasmina et toutes deux s'interrogent sur l'identité de la mystérieuse *date* d'Allegra, pariant tour à tour sur un jeune acteur québécois ou un joueur de hockey de dix-huit ans. Yasmina est tout de même d'avis que c'est dommage de gâcher une soirée si romantique sans y inviter quelqu'un et elle appuie fortement l'initiative d'Allegra, poussant Éléonore, elle aussi, à se creuser les méninges pour se trouver un cavalier de dernière minute.

– Je pense à ton affaire, Éléonore Castel. Je vais voir si je te dénicherais pas une *date*.

– Yasmina, mon bal est dans deux heures.

– On sait jamais ! Des fois qu'un pétard te tomberait du ciel. Garde l'œil ouvert ! T'auras peut-être un super beau chauffeur de limo.

– Très drôle, très, très drôle.

Une petite touche de mascara, de la vaseline sur les lèvres et Élé est prête. Elle passe à son cou le collier de perles de sa grand-mère Castel, qu'elle a obtenu le droit de porter grâce à une permission spéciale, afin de souligner la fin de son secondaire. Mathilde a aussi fait parvenir un beau bouquet de lys jaunes, qui égaient la chambre de sa petite-fille. Yasmina admire sa grande amie, dont la beauté toute sportive rayonne malgré l'accoutrement trop neutre.

– Bon, il faut que je me sauve, dit Yasmina. Mon frère arrive à la maison pour la fin de semaine.

Yasmina embrasse sa copine et part à la course, laissant Éléonore rêveuse.

Merde. Merde, merde, merde, se dit Éléonore. Six heures et quart, et sa robe pue déjà la bière. L'épais de Vincent Balland a sorti son entonnoir à l'avant-bal et a commencé un concours de « calage ». En *tuxedo*! Résultat, un Jean-François Hamel trop saoul s'est énervé dans la limousine et a renversé la moitié de son verre dans le dos d'Éléonore.

La classe, se dit-elle, *la grande classe. Je sens comme le plancher du Peel Pub à la fin du happy hour. Allons bon*, se ressaisit-elle, *nous sommes entre amis, et la plupart sont déjà trop ronds pour remarquer quoi que ce soit.* Elle sort des toilettes du hall du Reine Elizabeth, maudissant ses souliers à talons.

– Heille! C'est miss Éléonore!

Éléonore fige en entendant la voix taquine. Elle se retourne lentement. Non. Pas aujourd'hui. Pas quand elle sent le fond de pichet et qu'elle est engoncée dans une robe de madame!

Malik est devant elle, le sourire aux lèvres. Ses cheveux un peu longs bouclent sur le col de son *tuxedo*. Elle le dévisage, avec le fol espoir que… et puis elle voit Allegra apparaître à ses côtés, splendide dans une robe courte bouffante d'un gris métallique unique. Le visage de cette dernière s'illumine.

– Salut Éléonore, ça va? Tu es toute belle!

Les deux filles se font la bise. Allegra en profite pour faire de gros signes de tête excités à Éléonore, lui pointant sa *date* mystère de manière peu subtile. Malik a la grâce de sourire sans faire de commentaires.

– Alors, s'exclame Allegra en prenant le bras de Malik, tu connais bien sûr Éléonore?

– Mademoiselle, fait Malik en esquissant une révérence moqueuse.

– Ah, salut Malik, bafouille Éléonore. Tiens, je pense que Charlotte a besoin d'aide pour assigner les tables. À tantôt! dit-elle en se retournant pour entrer dans la salle, espérant surtout dissimuler ses joues rouges.

– Mon Dieu, dit Allegra en fronçant les sourcils. Pour le Reine Elizabeth, ça sent drôlement la taverne!

Chapitre six

Le soleil de septembre éclaire la grande salle d'une lumière dorée. Éléonore traverse la pièce, le sourire aux lèvres. De loin, elle aperçoit Yasmina à l'abreuvoir.

– Enfin ! T'es là !

– Relaxe, Yas, je viens juste de finir mon cours et j'étais à l'autre bout du pavillon.

– Sérieusement, je sais pas comment je vais faire pour survivre ici. Ça fait déjà trois fois que je fais semblant de venir boire, juste pour avoir quelque chose à faire !

– Tu vas rencontrer tout le monde, tu vas voir.

– OK, mettons que t'arrives dans la grande salle et ça adonne que tes amis sont pas encore arrivés, tu fais quoi ? Tu t'assois où ?

– Euh… pour être honnête, je fais semblant d'aller boire à l'abreuvoir !

Les deux amies éclatent de rire. Éléonore est ravie que Yasmina soit enfin à Brébeuf avec elle. Quand elle a aussi envoyé des demandes d'inscription à Grasset et Bois-de-Boulogne, expliquant qu'elle n'était pas sûre d'être acceptée à Brébeuf, Éléonore a paniqué. Elle a des tonnes d'amis à Brébeuf, mais Yasmina demeure sa meilleure amie, d'autant plus qu'Allegra est toujours très sollicitée.

Elle a terminé le tournage de *Colocs en ville – nouvelle génération* au cours de l'été et doit attendre l'été suivant pour la prochaine saison. La première a eu lieu une semaine avant la rentrée et on annonce un grand succès. Les cotes d'écoute sont excellentes et Allegra acquiert déjà une certaine notoriété.

Éléonore se doit de constater que le succès fait du bien à Allegra. Elle est plus confiante, plus souriante. Elle se mêle davantage à ses camarades de classe et a perdu sa timidité maladive de l'an dernier. Elle demeure une personne complexe, portée à l'introspection, toujours prête à analyser à outrance le moindre soubresaut de sa vie personnelle et amoureuse, mais elle est tout de même plus posée. Après leur bal de secondaire 5, qu'Éléonore avait passé aux toilettes à frotter sa robe avant d'abandonner la partie et de se trémousser comme une défoncée sur la piste de danse toute la soirée, Malik était rentré à New York et n'avait plus donné signe de vie à Allegra. Elle avait passé plusieurs soirées à analyser le comportement de Malik, à recréer les moments où il aurait pu l'embrasser, au grand dam d'Éléonore qui peinait à paraître intéressée par les théories de son amie.

Heureusement, le tournage de *Colocs en ville* avait commencé dès la semaine suivante. Allegra, complètement absorbée par son jeu d'actrice, avait eu la maturité de laisser ses problèmes amoureux derrière elle, au grand soulagement de Nicole, qui suit à la trace les moindres sursauts de la vie émotive de sa fille, craignant une rechute derrière chaque déprime passagère. Allegra a vécu un réel coup de foudre pour le métier de comédienne et elle s'est souvent rendue chez Éléonore pendant l'été pour lui demander conseil en répétant telle ou telle scène. De son côté, Éléonore a adoré les quelques visites qu'elle a faites en compagnie de son père sur le plateau de tournage. En observant les caméras, les plans de tournage, la trame sonore, elle a découvert des éléments fascinants qui ajoutent encore plus de complexité à l'expérience qu'elle a connue au théâtre.

Éléonore a passé le plus clair de cet été particulièrement ensoleillé de 1993 comme monitrice au camp de jour du Parc Soleil, à Outremont. Elle adore les enfants, qui le lui rendent bien, puisqu'elle a l'énergie de ceux qui n'ont pas oublié comment jouer. Pendant ses fins de semaine de repos, Éléonore s'est baignée au lac Brôme, chez sa grand-mère, avec pour compagnons un ou deux cousins de passage. Yasmina, partie comme d'habitude en Italie avec sa famille, lui a beaucoup manqué et Éléonore compte bien accepter, l'été suivant, l'invitation qu'elle reçoit tous les ans de se joindre à la famille Saadi pour leurs vacances familiales.

Allegra sort se joindre à Élé et Yasmina, qui fument une cigarette à deux.

– Vous êtes à court, les filles ?

– Non, explique Yasmina, nous, on fume toujours à deux. Comme ça, à la fin de la journée, on a l'impression d'avoir moins fumé !

Allegra se renfrogne devant le ton possessif de Yasmina. Elle n'a pas l'habitude de partager Éléonore et cette perspective l'agace. Éléonore choisit malencontreusement ce moment-là pour aller aux toilettes. Nicolas Sansregret, un beau garçon de cégep 2, interpelle Allegra. Elle abandonne Yasmina à son sort et se joint à la conversation de Nicolas et de ses amis. Yasmina se retrouve plantée là comme une potiche, au milieu de groupes d'étudiants qui semblent tous se connaître. Elle rage intérieurement de voir Allegra faire des manières et roucouler, en rejetant d'un mouvement fluide sa superbe chevelure dorée derrière ses épaules. Yasmina s'éloigne lentement lorsqu'Éléonore réapparaît.

– Elle est où Allegra ? Ah, avec Nicolas Sansregret. Quel *stud* quand même, hein ? Est-ce qu'elle te l'a présenté ?

– Non, elle m'a carrément ignorée à la minute où tu es partie ! Franchement, ça se fait pas !

– Elle est comme ça avec les beaux gars, il faut pas le prendre personnel. Une vraie cruiseuse ! Viens, je vais te présenter à mes autres amis.

– Ouin, en espérant qu'ils soient un peu plus sympathiques, marmonne Yasmina en la suivant. Exaspérée, elle est bien tentée de faire une crise au sujet de l'attitude d'Allegra. Par orgueil, par calcul aussi, elle se retient et se jure de lui régler son compte de manière plus subtile.

Yasmina et Éléonore s'assoient au café étudiant avec Vincent Balland, Jean-François Hamel et Charlotte Bonsecours, qui s'est adoucie avec le temps. Éléonore lui a découvert certaines qualités, dont celles de vraiment savoir s'amuser et de faire éclater l'aspect comique de n'importe quelle situation, ce qui permet de pardonner un peu sa tendance à la médisance. Son histoire avec Xavier Montclair a été de courte durée et maintenant qu'elle est de nouveau célibataire, Charlotte recherche toutes les occasions possibles de faire la fête.

La gang rigole allègrement en se remémorant le célèbre party de la Saint-Jean, l'été précédent, pendant lequel Jean-François a fait une démonstration de plongeon tout nu dans la piscine des parents de Vincent, à Ville Mont-Royal. Charlotte précise en riant que la piscine était éclairée et que l'effet rapetissant de l'eau n'a pas du tout aidé la réputation de Jean-François auprès de la gent féminine. Jean-François se défend vertement. Vincent est très sympathique et se penche souvent vers Yasmina pour lui expliquer un sous-entendu ou un *inside*.

Allegra surgit, l'air alarmé.
– Élé! Viens vite, il faut absolument que je te parle!

Elle saisit vivement la main d'Éléonore et l'entraîne à l'écart. Yasmina entend quelques bribes de leur conversation, qui semble porter sur le fameux Nicolas Sansregret et l'importance de décortiquer la signification profonde de tel ou tel commentaire qu'il aurait fait à Allegra. Éléonore semble absorbée par la question et discute énergiquement. Yasmina se demande si Allegra consacre la même énergie aux problèmes de son amie. Elle en doute fortement.

Au cours des semaines qui suivent, l'animosité qui règne entre les deux jeunes filles ne s'atténue pas, loin de là. Chacune multiplie les invitations auprès d'Éléonore, considérant comme une victoire personnelle chaque moment passé avec elle au détriment de l'autre. Éléonore ne sait plus où donner de la tête et n'a surtout pas l'habitude de voir Yasmina aussi exigeante. Un lundi soir d'octobre, alors qu'elle étudie dans la chambre de Yasmina et reçoit une énième invitation à se rendre avec elle au chalet, elle décide de lui en parler.
– *What's up*, Yas? Je ne te comprends plus, là. Tu t'es fait des amis, il me semble, à Brébeuf?
– Oui, oui, il y a plein de monde cool. Charlotte est super drôle et je m'amuse bien avec Vincent aussi.
– Ouin, Vincent, je pense qu'il voudrait faire plus que s'amuser, avec toi.
– Pas mon genre. Trop petit.
– Ouin, madame est difficile. *Anyway*, changeons pas de sujet. Qu'est-ce qui t'arrive? On n'est pas obligées d'être collées comme des chattes siamoises, tu sais.

– Je le sais! rétorque Yasmina, insultée. C'est pas ma faute, c'est l'autre qui t'accapare, sinon. Faut quasiment te réserver un an d'avance.

– L'autre?

– Fais pas ton innocente. Allegra.

– Voyons donc, Yasmina Saadi, viens pas me dire que t'es jalouse!

– Ben non, voyons. Mais c'est une sangsue, cette fille-là, elle te bouffe toute ton énergie.

– Exagère pas! Allegra, c'est une bonne amie, c'est juste que tu la connais mal. Je sais qu'elle est pas aussi indépendante que toi, mais elle est fragile, encore.

Éléonore tente d'expliquer les dessous de son amitié avec Allegra, le besoin qu'elle ressent de la couver, mais Yasmina ne veut rien entendre. Frustrée, elle se replonge dans son texte de philo et se jure bien de continuer sa guérilla clandestine.

Le lendemain matin, Éléonore croise son père dans la cuisine à l'heure du déjeuner. Il a l'air agité et boit coup sur coup deux espressos bien serrés. Éléonore lit calmement *La Presse*. Lorsqu'elle tourne une page et tente de plier le papier pour poursuivre la lecture de son article, elle accroche par mégarde son bol de céréales et le renverse sur la table.

– Éléonore, cibolac! crie Claude. Tu pourrais pas faire attention, sacrament!

Éléonore demeure pantoise. Elle n'a jamais entendu son père lui parler ainsi. Elle le regarde, ébahie. Claude semble se reprendre, murmure «Ah, crisse» et sort en claquant la porte. Éléonore dépose son bol dans l'évier et éponge la table de chêne. Elle se demande quelle mouche a bien pu piquer son père. Pendant les semaines qui suivent, elle remarque chez lui un changement de comportement marqué. De bon vivant, jovial, il devient tendu et stressé. Les fêtes de Noël qui approchent ne semblent en rien adoucir son humeur. Éléonore a bien tenté de lui parler, à quelques reprises. Peine perdue. Il se contente de grogner que ça va et s'enferme de longues heures dans son bureau. Le téléphone sonne jour et nuit. Devant cet ouragan de mauvaise humeur, Charlie préfère se faire discrète et croiser son mari le moins souvent possible. Éléonore reconnaît la sagesse d'une telle stratégie et accepte avec reconnaissance toutes les invitations de Yasmina et d'Allegra, qui se calment toutes deux un peu de la savoir si disponible.

Le 24 décembre, l'atmosphère dans la voiture qui les mène vers les Cantons de l'Est est remarquable de par son silence et sa froideur. Claude conduit en regardant droit devant lui, ignorant Charlie qui doit pourtant bien l'agacer en changeant constamment de poste à la recherche d'une chanson à son goût.

En arrivant, Éléonore pousse un soupir de soulagement. Elle a toujours adoré passer le réveillon chez sa grand-mère Castel. C'est un moment privilégié, où les enfants redeviennent des enfants; où les adultes doivent mettre de côté leurs préoccupations quotidiennes. Mathilde Castel n'admet rien de moins que la magie sous son toit pour les festivités de Noël. La grande maison caverneuse regorge de trésors. Le sapin frais et les effluves du feu de bois embaument l'air. Des sucreries et des chocolats sont cachés dans tous les recoins de la grande bibliothèque, qui fait office de salon familial. On en trouve sous les livres reliés en cuir, derrière les bibelots antiques. De la cuisine émanent des odeurs de cannelle et de pomme.

– Éléonore, ma chérie !

Mathilde enveloppe sa petite-fille dans ses bras. La vieille dame sent les souvenirs d'enfance et Éléonore fond dans son étreinte réconfortante. C'est toute la tension des dernières semaines qui se dissipe. Éléonore ressent fortement les effets de ce malaise pernicieux installé dans sa famille et surtout, elle s'ennuie de son père et de leur complicité particulière.

Charlie, si elle a été plus présente physiquement, ne l'est pas plus mentalement. Elle passe des heures au téléphone ou dans le gym du sous-sol, à sculpter des muscles déjà fermes, ou encore devant le grand miroir de sa salle de bains privée, en train de se pomponner. Exfoliation, manucure, pédicure, épilation, teinture maison, masques hydratants, tout y passe. On pourrait croire que c'est elle, l'ado de la maison.

Charlie est tellement orgueilleuse de son apparence qu'elle refuse de montrer ses imperfections à qui que ce soit. Même à une professionnelle. Elle se charge donc elle-même de tous ses petits soins. La formation d'esthéticienne que sa mère l'a forcée à suivre, quand elle a quitté l'école sans finir son secondaire 5, lui est enfin utile. Sa mère lui avait répété qu'une telle formation allait assurer son avenir ; elle ne croyait pas si bien dire. Aujourd'hui, Charlie se présente chez le coiffeur pour sa coupe mensuelle hydratée, maquillée et les cheveux déjà teints. Jamais un photographe ou un éditeur de revues à potins n'apercevrait par hasard les cheveux gris ou les yeux cernés de Charlie Castel. Sa perfection physique est à la base même de son image publique.

Dernièrement, ses efforts cosmétiques semblent avoir doublé, si une telle chose est possible. Son amant de l'heure, le joueur des Canadiens Mike Delaney, n'a que vingt-neuf ans, et Charlie sent tout le poids de ses quarante-et-un ans.

– Charlie, dit Mathilde en tendant la joue.

– Joyeux Noël, madame Castel, répond celle-ci en l'embrassant.

La matriarche a toujours maintenu une certaine distance envers sa bru, la jugeant indigne de son aîné. Cette situation convient parfaitement à Charlie, qui ne porte pas dans son cœur sa belle-mère qu'elle trouve parfois hautaine. Mathilde assoit Claude d'autorité près du feu, lui trouvant mauvaise mine. Elle lui sert un verre de porto et sort de sa jaquette un vieux 33 tours fatigué. Lorsqu'il entend l'aiguille égratigner le disque et le *Messie* de Handel jaillir, Claude sent tout le poids du monde qui lui tombe des épaules. Il sirote son verre en écoutant la musique de ses Noël d'enfant. En entrant dans la bibliothèque, Éléonore aperçoit le sourire détendu de son père et remercie intérieurement sa grand-mère, grande magicienne de l'âme. Elle sait bien que cette trêve sera de courte durée, que la vraie vie recommencera demain matin, mais elle est néanmoins reconnaissante de la bonne humeur passagère de Claude.

Claude profite de ce rare moment de détente pour faire le point. Sa fille et sa femme sont en santé, son cholestérol ne lui joue pas trop de mauvais tours, sa chère mère est encore en pleine forme. Il essaie de se dire que c'est l'essentiel, que le reste n'est que chimère pour les ambitieux et les rêveurs… C'est peine perdue. Claude Castel est un homme de grands projets, il le sait. Pas pour lui, le petit bonheur tranquille des jours qui s'écoulent sans histoire. Il a besoin de voir grand, de rêver, de poser son empreinte sur le monde, à sa manière. Même si ce n'est que par l'entremise du divertissement. Il existe bien sûr des buts plus nobles, plus grandioses; mais Claude s'avoue, en son for intérieur, que rien ne le satisfait comme de voir le Québec au grand complet tripper sur sa chanteuse vedette ou sa dernière série télé.

Les maudites séries télé, se dit Claude. Voilà où le bat blesse. De ses trois nouvelles séries de l'année, seulement une a du succès. *Colocs en ville – nouvelle génération* tire bien son épingle du jeu, mais les deux autres ont fait exploser les budgets et récolté bien peu en termes de cotes d'écoute. Certains de ses conseillers lui avaient bien laissé entendre que les Productions Castel n'étaient pas encore mûres pour soutenir trois projets d'envergure de front; et que rien ne garantissait que l'instinct et le doigté inouïs de Claude en matière de musique allaient trouver le même écho dans le monde de la télévision. Tout à ses projets de grandeur, il n'avait rien voulu entendre et avait investi le paquet dans cette nouvelle division.

Et voilà que tout son empire menace de s'écrouler, à cause de deux projets à la noix mal menés. Claude n'a jamais ressenti un tel stress de sa vie, jamais eu tant à perdre et si peu à gagner. Les choix qui s'offrent à lui sont minces : vendre son entreprise en pièces ou trouver un partenaire. Il refuse de détruire l'œuvre de toute une vie, de mettre à la rue ses collaborateurs de la première heure; il refuse tout autant de céder le contrôle de sa vision artistique à un magnat aux poches remplies et au cerveau vide d'idées.

Pour le moment, il se contente de nager à contre-courant et d'engueuler tout le monde, de sa secrétaire à sa femme, en passant par ses employés. Mais il sait bien que cela ne pourra pas durer. Il y a Charlie qui continue à dépenser comme si l'argent poussait dans les arbres, Éléonore qui devra bientôt aller à l'université; Claude ne se sent pas le droit de poser un seul pied de travers. Il devra trouver une solution, tôt ou tard. En attendant, alors que le grattement de l'aiguille indique que le disque arrive à sa fin, il se résout à oublier ses problèmes d'affaires, au moins le temps d'un réveillon. Sa mère, sa femme et sa fille méritent bien cela.

Dans la cuisine, Mathilde finit d'assaisonner ses pommes de terre pendant qu'Éléonore essore la salade. Elles aiment travailler ensemble. Leur complicité de longue date fait en sorte que l'une passe un bol ou un ustensile à l'autre juste au moment où elle allait en avoir besoin, sans avoir à le demander.

– Alors, tu n'as pas de prétendant à nous présenter cette année, Éléonore? demande Mathilde qui aime bien taquiner sa petite-fille.

– Mais non, grand-maman! Ce sera pour une autre fois!

– Je suis certaine que tu nous fais des cachotteries et qu'il y a un beau prince charmant dans le portrait. Il faudra que tu me racontes tout ça, mon vieux cœur a bien besoin d'une dose de romantisme, poursuit-elle en prenant sa petite-fille par le bras. En attendant, viens, la dinde est presque prête et tu dois ouvrir tes cadeaux avant!

Au souper, Éléonore est assise à côté de son oncle René, le plus jeune des frères de son père. René est un touche-à-tout, un éternel ado qui se décrit tour à tour comme pigiste, inventeur ou homme d'affaires. Il a toujours un projet loufoque en branle et est perpétuellement en colère contre la société et le système, qui l'empêchent de briller comme il le mérite. Il parle à Éléonore de sa dernière idée, un jeu de société de connaissances générales sur les bandes dessinées.

– Mais les maisons d'édition veulent pas embarquer! Aucune vision! Pis, sans les droits d'auteur, je ne peux rien faire.

Au fur et à mesure que la soirée avance et que le bordeaux coule à flots, René s'emporte de plus en plus. Il commence sa rengaine habituelle sur le système qui tue toute créativité. Claude taquine son jeune frère, en se targuant d'avoir réussi des succès créatifs au sein du système.

– Ben oui, parlons-en du système ! lance René. Mets-en que t'es en plein dedans ! Pis envoyer ta fille à Brébeuf, ça a-tu pas d'allure !

Éléonore demande calmement quel problème son oncle a avec Brébeuf.

– C'est de la graine de conformiste qui pousse là-bas ! Des petits robots qui sont rodés pour bien servir le système. Pas une once de pensée originale dans toute l'école. Pis, c'est ce monde-là qui va finir dans toutes les grosses jobs. Pareil comme leurs pères.

– Je suis pas si sûre que ça, moi, mononcle, dit Éléonore. Les gars de mon année, qui viennent d'Outremont, j'ai pas l'impression qu'ils vont accomplir les mêmes choses que leurs pères.

– Voyons donc !

– Regarde par exemple, Jean-François Hamel. Son père est juge, sa mère est ministre de la Famille. Lui, il n'a aucune ambition. C'est un fumeux de pot et à sa dernière job d'été, il faisait du télémarketing pour une compagnie de produits pour gazon. J'ai pas l'impression qu'il va faire comme ses parents. Des fois, c'est le contraire je pense. Si les gens sont trop confortables, ils ont pas la *drive* pour réussir.

– Mais j'vas te l'expliquer, le problème, Élé. Le problème, c'est que ton Jean-François Hamel, il peut niaiser tant qu'il veut. Le jour où il va vouloir une job sérieuse, là, son papa pis sa maman vont appeler tous leurs p'tits amis, pis tout à coup, notre Jean-François va se retrouver avec une bonne carrière pis des bonnes opportunités. C'est ça, le luxe de la classe dirigeante. Ils ont juste pas à faire autant d'efforts que les autres.

– Ouais, t'as peut-être raison, concède Éléonore. Il reste que ceux qui impressionnent, qui sont présidents de classe et gagnants de concours, en général, c'est pas ceux du petit cercle fermé d'Outremont.

– Mais, quand même, interjette Claude, René a un peu raison.

Les huées et les applaudissements explosent autour de la table. On entend rarement Claude donner raison à René, chez les Castel. Claude calme sa famille de bonne grâce et continue.

– Il a un peu raison, je dis bien ! À mon bureau, j'ai une jeune productrice, Françoise. Elle vient de Brébeuf. Elle m'a dit un soir que c'était comme une secte. Elle dit que partout où elle est allée, dans les milieux de travail, les gens de Brébeuf se reconnaissent. Tu pars avec une longueur d'avance. En plus, ça impressionne le monde.

– Ou bedon ça les fait chier ! rétorque René sous les rires généralisés.

Mathilde fronce les sourcils. Ce genre de langage à sa table lui déplaît, surtout le soir du réveillon. Elle prend les choses en main et demande à la ronde qui va l'accompagner à la messe de minuit. Éléonore acquiesce avec plaisir.

Assise sur le même banc que sa grand-mère, en écoutant les cantiques de Noël, Éléonore se sent envahie d'une certaine paix, aussi agréable que rare. Au cœur de ce moment consacré à la réflexion, elle repense à ses parents, à ses amies, à son avenir. Elle a l'impression d'y voir plus clair, du simple fait de la présence apaisante de sa grand-mère. Son père a de toute évidence des problèmes d'affaires; mais il n'y a rien qu'Éléonore puisse y faire et il est donc inutile qu'elle se tracasse avec ça. La situation avec Yasmina et Allegra est plus complexe; mais leur querelle puérile mourra de sa belle mort lorsqu'elles constateront qu'Éléonore ne choisira jamais entre elles. Quant à son avenir... Éléonore a toujours été sûre, avec la confiance innée de la bonne élève, de pouvoir réussir dans n'importe quel domaine où elle mettrait suffisamment d'énergie. Par contre, elle a toujours eu l'enviable problème de s'intéresser à tout. Théâtre, journalisme, sport, sciences humaines, à part la chimie et la physique, tous les sujets l'allument. Au cours des deux dernières années, Éléonore s'est découvert une passion qui cristallise tous ses inté-rêts: la réalisation. Elle a longtemps refusé de se l'avouer, hésitant à se lancer dans la même voie que son père. Mais ce soir, cette préoccupation lui apparaît futile. Elle ne sait pas encore si elle trouvera sa place au théâtre, à la télé ou au cinéma, mais elle sait que son rêve dans la vie, c'est de diriger le jeu d'acteurs, comme un chef d'orchestre suit une partition. Portée par les cantiques, l'esprit d'Éléonore s'enflamme et elle rêve en technicolor. En pensant à ces projets grandioses, les chicanes et le train-train lui sem-blent sans pertinence et c'est rassérénée qu'elle appuie sa tête contre l'épaule de sa grand-mère, qui entonne *Adeste Fideles* de sa belle voix de soprano.

Chapitre sept

– Vite ! L'autobus est prêt à partir !

Les jeunes cégépiens se précipitent dans la nuit noire qui enveloppe le collège. Les cégépiens du Québec en entier déferlent sur la Grosse Pomme chaque week-end de Pâques. Ceux de Brébeuf ne font pas exception. Les autobus devant démarrer à 23 heures, les jeunes se sont rejoints à La Maisonnée en début de soirée pour étrenner le week-end avec des pichets de bière *flat*. Pris par leurs célébrations et par l'enivrant sentiment de liberté qui les envahit, ils sont presque en retard. Les chauffeurs d'autobus les voient arriver, résignés à une nuit rock'n'roll. Plus d'un autobus devra s'arrêter en chemin parce qu'un chauffeur menace de virer de bord si le party ne se calme pas un peu.

Éléonore, Yasmina et Allegra se faufilent à bord, le sourire aux lèvres. Elles s'assoient près du fond. Jean-François Hamel commence déjà à faire le clown, jouant au conducteur qui place tout le monde selon son état d'ébriété.

– Par ici, mon cher monsieur, par ici. Pardon, vos papiers d'identité, s'il vous plaît ! Monsieur Royal, Mathieu Royal, étiez-vous présent dans l'établissement de divertissement La Maisonnée, ce soir ? Non ? Vous êtes bien trop sobre pour vous asseoir en arrière, cher monsieur. Allez circulez !

Éléonore éclate de rire. Vincent Balland, assis derrière elle, lui passe sa bouteille de Southern Comfort. La première gorgée lui brûle la gorge, mais la deuxième coule mieux. L'autobus se met en route.

Les jeunes se rappellent leurs étés passés dans les camps et enchaînent chanson sur chanson. Pendant une bonne partie du trajet, Jean-François se tient debout entre les rangées, à faire son *one man show*. À la frontière, les autobus sont stationnés dans une file interminable. Les bouteilles sont dissimulées juste à temps. Les douaniers montent à bord avec leurs torches électriques. L'arrêt dure près de trois heures. Juste avant que le douanier monte dans l'autobus d'Éléonore, Charlotte Bonsecours se précipite aux toilettes. Elle ne ferme pas la porte et on entend ses vomissements dans tout l'autobus. Les applaudissements crépitent. On se souviendra longtemps de l'exploit de Charlotte, qui a tellement bu qu'elle a été malade avant même de passer la frontière. Jean-François se prépare à la taquiner tout le week-end. Par contre, le douanier la trouve moins drôle quand Éléonore doit soutenir Charlotte pendant que celle-ci sort son passeport.

L'autobus traverse enfin le pont George Washington. Lorsque New York se profile à l'horizon, au petit matin, les applaudissements et les sifflements fusent. Éléonore n'a pas mis les pieds à New York depuis des années et ses souvenirs d'enfant sont très flous.

Dès le premier matin, faisant fi de leur fatigue et de leur tête embrouillée, les trois filles partent à l'aventure. Allegra s'est arrogée le titre de guide touristique officielle. Au fil des mois, elle est devenue assez copine avec Magalie Beaufort, la présentatrice du magazine culturel *À vos caméras*, qui fait fureur à la télé. Magalie l'a interviewée plusieurs fois, et chaque fois, ça a vraiment cliqué entre elles. Allegra lui ayant mentionné son week-end à New

York, Magalie s'est empressée de lui transmettre sa liste confidentielle d'adresses branchées. Et, comble d'excitation pour Allegra, elle a réussi à la placer sur la liste VIP d'un party exclusif, le samedi soir. Avec ses deux amies, il va sans dire. Allegra flotte sur un nuage et rêve de découvrir cette ville, où tout la fascine et où, pour elle, le succès a réellement le goût du succès.

Hélant avec autorité un taxi jaune, comme si elle avait fait ça toute sa vie, Allegra entraîne ses copines vers Soho. Sur West Broadway, elle trouve, tel que promis, le bistrot mi-français, mi-brésilien Félix. Les trois filles commandent de grands bols de café au lait et des œufs bénédictines accompagnés de frites et de salade, plat capable de guérir n'importe quelle gueule de bois.

Elles se promènent sur West Broadway, admirant les vitrines et la mode baroque de Soho. En fin d'après-midi, elles osent s'aventurer dans le bar du Soho Grand pour y boire quelques cocktails servis par un barman qui ne regarde pas leur âge de trop près. L'ambiance permissive du milieu des années 90 règne sur New York. Elles rentrent à l'hôtel passablement éméchées et prêtes à faire la fête. Le party fait rage dans la chambre de Jean-François et Vincent. Vincent a trouvé le moyen de se procurer du pot dans Central Park et un joint énorme fait le tour de la pièce. Le dernier album de Green Day joue à haut volume. Jean-François, armé des cartes d'identité de son grand frère qui lui ressemble beaucoup, a acheté quatre caisses de vingt-quatre. Éléonore est saoule. Elle finit sa *puff* de joint et sent que la pièce commence à tourner. Les gars jouent au « vingt-cinq cents », calant leur verre de bière lorsqu'un adversaire réussit à y faire rebondir la pièce de monnaie.

On cogne à la porte. C'est le gardien de sécurité de l'hôtel. Instinctivement, le groupe reprend ses habitudes de jeunes gens de bonne famille. On baisse tout de suite le son, on cache le joint, on est poli, on s'excuse. Dès que le gardien referme la porte, la fête repart de plus belle. L'alarme d'incendie retentit. Ils descendent en riant, ayant entendu dire en chemin que c'est un des gars du Collège Grasset qui a activé l'alarme en blague. Trente étages à pied, ça dégrise son monde.

Une fois sur Times Square, Vincent encourage ses amis à aller au party organisé pour les cégépiens au Limelight. À leur grand dam, on leur enfile un bracelet de plastique orange indiquant au barman qu'ils ont moins de vingt-et-un ans et qu'ils ne peuvent donc pas boire d'alcool. Jean-François trouve vite un gars un peu louche qui accepte de commander pour eux.

Quand Éléonore se réveille en sursaut le lendemain matin, sa première réaction en est une de panique. Elle se trouve bien dans sa chambre d'hôtel, mais ne se souvient pas de la fin de la soirée, ni de comment elle est rentrée. Son dernier souvenir à peu près clair est la file d'attente du Limelight. Elle est très rassurée en voyant Yasmina qui dort comme un loir à côté d'elle, ainsi qu'Allegra étendue en étoile sur le lit d'à côté.

Éléonore et Yasmina se sentent très «lendemain de veille», mais Allegra prend la situation en main. Pas question de rater la soirée glamour de ce soir à cause d'un minable party de cégépiens! Elles partent dévaliser les boutiques de Soho, Allegra insistant pour que ses amies trouvent un ensemble spectaculaire pour leur sortie. Yasmina se prête au jeu avec bonne humeur, mais Éléonore est effarée devant les minces bandeaux dorés qui couvrent à peine la poitrine et laissent le dos complètement nu. Allegra finit par la convaincre, en arguant qu'elle a peu de chances de croiser quelqu'un qu'elle connaît à cette soirée et qu'en bout de ligne, elle se sentira mieux si elle *fitte*.

Même Yasmina se doit d'admettre qu'Allegra est une organisatrice d'événements hors pair. Elle fait sienne la chambre d'hôtel et sert du vin blanc à ses amies pendant qu'elle les coiffe et les maquille l'une après l'autre. Yasmina rigole de voir la transformation d'Élé, qui rouspète un peu.

– T'es sûre que t'as pas dépassé, là? On dirait qu'un enfant m'a barbouillé ça au crayon de cire.

– Ça s'appelle des *smoky eyes*, ma chère, et ça te va très bien. C'est très sexy.

Lorsqu'Allegra a terminé, elles forment un trio d'enfer. Trois superbes brunes, dont les beautés se rehaussent et se complètent. En attendant l'heure de partir, elles fument une cigarette et boivent un autre verre.

– Dis donc, Yasmina, qu'est-ce qu'il fait ton frère ces temps-ci? demande Allegra d'un air innocent.

– Rien de spécial, il finit son année aux HEC, puis il part faire une année d'échange à Londres. Un programme super hot, c'est un vrai bollé mon frère.

– Et en plus, il est foutument beau.

– On le sait, on le sait! Si tu penses que j'ai pas entendu cette rengaine-là toute ma vie! Mais ne perds pas ton temps, il a une blonde.

– Ça ne veut rien dire, il a toujours une blonde.

– Ça, c'est bien vrai! Yasmina pouffe de rire.

Personne ne semble remarquer le mutisme d'Éléonore qui s'allume une cigarette.

L'entrée du Barolo est bondée. Une foule naïvement optimiste se presse autour du fameux cordon de velours.

C'est peine perdue; seuls les heureux élus, dont le nom figure sur la liste d'invités, auront accès à la fête privée qui se déroule à l'intérieur. Allegra entre la tête haute, ses deux amies bouche bée à sa remorque. Le superbe jardin extérieur est éclairé par des centaines de lampions antiques, créant une atmosphère tamisée et féerique au cœur de la ville. Les filles se font rapidement aborder par un des promoteurs de la soirée, qui les invite à la table d'un photographe de mode. Le Cristal coule à flots.

Éléonore et Yasmina observent la faune de nuit qui évolue autour d'elles. Elles avalent de travers à la vue de plusieurs célébrités : l'acteur d'Hollywood, beaucoup plus petit en vrai, la top-modèle, si belle qu'on a peine à croire qu'elle ait besoin de retouches, le rappeur new-yorkais, couvert d'épaisses chaînes en or. Allegra semble dans son élément au milieu de tout ce beau monde. Elle parle à tous et disparaît dans la foule avec un tel pour réapparaître ensuite au bras d'un autre. Éléonore et Yasmina s'amusent de manière différente, en se criant à l'oreille leurs commentaires ébahis. Une femme d'une beauté sculpturale fend la foule, semblant couverte de symboles et de serpents. En s'approchant d'elle au retour des toilettes, Élé se rend compte que la femme est nue sous une peinture corporelle des plus élaborées.

Vers deux heures du matin, Allegra surgit devant ses amies, l'air agité. Elle a été abordée par l'agente du photographe à leur table, une dénommée Karen. Celle-ci lui a donné sa carte et offert de la représenter, si elle veut être mannequin à New York. Allegra est pleine d'excitation, mais trop saoule pour saisir pleinement la signification de l'événement.

– Karen nous invite à un *after-hour* dans Chelsea. Elle dit que c'est un énorme entrepôt, transformé en club de danse. Il paraît que c'est malade !

– Ben, je sais pas… répond Éléonore. On risque de se faire carter, pis c'est sûrement cher, le *cover*.

– Moi, je suis *out*, je suis claquée, dit Yasmina sans détour.

– Bon, ben OK, j'y vais avec Karen alors ! Imagine, c'est trop cool !

Éléonore s'inquiète et préférerait qu'Allegra rentre à l'hôtel avec elles. Elle n'arrive pas à lui faire entendre raison et Allegra leur fait la bise rapidement, avant de suivre Karen. Éléonore a au moins obtenu de garder sur elle la carte d'affaires de l'agente, au cas où il arriverait quelque chose. Elle regarde partir son amie avec une inquiétude sourde au fond du cœur. Yasmina balaie son désarroi du revers de la main, en affirmant qu'Allegra est une grande fille. Éléonore et elle finissent leur soirée dans un *diner* tout ce qu'il y a de plus américain, avec un bon cheeseburger dégoulinant de ketchup pour éponger l'alcool.

En rentrant dans le hall de l'hôtel aux petites heures, elles croisent un groupe de garçons de cégep 2 qui arrivent en même temps qu'elles. Les apercevant dans leur look sexy et recherché, Philippe Dupuis les accueille d'un sifflement admiratif et Nicolas Sansregret s'empresse de les inviter à prendre une bière dans sa chambre. Malgré la fatigue, elles acceptent avec joie. Ce n'est pas tous les jours qu'elles reçoivent une invitation à se tenir avec les gars les plus populaires du cégep. Les gars les questionnent sur leur soirée et sont captivés par le récit enlevé que fait Yasmina de la scène new-yorkaise et des célébrités qu'elles ont côtoyées.

Yasmina a bien peur que cet intérêt soit d'abord dû à leur lien avec Allegra, mais remarque avec plaisir que Nicolas continue de la regarder avec des yeux brûlants, même lorsqu'elle passe à un autre sujet. Yasmina sent une poussée d'adrénaline l'envahir. Il est tellement beau, avec ses cheveux châtains un peu longs et ses yeux d'un vert perçant. Il semble très posé et mature aux yeux de Yasmina, comparé aux épais à la Vincent Balland et Jean-François Hamel de leur année. Vers cinq heures du matin, les filles décident d'aller se coucher et Yasmina ne se peut plus d'excitation lorsqu'elle dissèque avec Éléonore les moindres regards qui ont ponctué cette fin de soirée pas comme les autres. Elles s'endorment à peine lorsqu'Allegra se faufile dans la chambre.

Éléonore et Yasmina rentrent de New York épuisées et contentes de retrouver la routine du cégep. Elles se font longtemps rire en ressortant leur minuscule top new-yorkais et en s'imaginant la face que feraient les gens si elles se pointaient avec ça à leurs partys étudiants.

– Une bière *flat* dans un verre en plastique avec ça? demande Éléonore d'un air épais.

– Une coupe de Cristal ou rien! répond Yasmina d'un ton hautain. Elles s'esclaffent de nouveau toutes les deux.

Allegra, quant à elle, flotte sur un nuage. La fameuse Karen ne semble pas faire de l'esbroufe. Elle appelle Allegra dès le lundi matin pour parler plus sérieusement. Elle s'informe d'abord de ses projets professionnels en cours et du lien qui l'unit à son agent.

– Je tourne une fois par année une série télé pour ados et mon agent, c'est Claude Castel.

– *Never heard of him.*

– *He's big in Quebec.*

– Listen, honey, it's big time now. This is New York[2].

Emballée, Allegra l'écoute parler de contrats publicitaires et d'éditoriaux dans les magazines. «À condition de perdre un petit dix livres», lui spécifie Karen. «Et même là, tu seras toujours trop petite pour le *runway*. Mais les pubs de cosmétiques et les magazines de mode, ça rapporte gros.»

Mais tout d'abord, Allegra doit se monter un *book*, un portfolio de photos. Par le plus grand des hasards, l'un des photographes que Karen représente est de passage à Montréal cette semaine.

– Il me doit une faveur, il te fait ça rapido mercredi à 15 heures, dans un studio de l'est de la ville.

Allegra consulte rapidement son agenda.

– J'ai un examen de philo, mercredi à 16 heures.

– You've got to decide how badly you want this, babe[3].

Allegra raccroche. Elle aimerait bien se dire que c'est banal, qu'après tout, un examen à reprendre, ce n'est pas la fin du monde, mais elle se mentirait. Elle sent que ce choix décidera de son avenir. Tout de suite, comme chaque fois qu'elle vit un moment important, elle appelle Éléonore. Les deux filles se retrouvent au Café Souvenir, lieu de leur première rencontre. Allegra commande un café noir. Éléonore l'imite et propose de partager un dessert. Allegra refuse tout de suite, ayant gardé en tête les conseils de son agente au sujet de son poids. Elle se contente d'allumer une cigarette. Elles discutent pendant des heures, du voyage à New York, de l'avenir, des rêves d'Allegra.

---

2. – J'ai jamais entendu parler de lui.
   – Il est très connu au Québec.
   – Écoute, ma cocotte, on parle de choses sérieuses, là. On parle de New York..
3. C'est à toi de voir à quel point tu veux réussir, ma chouette.

Sans grande surprise, elle décide le mercredi venu de manquer son examen de philo et d'aller au rendez-vous avec le photographe. Celui-ci est emballé et fait parvenir les épreuves à Karen dès le lendemain. Le téléphone sonne très tôt chez Allegra.

– *You've got something, honey. I don't know what it is, but you've got it*[4].

Karen se répand en flatteries outrancières. Comme d'habitude, c'est là le moyen le plus sûr d'obtenir d'Allegra ce qu'on veut. C'est-à-dire qu'elle prenne le premier avion pour New York et se présente à un *casting* le lendemain matin. Allegra hésite. Elle n'a pas encore parlé de tout ça avec sa mère, de peur que celle-ci ne la pousse à choisir son examen de philo. Elle décide pourtant de se lancer lorsque Karen mentionne qu'elle fera l'aller-retour en une seule journée. Voilà qui convient à Allegra : elle pourra agir à son gré, sans que Nicole en soit informée. Elle a encore son passeport dans son sac à main ; sa mère ne se rendra compte de rien. Elle prend quand même la peine d'inventer une séance d'études fictive après l'école, en cas de retard, puis elle part, le cœur léger.

Quelques heures plus tard, Allegra frissonne dans ses sous-vêtements de coton blanc, sous le regard hautain d'une dame d'un certain âge vêtue d'un tailleur de tweed. Blasée, cette femme observe Allegra comme si c'était une pièce de viande au marché. Les secondes s'étirent dangereusement. Finalement, la dame claque le *book* placé devant elle et laisse entrevoir un mince sourire.

– *She'll do*[5], dit-elle laconiquement à son assistant, un jeune homme flamboyant qui se jette dans les bras d'Allegra et la couvre de chaleureuses félicitations.

---

4. T'as vraiment quelque chose de spécial, ma cocotte. Je sais pas ce que c'est, mais je sais que tu l'as.
5. Elle fera l'affaire.

Allegra s'empresse de se recouvrir avec la robe de chambre mise à sa disposition. Elle retourne rapidement à l'agence afin de faire le point avec Karen. Lorsqu'elle entre dans son bureau, celle-ci est déjà en grande discussion avec un superbe blond dont le visage d'ange semble très familier à Allegra. Elle bat en retraite, ne voulant pas interrompre Karen, mais celle-ci la hèle chaleureusement et lui présente le jeune homme.

Pendant ce temps, Éléonore et Yasmina sont assises sur leur banc habituel dans la grande salle lorsqu'elles voient Nicolas et Philippe se diriger vers elles. Dans son énervement, Yasmina pince Éléonore en voulant lui faire signe de se retourner. Les garçons les invitent à un party qui a lieu chez Philippe le soir même, pendant que ses parents sont au chalet. Yasmina passe le reste de la journée en panique totale, ne sachant pas ce qu'elle va mettre.

– Tu comprends, Élé, l'autre fois à New York, quand il m'a parlé, j'étais habillée et maquillée en top-modèle! Là, je mets quoi, pour aller à un party de maison à Outremont?

– Tes jeans…

– Je les mets toujours, mes jeans!

– Oui, mais c'est parce qu'ils te font bien! Mets-les avec mon *top* rouge, ça te va super bien le rouge.

– Tu penses pas que ça serait mieux mon t-shirt turquoise?

Madame Saadi observe d'un air amusé le bouleversement qu'a entraîné une simple invitation à un party. Bonne joueuse, elle suggère à sa fille d'aller se faire couper les cheveux chez Orbite avec elle en début de soirée, afin d'avoir une belle mise en plis pour son party. Yasmina refuse, ayant peur que ça fasse trop. Madame Saadi baisse les bras devant l'ampleur du défi qui consiste à être magnifique, tout en ayant l'air de s'être à peine arrangée.

Heureusement, son mari est en Europe. Ça permettra à l'indulgente maman d'étirer un peu le strict couvre-feu qu'impose habituellement le père plus sévère.

Les filles ont prévu de faire une entrée remarquée et elles arrivent vers 21 heures. Philippe les accueille gentiment et les dirige tout de suite vers le baril de bière qui trône dans la cuisine. Nerveuses, elles avalent leur première bière trop vite. Catastrophée, Yasmina sent remonter en elle un petit rot, au moment même où Nicolas s'avance vers elle, le sourire aux lèvres. Elle se sauve à toute vitesse, plantant là Éléonore qui salue Nicolas, perplexe.

Quand Yasmina revient des toilettes, elle se fait rabrouer vertement par Éléonore.

– Voyons donc ! Qu'est-ce qui t'a pris de disparaître comme ça !

– Tu me croiras pas, mais il fallait vraiment que j'aille aux toilettes.

– T'aurais pu te retenir, me semble ! Il va penser que tu l'as snobé. Regarde, il est déjà en grosse conversation avec Ariane Montredeux !

– Élé, chuchote Yasmina, c'est que si j'étais restée… je lui aurais roté à la figure !

– Non ! s'exclame Éléonore et elle éclate de rire.

Yasmina se joint à elle et Nicolas observe de loin leur fou rire. Yasmina croise son regard et détourne les yeux, gênée. Éléonore décrète que pour rattraper son impair, elle devra aller parler à Nicolas. Yasmina est terrorisée à l'idée de traverser le party et d'aller interrompre la conversation de Nicolas et d'Ariane –   qui est quand même l'une des filles les plus *chicks* de Brébeuf et une vraie de vraie star de cinéma. Mais lorsqu'elle aperçoit à nouveau le regard de Nicolas qui s'égare vers elle, elle prend son courage à deux mains et se lance. Nicolas l'accueille chaudement et lui présente Ariane. Au bout de quelques minutes, Éléonore voit Ariane qui s'éloigne, laissant Yasmina et Nicolas en tête à tête. *Yes!* se dit-elle. Elle s'empresse d'aller chercher un verre de bière et de trouver d'autres amis avec qui passer la soirée.

Nicolas entraîne Yasmina vers le perron arrière, qui est désert.
– Ouh, il commence à faire froid, dit Yasmina.
– Viens ici, je vais te réchauffer.
Nicolas s'assoit sur la chaise berçante en bois et attire Yasmina sur ses genoux. Il entreprend de lui frotter vigou-reusement les mains, puis les bras. Yasmina se love contre lui. Elle écoute sa respiration dans le silence de la nuit, attendant avec fébrilité qu'il ose faire le premier pas. Elle frissonne davantage pour l'encourager à agir. Nicolas la serre plus fort contre lui, puis il lui caresse délicatement les cheveux.
– Ça va mieux ?, demande-t-il, d'une voix rauque.

Yasmina se retourne pour lui répondre que oui, mais n'en a pas le temps. Nicolas happe sa bouche au passage et l'embrasse doucement, longtemps, puis de plus en plus fort. Le cœur de Yasmina palpite, elle s'abandonne complètement dans ce moment de communion totale. Ils passent la soirée à s'embrasser, ne s'interrompant que pour se murmurer des confidences et des aveux fous. Il y a longtemps qu'un garçon voulant à son tour occuper le perron arrière les a surpris. La nouvelle de leur « mat-chage » a déjà fait le tour du party. Éléonore sait donc où venir chercher son amie lorsqu'il est temps de rentrer, vers une heure. Madame Saadi a déjà fait preuve de compré-hension en permettant à Yasmina de rentrer après minuit, il ne faudrait pas lui donner de raisons de regretter ce geste charitable.

Couchée sur le lit de Yasmina, Éléonore écoute long-temps son amie lui raconter dans le noir chacun des doux moments de cette soirée.

Le lendemain, Allegra téléphone à Éléonore pour lui raconter les péripéties de son séjour new-yorkais. Éléonore lui apprend que Yasmina et Nicolas Sansregret filent le parfait amour.
    – Yasmina ? Et Nicolas ? Tu me niaises !
    – Ben non, pourquoi ?
    – De un, il est hyper hot et je ne pensais pas qu'il s'inté-resserait à elle, mais de deux, ça me surprend de la part de Yasmina. Elle le sait que j'ai un kick dessus.
    – Comment ça, un kick ? Voyons donc, Allegra, à peu près toutes les filles de Brébeuf ont un kick sur Nicolas Sansregret.
    – En tout cas, j'ai rencontré un gars hier, à l'agence, et il m'a invitée à prendre un verre la prochaine fois que je serai en ville.
    – Ah oui ?
    – Tu devineras jamais c'est qui… C'est Zac Wildwood !
    – C'est qui, Zac Wildwood ?
    – Voyons, c'est un acteur super connu, t'sais c'est lui qui joue Peter dans la série *Westmore High*.
    – Ah, je pense que j'ai vu ça une fois. C'est lequel, le brun ou le blond ?
    – Le super beau blond, qui est capitaine de l'équipe de football.
    – *My god*, il est *stud* pas à peu près. Tu vois ? T'as pas besoin de Nicolas Sansregret.

Pendant les semaines qui suivent, Allegra fait deux autres voyages éclair clandestins à New York. Elle lunche avec le fameux Zac Wildwood et ne se peut plus de bonheur quand il l'embrasse en la reconduisant au studio. En rentrant à la maison, elle flotte sur un nuage et peine à dissimuler son excitation à sa mère. Nicole soupçonne une histoire d'amour en entendant sa fille chantonner pendant qu'elle fait ses devoirs, mais elle ne s'imagine rien de plus qu'une intrigue de cégépiens. Allegra rêve à son prochain séjour à New York, et du jour où elle pourra accepter les multiples invitations à accompagner Zac dans des soirées glamour. Elle sait bien qu'il faudra bientôt aborder le sujet avec sa mère, mais elle ne s'en sent pas encore le courage. Elle préfère jouer à l'autruche quelque temps encore, en attendant elle ne sait quel élément déclencheur.

De son côté, Yasmina disparaît dans les bras de Nicolas. Élevée dans la ouate par des parents aimants, elle vit tout en douceur la transition vers sa vie de femme, découvrant l'amour sans crainte ni inhibition. Nicolas l'aime, elle le sait. Elle accueille son désir foudroyant d'adolescent comme un hommage et ne combat pas l'orage intérieur qui la pousse vers lui. Leurs ébats sont empreints de la pureté de l'innocence, celle du premier amour dans un cœur que rien n'est encore venu souiller. Ils s'amusent gaiement comme des petits loups, se chamaillent, se chatouillent et se mordillent avec insouciance. Leur joyeuse complicité invite au plaisir et ils passent des heures entremêlés, à se respirer et à se regarder. Leur univers se rétrécit, distraits qu'ils sont de tout ce qui n'est pas l'autre.

Éléonore sert souvent de couverture à ces amours naissantes, la sévérité de monsieur Saadi exigeant des stratagèmes de plus en plus élaborés pour permettre aux amoureux de partager quelques nuits. Elle se sent un peu délaissée par sa grande amie mais ne lui en tient pas rigueur, tant son bonheur saute aux yeux. À la maison, Claude demeure d'une humeur massacrante et Charlie se fait des plus discrètes. Avec Allegra souvent à New York, Yasmina amoureuse, ses parents plus absents que jamais, Éléonore se retrouve fréquemment laissée à elle-même.

Elle profite de ses week-ends de solitude pour se réfugier chez sa grand-mère Castel et préparer ses examens de fin de session. La grande maison du lac Brôme est un havre de paix pour les nombreux petits-enfants de la matriarche. Plusieurs d'entre eux s'y réfugient les fins de semaine, fuyant les divorces, les tensions familiales, les chicanes avec les enfants de la blonde de leur père et autres soucis d'adolescents.

Cette fois-ci, Éléonore a la chance d'être seule chez sa grand-mère et elle savoure chaque instant de ce privilège. La grand-maman cuisine un pot-au-feu qui sent bon l'enfance et elle met à la disposition de sa petite-fille ses albums de photos jaunies et ses vieux films en noir et blanc. Éléonore retrouve son enthousiasme de gamine lorsqu'elle est invitée à aller flatter des chatons qui viennent tout juste de naître, dans la grange à foin des Sicotte. Ces petites bêtes aveugles s'accrochent à son chandail de laine. Elle meurt d'envie d'en ramener un à la maison, mais elle connaît d'avance la réponse de Charlie. Elle se sauve lorsque sa grand-mère l'appelle pour le souper.

– Éléonore, je viens de recevoir un drôle d'appel, c'était le père de ton amie Yasmina. Il pensait qu'elle était ici.

– Oh non! Qu'est-ce que t'as dit?

– J'ai dit qu'il devait se tromper, que toi tu étais bien ici, mais pas sa fille.

– Merde, merde, merde!

– Éléonore Castel, veux-tu bien surveiller ton langage ?

– Désolée, grand-maman, il faut que j'appelle Yasmina, vite !

Éléonore se précipite sur le téléphone pour prévenir Yasmina que son subterfuge a été éventé. Yasmina panique et quitte Nicolas à la course pour se réfugier chez Julie Mercier, une copine du cégep, d'où elle appellera innocemment son père pour lui dire que ses plans ont changé pour la fin de semaine.

Quand Éléonore revient dans la cuisine, sa grand-mère l'accueille avec des yeux sévères. Elle exige des explications et qu'on lui fasse l'honneur de lui dire la vérité. Éléonore consent. Explications fournies, Mathilde Castel se met dans une colère noire. Jamais sa petite-fille ne l'avait vue sous ce jour.

– Je t'aime plus que tout au monde, ma fille. Tu le sais. Mais tu abuses de mon hospitalité. C'est gravement me manquer de respect que d'utiliser ma maison pour dissimuler des magouilles pareilles. Je ne croyais pas ça de toi !

– Mais grand-maman ! Les choses ont changé aujourd'hui. Le père de Yasmina, il est super rétrograde. Même sa mère dirait oui.

– Ça ne change rien à l'histoire, Éléonore. Ni moi ni toi ne faisons les règles chez Yasmina. C'est le rôle de ses parents. Tu te sers de moi pour aller à l'encontre de l'autorité parentale et je ne suis pas d'accord.

– Mais, voyons donc…

– Mais voyons donc rien ! Réfléchis un peu, Éléonore. Les parents ne sont pas sévères juste pour vous écœurer, comme vous dites, les jeunes. Être parent, c'est le rôle le plus exigeant qu'on puisse imaginer. Chaque parent a ses valeurs et ça prend toute une vie d'efforts et d'éducation pour les transmettre à ses enfants. Le père de Yasmina, c'est un bon père ?

– Ben, oui, sauf qu'il est sévère.

– Mais c'est un père aimant, qui se soucie du bien-être de sa fille ?

– Ah, ça oui, doit reconnaître Éléonore. Il prend vraiment à cœur tout ce qui lui arrive.

– Bon. Donc si je comprends bien, c'est un homme de cœur, un homme d'expérience, qui aime sa fille. Tu penses vraiment que ses règles sont si arbitraires que ça ? Je peux te le dire d'expérience, les règlements dans une maison ne sont jamais populaires, surtout avec des ados. Je le sais, j'en ai eu six ! Mais, un jour, chacun de mes enfants est venu me remercier. C'est ça, être parent, Éléonore. C'est ingrat, mais pour moi, les parents de qualité ce sont ceux qui ont des principes et qui s'y tiennent. Ton amie Yasmina, qu'elle parle à son père. Si son père dit non, c'est non. Que je ne te reprenne pas à l'aider à se cacher, sinon je te préviens que je te dénonce.

– Tu sais bien que mes parents s'en foutraient.

– Pas à tes parents, directement au père de ton amie.

– Grand-maman, tu ferais pas ça !

– Tu vois, je te l'avais dit que d'avoir des principes d'éducation fermes, ça rend très impopulaire.

Mathilde clôt la discussion en invitant sa petite-fille à passer à table. Celle-ci rumine, perdue dans ses pensées moroses. Elle avait toujours cru que sa grand-mère serait de son côté, quoi qu'il arrive. Lorsqu'elle lui en fait la remarque, sa grand-mère lui répond calmement qu'elle n'a jamais été autant de son côté qu'en ce moment.

Chapitre huit

Claude sursaute lorsque sa secrétaire, la si efficace madame Trépanier, pose un espresso sur son bureau.
– Vous pourriez pas faire attention? grogne-t-il.

Il lève la tête alors qu'elle s'éloigne, les épaules serrées, sans dire un mot. Bon, voilà qu'il l'a encore vexée. Claude pousse un soupir de découragement. Il ne peut se permettre de s'aliéner une telle perle : grâce à madame Trépanier, il est à l'heure, bien organisé et a toujours comme par magie le bon dossier sous la main. Les derniers mois, déjà chaotiques, auraient été un véritable enfer sans sa présence compétente et discrète. Claude se dit qu'il devra songer à lui acheter des fleurs, un de ces jours, puis il se replonge dans un dossier particulièrement épineux. L'un de ses réalisateurs le poursuit pour obtenir la prime de rendement qui lui aurait été due à la fin du tournage, si la télésérie en question n'avait pas été retirée des ondes en milieu de saison. L'avocat de Claude, maître Paquin, estime assez mauvaises leurs chances de remporter la partie devant un juge et conseille à son client un règlement hors cour. *Encore un autre cinquante mille*, se lamente Claude.

Madame Trépanier cogne à la porte, timidement cette fois-ci.
– Entrez! lance Claude d'un ton bourru, ayant déjà oublié ses bonnes résolutions sous l'avalanche de préoccupations qui l'assaillent.

– Monsieur Castel, vous avez reçu un panier.

– Mais posez-le sur votre bureau, bordel! Vous pensez que j'ai juste ça à faire, ouvrir des paniers?

– C'est que le livreur dit qu'il attend une réponse.

Claude déballe l'imposant panier, qu'il trouve rempli de grands vins français, de fromages, de sacs de grains de café, de chocolats fins et de plusieurs autres douceurs encore. L'opulence du cadeau l'étonne. Ces bouteilles-là doivent bien valoir quelques centaines de dollars chacune. Il lit le message, intrigué: «Au plaisir de trinquer ensemble à notre santé et prospérité. Je vous attends au Latini à 13 heures. Franz Hess.» La famille Hess, d'origine suisse-allemande, est établie au Québec depuis deux générations et se spécialise dans l'importation de vins et mets fins européens. Le plus jeune des fils, Franz, est très présent sur la scène artistique et a l'habitude d'organiser des concerts bénéfice pour la collecte de fonds annuelle de la Fondation Hess, qui soutient l'avancement des arts et de la culture. Claude l'a croisé de loin en loin, mais le connaît peu.

– Vous pouvez lui dire que ça va.

Lorsque Claude se présente au Latini, il est escorté vers la table d'un homme dans la jeune quarantaine, très élégant et bien mis. Les deux hommes se serrent la main. Le sommelier leur sert un verre de Spumante, puis débouche un excellent vin de Toscane.

– On peut se tutoyer? demande Franz.

– Après avoir bu un vin comme celui-là, tu peux en être sûr!

Les deux hommes font honneur à la table d'hôte du midi et dégustent d'abord des petits raviolis aux œufs, sur lesquels le chef râpe avec dextérité une truffe blanche d'Italie. Claude se laisse tenter par une sole de Douvres, servie avec des pâtes au citron, pendant que Franz savoure une escalope aux cèpes. La conversation roule bon train. On parle de la saison des Canadiens, des derniers projets immobiliers approuvés par le maire Bonsecours et, surtout, de la scène artistique et médiatique du Québec. Franz sonde l'opinion de Claude sur les tendances à venir, de l'émergence de la téléréalité, à l'avenir de l'industrie du disque. Après des mois d'immobilisme frustrant, Claude s'épanouit au contact de cet homme d'affaires visionnaire. Au dessert, devant un cannoli dont la finesse fait toute l'élégance et un espresso servi à l'italienne avec un zeste de citron, Franz parle enfin du projet qui l'anime.

– J'ai une proposition à te faire, Claude.
– Je t'écoute.
– Tu sais, dans ma famille, il n'y en a que pour le vin, les épiceries fines et la restauration. Même au Moyen-Âge, dans les cantons suisses, les commerçants c'étaient souvent des Hess. Là, je veux me lancer dans un projet, un vrai. C'est bien beau, le bordeaux et les fromages d'alpage, mais mes ambitions à moi, elles sont autrement plus grandes que ça.
– À quoi tu penses ?
– Une maison de disques, tu dirais quoi ?
– T'es sérieux, là ?
– Tu trouves pas ça dommage que les artistes québécois qui *pognent* à l'international soient tous avec Sony ou EMI ?
– C'est sûr…
– Penses-y, Claude ! lance Franz, très animé. Avec tes contacts, ton instinct, ton expérience, pis mon sens des affaires, on va tous les mettre à terre !
– Écoute, j'ai carrément pas les moyens de partir une affaire de même en ce moment.

– Claude, je te mentirai pas. Je le sais que t'as des problèmes d'affaires. Tout le monde dans le milieu le sait. Pis je sais que, sans ça, ça ferait déjà dix minutes que tu serais parti, sans m'écouter. Mais on en est là. Toi, t'as besoin d'investissements, moi j'ai besoin d'une personne d'expérience avec qui me lancer sans trop affoler mon père. C'est une situation gagnant-gagnant!

– C'est pas si simple que ça. Mes affaires sont toutes hypothéquées pour garder ma compagnie de production à flot. Je peux pas me mettre à faire de l'argent dans une nouvelle division, mes créanciers vont me sauter dessus.

– Ça, laisse-ça aux avocats. Ça va faire partie du *deal*. Moi, tout ce que je veux savoir aujourd'hui, c'est si t'embarques ou t'embarques pas.

Claude hésite. Il a le cerveau embrumé par le délicieux Picolit sucré qu'il déguste avec le dessert. Une chose quand même le chicote.

– Tu sais, Franz, je ferais pas un bon partenaire d'affaires, moi. Je suis un vieil ours, habitué à travailler tout seul. Tu voudrais partir à droite que je te dirais d'aller à gauche.

– Claude, Claude, Claude. Tu t'énerves pour rien, là. Regarde, moi tout ce que je veux, c'est apprendre. C'est me lancer dans un projet pour moi, pas pour mon père ou pour mes frères. Je vais te laisser toute la place, inquiète-toi pas. Je suis pas ici pour voir ma face dans les revues, au contraire. Va falloir que je commence par faire mes preuves. Et de toute manière, je passe au moins la moitié de l'année en Europe. Prends un autre verre de Picolit, on verra aux détails plus tard.

– Ouin. Fait qu'on fonde la compagnie de disques, pis il se passe quoi après?

– On regarde l'argent rentrer. Je mets tes autres divisions à flot, juste assez pour pouvoir lancer notre projet.

En échange, tu vas bien pouvoir t'arranger pour obtenir des billets de spectacles pour mes blondes et ma mère, question d'impressionner ma parenté?

– Ah, ça c'est sûr! Tout ce que tu veux!

– Tu sais, on a beau avoir une fondation pour aider les arts et la culture, dans la famille, je fais pas ça par charité. Je suis ici pour faire de l'argent. Je crois à ma vision, je crois à notre partenariat. Je suis convaincu qu'on va tous les deux en sortir gagnants. Le domaine du spectacle, c'est ma passion et il n'y a personne qui connaît ça mieux que toi.

L'idée fait lentement son chemin. Claude revoit Franz à plusieurs reprises et il est chaque fois séduit par son enthousiasme et l'originalité de ses idées. Il en vient même à se dire que c'est peut-être l'énergie de la jeunesse qui commençait à lui manquer. Son avocat rencontre celui de Franz et amorce l'élaboration des contrats. Maître Paquin juge l'offre globale très généreuse et conseille à son client de l'accepter. Claude, quant à lui, rétorque que c'est plutôt trop beau pour être vrai. Mais dans sa hâte désespérée à trouver une solution aux problèmes qui l'accablent, il n'est pas enclin à poser trop de questions. Claude est un instinctif, un homme d'action; Franz lui plaît, son ambition et son envergure aussi. Il se lance avec ferveur dans cette nouvelle aventure.

Claude sabre avec plaisir dans sa division de production télévisuelle, n'y conservant que le projet de *Colocs en ville*, qui continue de bien rouler. Il retourne à ses premières amours, la musique. Mû par une énergie et un enthousiasme nouveaux, il agrandit son écurie d'artistes en signant un contrat de représentation exclusive avec Georges Claudel, le chanteur populaire de l'heure à la voix rauque et à l'éternel blouson de cuir. Après avoir bu un verre de champagne en compagnie du chanteur et de son gérant, Claude rentre à la maison en flottant sur un nuage.

– Éléonore !

Elle surgit de sa chambre en entendant son père l'appeler, surprise. Claude n'est pas souvent à la maison si tôt, un soir de semaine. Charlie est à son cours d'ashtanga et Éléonore peaufine la dissertation de philo qu'elle doit remettre le lendemain.

Son père a un sourire fendu jusqu'aux oreilles.
– Qu'est-ce qui se passe ?
– Il se passe que je viens de signer un gros *deal*, que c'est le printemps à Montréal et que j'invite ma grande fille à souper avec son vieux père à la Moulerie.
– Super !

Éléonore acquiesce avec plaisir. La Moulerie est le restaurant préféré de son père, là où il passe ses soirées à refaire le monde avec ses grands chums, là où il scelle ses meilleures affaires. Il y est réputé pour ses pourboires généreux et y est reçu comme un roi. Éléonore est une cliente assidue depuis son jeune âge. Dès son arrivée, Claude commande une bonne bouteille, salue ses multiples connaissances d'un air affable et réserve ses sourires les plus éclatants pour sa fille. Éléonore est ravie de voir son père si plein d'entrain ; il lui semble retrouver le Claude gai et sociable qui avait disparu depuis plusieurs mois.

– Santé !
– Tchin, tchin !

Claude pousse un grand soupir satisfait. Il regarde autour de lui les bourgeons dans les arbres, les jeunes filles qui déambulent et se sent empli d'une sensation de bien-être dont il ne gardait qu'un lointain souvenir. Il prend une généreuse gorgée, sourit à Éléonore et se fait la remarque que c'est un réel plaisir de partager une bonne bouteille de Pouilly-Fuissé avec sa fille sur une terrasse. Quand Éléonore était petite, les devoirs inhérents à la paternité lui semblaient être une corvée. Il se rattrapait à coups de grands gestes, mais n'appréciait pas la routine du quotidien. Mais maintenant qu'ils peuvent se retrouver ainsi, entre copains, entre adultes, il apprécie l'intelligence vive de sa fille et son sens de la répartie. De plus, elle s'épanouit avec l'âge. Il la regarde. Elle tient de lui, ça, c'est sûr. Cinq pieds dix, musclée, sportive. Un nez droit, des joues pleines de santé. Des cheveux bruns bien épais et des yeux d'un bleu profond.

Charlie est plutôt du style minuscule. Petite, blonde et compacte comme un elfe. Claude se souvient combien ses hanches menues, sa taille fine et ses seins pneumatiques l'avaient rendu fou, il y a de cela presque vingt ans. Elle était si légère dans ses bras, il avait l'impression de la posséder tout entière. Quant à elle, elle adorait son gros nounours de mari, si viril, si fort, si généreux. Le *star-system* québécois de l'époque était à l'état embryonnaire. La carrière de Charlie était très glamour, certes, mais son salaire à peine décent ne suffisait pas à combler ses rêves d'adolescente de Sainte-Thérèse.

Claude Castel, de treize ans son aîné, était déjà un « nom » dans l'industrie du showbiz. Il produisait des spectacles, des émissions de variétés et représentait les chanteurs de l'heure. Il la couvrait de bijoux et de champagne. Après trois saisons de *Amours et trahisons*, alors qu'elle venait d'avoir vingt-quatre ans, Charlie s'était retrouvée enceinte, à sa plus grande joie. C'était le seul encouragement dont Claude avait eu besoin pour lui mettre la bague au doigt.

Les producteurs du téléroman avaient accepté d'ajouter une grossesse au scénario pour le personnage de Jessica que campait Charlie. Sitôt mariée, celle-ci avait démissionné avec joie afin « de se consacrer à sa famille ». Elle adorait le fait d'être célèbre, mais était fondamentalement paresseuse et détestait devoir se présenter aux petites heures sur les plateaux de tournage. Les producteurs perdaient leur plus grande star. Par dépit, ils ajoutèrent une scène où Jessica mourait d'une hémorragie pendant l'accouchement, fermant ainsi la porte à un éventuel retour. Charlie remarqua à peine la gifle et joua sa dernière scène d'un air distrait. Dans un mois, son bébé allait naître et avec lui viendrait toute la sécurité dont elle avait rêvé.

La chambre d'enfant était prête dans la maison de Claude sur Maplewood. Charlie rêvait d'un garçon, Claude junior, qui prendrait un jour la relève de son père en affaires et chouchouterait sa mère. À sa place, une grosse fille était née, pesant près de dix livres. Elle pleurait et s'égosillait, revendiquant sa place. Charlie ne savait qu'en faire. Elle était si convaincue d'avoir un garçon, qu'elle n'avait même pas pensé à un prénom féminin. Claude suggéra Éléonore, le deuxième nom de sa mère, et Charlie accepta avec indifférence. Une succession de nounous avait défilé dans la grande maison d'Outremont, jusqu'à ce que madame Gaston fasse son apparition lorsqu'Éléonore avait cinq ans.

– Alors, Claude, c'est quoi ce *deal* du siècle que tu viens de signer? demande Éléonore en attaquant son bol de moules à l'ail et au vin blanc.

– Écoute, ma chouette, c'est très confidentiel tout ça. Mais je peux te dire, continue Claude en chuchotant, que ça va être gros. Un nouveau *label*!

Il explique à voix basse à sa fille qu'il s'apprête à fonder une nouvelle compagnie de disques qui dominera le marché québécois.

– J'ai des investisseurs, bien sûr. Des grands investisseurs. Ça, par contre, je ne peux pas en dire plus. En tout cas, pour eux, mon expérience et mes contacts, ça vaut un paquet. J'ai presque pas à mettre un sou. Pis, je te dis qu'il y a des bénéfices.

– C'est trop cool !

– Tu sais, Éléonore… Les affaires allaient pas trop bien ces derniers temps. Je voulais pas trop vous en parler, à ta mère et toi… Mais là, les années d'abondance sont revenues, tu peux en être sûre ! C'est un méchant gros *deal*, on va casser la baraque avec ça.

Le vin qui coule à flots semble avoir singulièrement délié la langue de Claude. Éléonore rit aux éclats à chaque nouvelle anecdote.

Claude se fait la réflexion que sa fille est vraiment de bonne compagnie. Il s'est habitué à son air buté lors des soupers de famille et est charmé de la découvrir sous un autre jour. Est-ce simplement le vin, l'atmosphère chaleureuse du resto ? Elle semble avoir perdu son air farouche. Est-ce le fait d'être loin de la maison, d'être loin de… Charlie ? Malgré son manque de discernement, Claude a commencé à remarquer une certaine froideur entre les deux femmes. Mais il ne se sent pas le droit de le leur reprocher, ayant lui-même été plus qu'absent, ces derniers temps. Par contre, aujourd'hui, une nouvelle page est tournée et il se promet de ramener la bonne humeur dans son foyer. Il commencera par enlever Charlie, comme dans le bon vieux temps, et l'emmener passer un week-end romantique à Miami ou à Las Vegas. Il aime profondément sa femme et aime surtout la gâter à outrance. Quant à sa fille, il ne s'inquiète pas outre mesure pour elle. Elle est forte, il n'en doute pas. Le genre de femme qui suit son petit bonhomme de chemin, envers et contre tous. Avec ce soleil de printemps, c'est toute la légèreté du monde que Claude semble retrouver. Il commande deux digestifs et sourit en écoutant bavarder sa fille.

«Chère Allegra, c'est à ton tour, de te laisser parler d'amour!» Les applaudissements fusent de partout. Toute la gang est réunie au Café Campus, sur Prince-Arthur, pour célébrer les dix-huit ans d'Allegra. Éléonore embrasse Allegra et lui tend le cadeau auquel tous leurs amis ont participé: une trousse de produits pour cheveux Kerastase. Allegra est contente d'être le centre d'attention et ne se fait pas prier pour faire un petit discours. Elle offre une tournée de *shooters*, à la satisfaction générale. Puis, la joyeuse bande envahit la piste de danse sur l'air de *Sunday Bloody Sunday* de U2. Allegra n'est pas la seule étudiante de Brébeuf qui soit comédienne à ses heures, loin de là. On considère sa télésérie un peu quétaine, pas très sérieuse. On rit gentiment de son statut de vedette de magazines à potins pour ados. Ariane Montredeux, la belle brune de cégep 2 qui a épaté la critique dans le dernier film de Jacques Martel, inspire autrement plus le respect. Ce soir, ces distinctions importent peu à Allegra pendant qu'elle s'éclate avec ses amis. Accompagnée d'Éléonore et de Yasmina, elle finit la soirée en dansant sur les haut-parleurs au son des Rita Mitsouko.

Le lendemain matin, Allegra doit malheureusement se rendre au brunch du dimanche chez ses grands-parents. Elle a mal à la tête et de vagues nausées, qui ne s'améliorent pas lorsque sa grand-mère lui présente une assiette de saumon fumé.

– Juste un bagel, s'il te plaît.

– Allegra, rétorque sa grand-mère, tu manges une assiette complète. Il n'y a pas de place pour ces histoires-là chez moi, ajoute-t-elle en direction de sa propre fille, les yeux pleins de reproches.

Elle n'a jamais trouvé Nicole assez stricte avec ses filles et voilà le résultat.

– C'est pas ça, grand-maman. Je me suis juste couchée tard hier soir, OK?

– C'était le party de fête d'Allegra, hier, maman. Ses amis l'ont sortie en ville, explique Nicole.

Au dessert, son grand-père prononce un discours sur la responsabilité et les devoirs d'Allegra en tant que citoyenne majeure.

– Ce sont des années importantes qui s'annoncent, Allegra. Les sondages indiquent que Parizeau est bien placé pour remporter les prochaines élections. Ça va enfin être à notre tour! J'aimerais que tu songes sérieusement à t'impliquer auprès du Parti québécois.

– …

– Allegra! Ton grand-père te parle.

– J'ai entendu. Je sais juste pas quoi répondre.

– Comment, quoi répondre! C'est simple, il me semble. C'est une question d'avenir, d'autodétermination. Allegra, ta position dans ce monde, les avantages dont tu as joui, tout cela entraîne une responsabilité sociale. Je compte sur toi pour qu'un jour…

– Grand-papa, interrompt Allegra. C'est juste que la politique, ça ne m'intéresse pas trop.

Le grand-père perd ses moyens devant une telle aberration. Il s'enflamme et invective sa petite-fille de plus belle. Elle se sent étrangement détachée de la discussion et écoute d'une oreille distraite le reste de son discours.

Le lundi matin suivant, alors qu'elle s'apprête à partir au cégep, le téléphone sonne. C'est Karen qui lui annonce gaiement qu'elle a un contrat de trois jours la semaine suivante. À deux mille dollars par jour. Allegra ne sait quoi répondre. Elle évoque ses cours, ses examens qui approchent.

– *Come on, darling, you're eighteen now, aren't you? Get on the next plane, I have a spot in a model's apartment for you. New York is waiting for you. You're going to be such a success[6]!*

Allegra sent tout de suite ses bonnes résolutions vaciller. Dans ses moments de lucidité, elle s'était promis de finir son cégep, mais... ses résultats sont médiocres et le cœur n'y est pas. Elle se sent étouffée par les exigences de son grand-père ainsi que par la sollicitude exagérée de sa mère. Les cours l'ennuient, elle ne pense pas être à la hauteur. Elle trouve son rôle dans *Colocs en ville* amusant, mais ça demeure de la petite bière. Personne ne prend ça trop au sérieux. C'est un peu quétaine, finalement, même si les cotes d'écoute demeurent excellentes auprès des ados. Allegra rêve d'une réussite à grande échelle, de célébrité. Sans vouloir se l'avouer, elle compte surtout sur son apparence pour y parvenir. Et depuis quelques mois, elle a pris l'habitude de ne pas trop réfléchir aux tournants de la vie et de plutôt suivre son instinct. Son instinct qui ne l'a pas trompée en la poussant à aller à tous ces *castings*, puisque voilà qu'elle a obtenu un contrat lucratif.

Ce soir-là, elle attend Nicole de pied ferme. Elle a préparé une salade et sorti une bouteille de vin blanc. Nicole mange et discute, toute contente de passer une rare soirée en compagnie de sa grande fille. Elle lui raconte ses histoires du travail, les potins de ses grandes amies et

---

6. Allez, ma belle, tu as dix-huit ans, là, non? Saute dans le prochain avion, j'ai une place dans un appartement de mannequins pour toi. New York t'attend! Tu vas être une star!

de leurs enfants. Allegra parle peu. Lorsque le souper est terminé, elles font la vaisselle côte à côte. Allegra prépare deux cafés fumants, puis dit :

– Maman, il faut que je te parle.

– Qu'est-ce qu'il y a, ma chouette ? Tu sais que tu peux tout me dire.

– C'est pas facile à dire, mais…

– Je suis là, je t'écoute.

– J'ai reçu un appel d'une agente de New York. Elle m'a fait une offre que je ne peux pas refuser.

– Une agente ? À New York ? Est-ce que Claude est au courant ?

– Ça n'a rien à voir avec Claude, maman. C'est une agente que j'ai rencontrée quand je suis allée à New York avec l'école. Elle veut que je sois mannequin !

– Mannequin ? Mais c'est qui cette femme-là ? Je t'enverrai quand même pas à New York avec une inconnue !

Allegra s'explique calmement, avoue ses voyages clandestins et les multiples rencontres qu'elle a eues avec Karen. Elle vante le professionnalisme de l'agence et explique les détails du contrat qui lui est offert. Nicole est complètement déboussolée de découvrir ces aspects cachés de la vie de sa fille. Elle tente de reprendre le dessus.

– OK, si tu y tiens, je vais y aller avec toi, à New York. On va rencontrer ton agente et voir si on pourrait pas organiser quelque chose pour les vacances.

– Tu comprends pas, maman. Je pars. C'est décidé.

– Comment ça, tu pars, combien de temps ?

– Je veux être mannequin. Je vais m'installer à New York.

– Voyons donc ! Qu'est-ce que tu racontes là ? Allegra, t'es bien trop jeune !

– J'ai dix-huit ans, je suis majeure à ce que je sache. Maman, essaie de comprendre, c'est ma grande chance ! Si j'attends plus longtemps je vais être trop vieille !

– Mais ton cégep ?

– Le cégep, j'aurai toujours le temps de le finir. *Anyway*, je suis pourrie, à l'école. New York, c'est mon rêve, maman.

– Mais comment tu vas vivre ? Mon salaire ne pourra pas couvrir un appartement à New York, tu le sais.

– Inquiète-toi pas. J'ai mes économies de *Colocs en ville* pour le billet d'avion et pour le reste, l'agence s'occupe de tout. Je vais être dans un appartement avec d'autres filles de l'agence et après je leur rembourserai le loyer quand je serai payée pour mes premiers contrats. Même les sorties, il paraît qu'on ne paie pour rien, qu'on est toujours invitées partout ! Ça va être débile !

– Et ton contrat avec *Colocs en ville* ?

– Ben, le tournage c'est juste deux mois l'été, peut-être que je vais pouvoir revenir ?

– Tu dis « peut-être », ça veut dire que tu t'es pas assurée d'être libre. Tu t'en rends peut-être pas compte, mais briser un contrat, c'est grave.

– Maman ! C'est de mes affaires, OK ? Pis, de toute manière, je te demande pas la permission.

Nicole soupire. La conversation menace de s'envenimer et elle veut surtout éviter les confrontations avec sa fille, qu'elle juge encore fragile. Elle propose à Allegra d'en reparler le lendemain.

– Je t'emmène luncher à la Croissanterie, OK ? Il est supposé faire beau.

Allegra acquiesce en maugréant.

En entrant dans sa chambre ce soir-là, Nicole se jette sur le téléphone et compose le numéro de son amie Johanne. Celle-ci l'écoute patiemment s'énerver, se fâcher et se désespérer. Nicole n'a qu'une idée en tête : empêcher ce départ. Lorsqu'enfin elle s'essouffle, à court d'arguments et d'objections, Johanne lui parle doucement.

– Es-tu sûre que c'est la meilleure chose à faire, ma belle ?

– Johanne Lachance ! Voyons donc ! C'est ma fille, elle est trop jeune !

– Souviens-toi comment tu étais à son âge. Souviens-toi ce que ça a donné, quand tes parents ont voulu t'empêcher de fréquenter Matteo.

– Ouin. J'ai emménagé chez lui le lendemain, à peu près.

– C'est ça les ados. Ta fille se pense adulte mais elle est encore ado. Si tu essaies de la contrer, elle va se braquer, pis elle va finir par faire encore pire. C'est comme avec un homme ou un animal sauvage : faut les manipuler sans qu'ils s'en rendent compte.

– T'as peut-être raison.

– Je te le dis ! Si elle se sent brimée, elle va se rebeller et tu seras pas plus avancée. Vous autres, les parents, à force de vous inquiéter, vous oubliez comment ça pense, un ado.

– Merci Johanne, tu es une perle ! lance Nicole en raccrochant, rassérénée.

Le lendemain midi, elle attend sa fille de pied ferme. Elle lui annonce d'un ton enjoué qu'elle a eu le temps de réfléchir et qu'après une réaction initiale de mère poule, elle est très contente pour Allegra et l'appuie dans ses projets.

– Pour vrai, maman ? Tu fais pas juste dire ça ?

Alors qu'Allegra babille gaiement, jouant avec sa salade verte sans paraître la manger, Nicole regarde sa fille, qui l'a déjà quittée. Elle voudrait tant la prendre dans ses bras, la bercer comme quand elle était toute petite, qu'elle se nichait contre elle, le pouce dans la bouche. Elle sait par expérience qu'Allegra se cabrerait et préfère garder un souvenir serein de cette discussion déjà si difficile, sans y ajouter la blessure du rejet de sa fille.

Nicole n'a jamais compris comment on est supposé laisser partir ses enfants. Elle adore ses deux filles et les aurait bien gardées chez elle pour toujours. Et voilà Chiara en Espagne et Allegra qui s'en va. Nicole ressent la douleur de cette séparation jusqu'au plus profond de son être. Elle n'a jamais cru celles de ses amies qui prétendent avoir hâte au jour où les enfants partiront, pour pouvoir se retrouver et faire la belle vie. Sont-elles différentes d'elle ? Sont-elles plus égoïstes, plus détachées ?

Dans ses moments plus lucides, elle se dit que ses amies qui ont des mariages encore heureux ont surtout hâte de se retrouver dans l'intimité avec leur mari. Nicole ne s'est jamais remariée et maintenant qu'elle s'apprête à commencer une longue vie de solitude, elle le regrette. Il y a bien eu deux ou trois amants, il y a de cela quelques années. L'un d'eux avait même voulu que ça devienne sérieux, entre eux. Elle n'avait jamais voulu le présenter à ses filles, refusant qu'elles s'attachent à un autre homme qui pourrait de nouveau les quitter. Après quelques années de vains plaidoyers, il s'était tanné. Elle ne l'en blâme pas.

La voilà donc aujourd'hui célibataire, sans enfants. À dix-huit ans, sa petite la quitte déjà. Nicole refoule un sanglot et sourit bravement à sa fille. Elle veut surtout pré-server ce qu'elle perçoit comme une grande amitié entre elles.

– Alors, tu pars quand, ma chouette ?

– Après-demain, répond légèrement Allegra, inconsciente de la douleur qu'elle inflige à sa mère.

– J'ai des jours de congé à prendre. Qu'est-ce que tu dirais si je venais avec toi ? Ça serait spécial, d'être là pour ton premier contrat ! On se prendra un bel hôtel, ça t'évitera ton appartement de groupe pendant quelques jours.

· Allegra voudrait bien dire non. Il lui tarde de voler de ses propres ailes et surtout de rappeler le beau Zac Wildwood, mais elle n'ose pas refuser la requête de sa mère.

– *Fine*, dit-elle, laconique.

– On est déjà new-yorkaise, *my dear* ? la taquine sa mère.

La discussion est autrement plus musclée lorsqu'Allegra annonce sa décision à Éléonore. Elle n'y va pas par quatre chemins pour laisser savoir à son amie qu'elle désapprouve carrément son choix.

– Tu penses pas à ton avenir ? Tu vas faire quoi, avec un secondaire 5 ?

– J'ai jamais eu l'intention d'avoir une job de bureau, fait que je vois pas ce que ça change.

– Et ta carrière de comédienne ? T'es super douée, mon père le répète tout le temps.

– Il est fin ton père, Élé, mais c'est pas avec une émission pour ados que je vais faire carrière.

– Tu commences, laisse-lui une chance ! Le métier de comédienne, c'est un apprentissage comme les autres. Tu veux quand même pas déjà décrocher des rôles avant les filles qui sortent du Conservatoire ?

– Aux États-Unis, ça se passe pas de même, Élé. Chacun a sa chance. Pis, Karen me parle de gros contrats. Entre un éditorial dans *Vogue* et une émission quétaine au Québec, j'hésiterai pas longtemps, crois-moi.

– Je pensais que ton rêve c'était de jouer, pas de poser pour des photos !

– Mon rêve, c'est de réussir, Éléonore. En tout cas, c'est ton amie Yasmina qui va être contente! Elle aura sa tite amie juste pour elle.

– Voulez-vous m'arrêter ces enfantillages? Vous êtes deux vrais bébés. De toute manière, Yasmina je la vois quasiment plus, elle est tout le temps avec Nicolas.

– Bon! Maintenant c'est qui le bébé?

– *Anyway.*

– Ouais, *anyway.*

– Pis mon père, lui as-tu parlé?

– Non, pas encore…

– C'est supposé être ton agent, non? Pis ton producteur en plus. Tu commences le tournage dans trois mois, avais-tu oublié?

– Éléonore Castel, t'es pire que ma mère. Si jamais j'ai des empêchements pis que je peux pas finir l'émission, je le préviendrai en temps et lieu, c'est tout.

– Ouin, en tout cas inquiète-toi pas. Je vais lui mentionner en passant, que mon amie Allegra est partie vivre à New York.

– Mêle-toi pas de ça, c'est pas de tes affaires!

– Je parle à mon père, le matin. Pis j'ai l'habitude de lui donner des nouvelles de mes amies. Ni plus ni moins.

Les deux amies se quittent de bien mauvaise humeur.

Lorsqu'Allegra se présente à son premier *shooting*, elle est prise de panique en voyant les dizaines de personnes qui s'activent. Se mettre en maillot de bain, devant tant de gens? Une styliste junior l'entraîne vers un mur où sont accrochés plusieurs cintres. Elle lui tend le premier maillot. Allegra lui demande timidement où elle doit aller pour se changer. La styliste éclate de rire et lui montre du doigt une grande fille blonde en train d'ajuster calmement un morceau de tissu beige sur ses seins nus. À ce moment-là,

Karen arrive. Elle prend Allegra dans ses bras et la félicite chaudement. Les exclamations fusent de tous côtés : « *Gorgeous, darling!* »

Emportée par le tourbillon, Allegra oublie ses hésitations et enfile rapidement le premier maillot de bain. On lui maquille le corps et elle est prête. « Mais, mes cheveux ? » demande timidement Allegra. On lui donne un filet et un bandeau, puis la styliste lui explique gentiment que les photos ne montreront que le corps des mannequins.

Le photographe installe patiemment les jeunes filles. La position de chacune est corrigée des dizaines de fois. Le coude plus haut, la tête moins penchée, la jambe un tantinet dépliée. Nicole observe la scène avec un malaise grandissant. Toutes ces filles entremêlées, couchées par terre, en maillot de bain sable, n'est-ce pas un peu... érotique ? Lorsque la séance de photos se termine, Allegra reçoit les félicitations chaleureuses du photographe et rejoint sa mère en courant, un énorme sourire sur les lèvres.

– T'as vu ça, maman ? C'était cool, hein !

Nicole n'ose pas crever la balloune de sa fille. *Et puis*, se dit-elle, *au moins on ne voit pas son visage. Personne ne saura que c'est elle.*

Nicole déglutit tout de même péniblement lorsqu'elle apprend le montant payé à sa fille pour ces quelques heures de travail. Le cégep n'a aucune chance de faire compétition, ça, c'est sûr. Nicole repart trois jours plus tard, après avoir dévalisé le Pier Imports pour offrir un peu de confort à sa fille dans l'appartement impersonnel attribué par l'agence dans le Lower East Side. Les nouvelles colocs d'Allegra sont russes, bulgares, vénézuéliennes et sud-africaines. Elles baragouinent l'anglais et sortent ensemble tous les soirs s'éclater dans les nombreuses fêtes où des promoteurs sans scrupules convient les jeunes mannequins. Nicole s'est quand même assurée qu'Allegra se sente chez elle et a agrémenté sa chambre d'un bel édredon mordoré, de chandelles aromatisées, d'une plante en pot ne requérant pas trop de soins et d'un joli miroir à l'ancienne. Allegra remercie chaudement sa mère et essuie vite les quelques larmes qu'occasionne son départ. Elle est rapidement entraînée dans un tourbillon professionnel et social et n'a pas le temps de s'ennuyer.

Zac aime s'afficher dans diverses soirées avec Allegra à son bras et Karen encourage cette relation naissante qui donne beaucoup de visibilité à sa protégée. Le jeune couple de l'heure prend New York d'assaut et Allegra est de toutes les fêtes. Elle est tout de même ravie quand, quelques semaines plus tard, arrive la fête du Memorial Day qui lui permet d'aller passer un long week-end à Montréal. Elle se dit que ça lui fera le plus grand bien de se reposer un peu, de se faire chouchouter par sa mère et, surtout, de retrouver Éléonore qui lui manque malgré leur séparation belliqueuse. Ses copines de New York sont bien gentilles, mais un peu superficielles. De plus, elle a peu de temps pour apprendre à les connaître puisque la rotation est rapide dans leur appartement, au gré des contrats et des voyages. Deux des filles ont déjà été remplacées par des nouvelles venues depuis son arrivée. Allegra a faim de grandes discussions, d'analyses et de débats sur les petites et les grandes choses de la vie.

Lorsqu'elle arrive chez elle, Allegra trouve sa mère en grande séance de potinage avec Johanne et Simone. Nicole se jette dans les bras de sa fille pendant que ses amies poussent les hauts cris.

– Mon Dieu! C'est parfait! Allegra est là. On va pouvoir lui demander.

– Me demander quoi ? Maman, tu m'étouffes !

– Tu connais ça, toi, Charlotte Bonsecours ?

– La fille du maire ? Oui, elle était dans ma classe, pourquoi ?

– Voyons donc, les filles, Allegra est bien trop jeune pour ces histoires-là, objecte Nicole en donnant un dernier bec à sa fille.

– Ça va faire, la mère poule ! Ta fille est majeure et vaccinée. Grâce à elle, on va pouvoir apprendre les détails de l'affaire.

Nicole hausse les épaules et prépare une autre ronde de cafés. Johanne révèle à Allegra qu'elle entretient depuis un mois une liaison avec Charles Bonsecours.

– Le maire de Montréal ? s'exclame Allegra.

– Lui-même, madame. Tu trouves pas qu'il est beau ?

– Il est vieux, mais oui, c'est un bel homme. Mais il est marié, non ?

– Ben oui, c'est justement de ça dont je veux te parler. Ton amie Charlotte, elle dit quoi de sa mère ?

– Bah, sa mère, elle n'a pas l'air follement intéressante. Elle est femme au foyer et elle suit des ateliers de croissance personnelle.

Johanne, avocate, se repaît de cette information juteuse, tandis que Simone, épouse de médecin et femme au foyer, se renfrogne un peu. Les trois femmes continuent de papoter pendant qu'Allegra, après avoir subi une nouvelle attaque de câlins de la part de sa mère, s'esquive pour aller rejoindre Éléonore et Yasmina qui prennent un verre sur une terrasse de la rue Saint-Denis.

Lorsqu'Allegra s'assoit et commande un verre de vin blanc, Yasmina annonce d'emblée que Nicolas s'en vient la chercher. Allegra se réjouit de profiter seule de la présence d'Éléonore. Elle s'entend assez bien avec Yasmina quand elles sont seules, mais quand Éléonore est là, Allegra a toujours l'impression que Yasmina essaie de tirer la couverture de son bord. Ça l'énerve de devoir se battre au lieu de simplement apprécier la présence d'une amie. Lorsque Nicolas arrive, Allegra constate qu'il est toujours aussi beau, mais se fait le commentaire mesquin qu'il semble bien plus plate, collé comme une sangsue sur Yasmina Saadi. Les tourtereaux se dirigent vers le mont Royal où ils vont admirer le coucher du soleil. Allegra et Éléonore entament un pichet de sangria, célébrant l'été qui s'annonce.

– En passant, demande Allegra, est-ce que tu vois encore Charlotte Bonsecours ?

– Oui, on se tient quand même souvent avec elle. Pourquoi ?

– Oh, rien, c'est juste que t'sais Johanne, l'amie de ma mère ? Il paraît que c'est la maîtresse du père de Charlotte.

– Pour de vrai ? C'est donc ben chien ! J'ai rencontré sa mère en plus, elle est super fine.

– Voyons, Élé, t'es un petit peu naïve. Ça doit l'arranger, la mère, ça lui permet de faire ses affaires de son bord.

– Tu trouves pas que c'est hypocrite ?

– Tout le monde le fait, voyons.

– Vraiment, les hommes des fois, je trouve que c'est des beaux salauds.

– Pas plus que les femmes avec qui ils ont leurs aventures.

– Ça, je ne te le fais pas dire. Mais toi, raconte avec Zac ? C'est le grand amour ?

– Ah… Je suis pas sûre. Il est super beau, et vraiment le fun, mais c'est pas mon âme sœur, ça c'est sûr.

Éléonore est contente d'avoir su aiguiller Allegra sur un autre sujet. L'infidélité demeure un sujet très délicat pour elle, la blessure qu'elle ressent par rapport à l'aventure de sa mère étant encore vive dans sa mémoire. Les années ont passé, mais Éléonore ne parvient pas à oublier. Charlie s'est tenue calme, en tout cas à la maison, mais Éléonore ne peut s'empêcher d'être méfiante chaque fois que sa mère s'éloigne sous des prétextes foireux. Cela la pousse à être acerbe dans ses moindres commentaires et sa relation avec sa mère demeure tendue.

Pendant qu'Allegra décrit les manies de Zac et sa vanité légendaire, les pensées d'Éléonore dérivent de nouveau vers la mère de Charlotte, une femme qui ne mérite pas ce qui lui arrive. La pauvre, Éléonore en meurt de honte pour elle. Elle n'arrive pas à s'imaginer un jour faire assez confiance à un gars pour se placer dans une position pareille ; elle préfère de loin son vœu de célibat au risque d'une éventuelle humiliation publique. Orgueilleuse de nature, Éléonore peut difficilement imaginer pire déshonneur que celui d'une femme trompée. N'ayant jamais été amoureuse, elle ne soupçonne pas que, dans bien des cas, la blessure du cœur est si profonde qu'elle empêche de ressentir celle, plus superficielle, de l'ego.

Pour la première fois, Yasmina passe l'été à Montréal. Ses parents ont refusé qu'elle emmène Nicolas en Italie, et de son côté, elle a refusé d'être séparée de son amoureux. Nouvel obstacle, monsieur et madame Saadi excluent la possibilité que leur fille demeure seule dans leur maison d'Outremont, même en présence de la femme de ménage philippine, qui vit dans l'annexe. Un minimum de supervision parentale est requis pour Yasmina.

Éléonore offre avec plaisir d'héberger son amie pour l'été. Il est clair que les principes d'éducation de leurs parents diffèrent et Yasmina découvre avec étonnement la liberté dont jouit son amie, qui n'a pas eu de couvre-feu depuis ses douze ans. Quand même, Yasmina voit combien les parents d'Éléonore sont absents et pour rien au monde elle n'échangerait sa situation familiale contre celle de son amie.

Elle profite toutefois de sa liberté passagère pour passer le plus de temps possible avec Nicolas, qui commence l'université en septembre. Il a décroché un boulot dans une boutique de musique alternative du Plateau et Yasmina passe de longues heures dans les cabines d'écoute du magasin, à découvrir les passions musicales de son chum. Leur relation amoureuse continue de la combler. Elle et Nicolas sont en osmose totale et ne vivent que l'un pour l'autre.

Pour son anniversaire, Nicolas offre à Yasmina un superbe collier d'argent orné d'un pendentif en forme de cœur dont elle ne se sépare jamais. Elle prend l'habitude d'y porter la main dès qu'elle pense à son Nicolas. Lectrice assidue, elle fait découvrir à Nicolas ses auteurs préférés. Au lit, ou confortablement installés à l'ombre d'un arbre au parc Outremont, elle lui lit à voix haute les passages qu'elle trouve les plus beaux. Elle lui offre une édition rare de *Belle du Seigneur*, d'Albert Cohen, le livre décrivant le mieux, selon elle, l'ampleur de la passion qui l'habite. En contrepartie, Nicolas lui met sans cesse ses écouteurs aux oreilles et éveille chez elle des goûts musicaux jusque-là limités aux tounes de filles pour faire le party.

Éléonore quant à elle passe un été tranquille, à l'ombre de la grande histoire d'amour de son amie perpétuellement la tête dans les nuages. Elle décroche une job d'été à la Boîte Noire, sur Laurier, et passe plusieurs soirées heureuses à découvrir de vieux films obscurs. Elle joue beaucoup au tennis avec sa copine de Brébeuf, Caroline

Laurier. Éléonore voit avec plaisir l'automne arriver, ainsi que le retour à la vie sociale plus active du cégep. Elle entreprend cette deuxième année avec enthousiasme, secrètement contente que Nicolas soit à l'université et qu'elle ait enfin Yasmina toute à elle pendant la semaine.

En entamant leur dernière année de cégep, Éléonore et Yasmina se sentent légèrement envahies par l'angoisse de l'avenir. Elles ont chacune envoyé de nombreuses demandes d'inscription dans les universités et attendent les réponses avant de se décider. Rêvant d'être prof de français, Yasmina présente une demande en enseignement, pendant qu'Éléonore s'oriente vers les communications. Yasmina est folle de joie lorsqu'elle est acceptée à l'Université de Montréal, là où Nicolas étudie en économie. Éléonore, acceptée à l'UQÀM et à McGill, se laisse l'été pour négocier son choix avec son père.

Yasmina rêve d'une manette spéciale qui lui permettrait de faire avancer rapidement sa dernière année de cégep. Depuis que Nicolas est parti à l'université, ils se voient un peu moins, leurs horaires n'étant pas toujours compatibles. Nicolas suit deux cours du soir et le père de Yasmina ne la laisse toujours pas beaucoup sortir les soirs de semaine. Yasmina a le sentiment que Nicolas s'éloigne un peu, puisqu'il s'est fait de nouveaux amis alors qu'elle poireaute toujours avec la même vieille gang.

Éléonore, de son côté, profite pleinement de ses derniers mois au cégep. Avec Caroline Laurier, elle forme une équipe de double dans l'équipe de tennis du collège. Les compétitions les amènent aux quatre coins de la province chaque week-end et elles s'amusent comme des folles, rigolant dans les dortoirs de Sherbrooke à Mont-Laurier.

Un comité présidé par Charlotte Bonsecours est en charge du défilé de mode annuel du cégep et on demande à Éléonore d'animer la soirée en compagnie de Jean-François Hamel, qui n'a pas son pareil pour faire rire les foules. La soirée est un franc succès, même si Charlotte déplore le fait qu'Allegra ait refusé son invitation à venir parader. «Franchement, celle-là, l'entend-on bougonner, elle n'a pas fini de péter plus haut que le trou.»

Les succès d'Allegra trouvent en effet des échos à Montréal. On s'arrache l'édition de novembre de la revue *Allure*, où l'on voit Allegra dans un reportage mode très urbain et déjanté. Maintenant qu'elle laisse derrière elle l'adolescence, Allegra a des formes qui ensorcellent. En regardant les photos du magazine, même Charlotte soupire et se doit d'admettre qu'aucun homme ne peut résister à ça.

En juin, quelques semaines avant le début du tournage de *Colocs en ville – nouvelle génération*, Allegra prend son courage à deux mains pour faire un appel qui l'angoisse depuis des semaines. Claude est brusque et ne dit rien lorsqu'Allegra, après maintes tergiversations, lui annonce qu'elle ne pourra être là pour le tournage. Elle est invitée à une session de photos aux Bermudes pour *Marie-Claire* et ne peut laisser passer cette chance-là. Claude soupire, lui dit qu'elle gâche un beau talent et raccroche, sans plus de façons. Allegra est soulagée, mais conserve néanmoins un sentiment amer qu'elle a peine à s'expliquer. L'arrivée bruyante de ses colocs, munies d'une bouteille de champagne et d'une invitation au lancement d'une nouvelle marque de vodka, coupe vite court à ses réflexions.

Yasmina continue de ramer à vide dans sa relation avec Nicolas. Chaque éloignement, même infime, l'angoisse. Elle tente de n'en rien laisser paraître, sa mère lui ayant bien expliqué que rien n'est plus rebutant qu'une possessivité à outrance. À l'approche de la semaine de relâche, dont les dates diffèrent pour le cégep et l'université, elle ne s'oppose donc pas au projet de Nicolas d'aller faire du ski au Mont-Sainte-Anne avec un groupe d'amis. Elle ressent quand même une inquiétude sourde au fond du cœur, qu'elle ne peut définir.

Dès son retour, Nicolas invite Yasmina à prendre un café avec lui à la Croissanterie. Elle accourt, folle de joie de le revoir après une interminable semaine de séparation. Elle se jette dans les bras de Nicolas, qui lui fait un bisou sur la joue avant de se rasseoir rapidement. Yasmina n'aime pas son regard sérieux. Elle décèle tout de suite un malaise et lui demande ce qu'il a.

– Rien, pourquoi?

– Prends pas cet air-là avec moi, Nico. Je le vois dans tes yeux qu'il y a quelque chose.

– Ben non, y a rien…

– Nico, parle-moi.

– Ça me tue de te dire ça….

Le sang de Yasmina se glace dans ses veines.

– Tu m'as trompée.

– Non! Voyons, c'est pas ça, c'est juste que… je trouve qu'on est jeunes pour s'engager aussi sérieusement.

– Comment?

– On est bien ensemble, Yasmina, ça, c'est sûr, mais on est jeunes, non? T'as pas envie des fois, de… de vivre ta vie?

– De quoi tu parles, qu'est-ce qui se passe, là? Ça sort d'où? On est pas trop jeunes pour être en amour, Nico, voyons! Tu m'aimes, tu le sais que tu m'aimes! Il y a quelqu'un d'autre, je suis sûre qu'il y a quelqu'un d'autre, c'est pas toi, ça…

– Yasmina…

Il la regarde d'un air désolé alors qu'elle éclate en sanglots. Comment lui dire… Comment lui dire qu'il a envie de vivre comme ses amis, de sortir, de profiter de la vie à l'université, de cruiser la multitude de belles filles qui se déhanchent dans les partys étudiants. Il se sent lâche et faible de délaisser ainsi Yasmina, avec qui il vit en symbiose depuis plus d'un an. Il s'est accusé mille fois, s'est flagellé en se traitant de superficiel, de beau salaud. Rien n'y fait. Sa soif de liberté est plus forte. La semaine passée entre gars au chalet de ski a été la goutte qui a fait déborder le vase. Ses amis sont tous célibataires, parlent de leurs conquêtes en termes crus et ne s'embarrassent d'aucune loyauté dans leur recherche du plaisir.

Yasmina abandonne toute pudeur et toute retenue et le supplie de repenser à sa décision. Elle l'aime, elle l'aime pour la vie, il ne peut pas lui faire ça ! Nicolas commence à regretter de lui avoir donné rendez-vous dans un endroit public, surtout qu'un groupe de filles de l'université vient de prendre place quelques tables plus loin. Il suggère à Yasmina de la raccompagner chez elle. Celle-ci accepte, espérant le faire fléchir au moyen d'une tentative de séduction dans la voiture. Mais une fois arrivé devant la maison des Saadi, Nicolas n'a qu'une pensée, s'enfuir au plus vite. Yasmina voit bien qu'il ne rêve que de partir et un sursaut d'orgueil lui fait quitter la voiture en claquant la porte, avant de se réfugier dans sa chambre, où sa mère la trouve écroulée de douleur.

– Yaya, mon amour… murmure Jacqueline Saadi en retrouvant le diminutif enfantin.

Elle s'assoit près de sa fille et caresse ses beaux cheveux, pendant que celle-ci pleure toutes les larmes de son corps. C'est Jacqueline qui suggère d'inviter Éléonore à la maison.

Lorsque la jeune fille arrive, la maman s'éclipse en laissant dans la chambre un plateau avec du thé à la menthe et des pâtisseries. Elle sait très bien qu'il est des douleurs d'adolescente que seule une meilleure amie peut apaiser. Elle interdit à son mari de s'approcher de la chambre de leur fille et commande une pizza qu'elle leur apporte à l'heure du souper. Yasmina semble plus calme et reprend sa discussion avec Éléonore quand la porte se referme.

– Tu sais ce que je pense? C'est l'ampleur de notre amour qui lui a fait peur.

– Ça se peut.

– C'était trop profond. À dix-neuf ans, ce n'est pas ce qu'il veut, mais si on avait eu vingt-cinq ans, il aurait peut-être été prêt.

– Ça se peut, ma chouette, mais tu ne peux pas vivre les sept prochaines années de ta vie en attendant que ça se produise. Il faut que tu fasses ton deuil.

– Je sais, mais si tu savais comme ça fait mal!

Et la voilà qui pleure de plus belle.

Lorsqu'Éléonore rentre enfin chez elle, Yasmina sanglote en lisant et relisant ses vers préférés d'Apollinaire: «Tu pleureras l'heure où tu pleures/Qui passera trop vitement/Comme passent toutes les heures.»

Vers deux heures du matin, n'en pouvant plus de souffrir autant, Yasmina jette le collier de Nicolas aux toilettes et tire la chasse. La chaîne d'argent bloque et elle regarde longuement le petit cœur d'argent qui tournoie dans l'eau. Quand finalement le collier est aspiré dans un sanglot final, Yasmina s'écroule sur le carrelage et se recroqueville en petite boule.

Chapitre neuf

Assise sur un muret de pierre, Éléonore balance non-chalamment ses jambes en dégustant un cornet de *gelato* au melon d'eau. Séduite par sa couleur rose bonbon, elle aime aussi beaucoup demander cette saveur à la vieille dame de la *gelateria*. En lançant «*Cocomero, per favore!*», elle a un peu l'impression de pousser le chant du coq. Tout l'amuse en Italie, ce pays d'élans et de passions qui lui permet de jouer à être autre chose que ce qu'elle est. Elle qui vit tout en retenue, qui choisit toujours la raison avant la passion, elle aime célébrer ce pays de passionnés excessifs, tant dans leur art et leur cuisine que dans leur appréciation des *signorinas* qui défilent dans les rues bondées.

Le petit village de Santa Margherita se trouve en bord de mer, sur la *riviera* italienne, entre Gênes et San Remo. Depuis l'âge de huit ans, Éléonore y a passé plusieurs séjours en compagnie de la famille Saadi et elle s'y sent chez elle. Elle y a ses repères et ses habitudes. La maison de vacances des Saadi regorge toujours de monde: amis, cousins, relations d'affaires de toutes sortes. Au milieu de ce que madame Saadi qualifie de cirque, si ce n'est de zoo, Éléonore et Yasmina ont toute la liberté de vivre leurs vacances à leur image, tantôt ensemble, tantôt perdue chacune dans son jardin secret. Cette valse entre les activités de groupe et la solitude convient très bien à Éléonore.

Aujourd'hui, elle se balade pour le plaisir, en une fin d'après-midi glorieuse et ensoleillée. Elle déniche dans une boutique un short blanc qui lui va à merveille et qu'elle agencera à l'italienne avec un tricot de coton blanc, espérant ainsi mettre son léger hâle en valeur. Yasmina, qui bronze juste à humer le vent chaud, taquine souvent sa copine qui personnifie parfaitement le type Blanche-Neige : cheveux noirs, yeux bleus, et une peau blanche ornée de pommettes bien rouges. Un teint réfractaire à toute tentative de bronzage, même sous le soleil plombant de la Méditerranée.

Éléonore chevauche la petite Vespa turquoise mise à sa disposition par la famille Saadi et se dépêche de rentrer vers la villa, contente de son achat. Elle trouve Yasmina installée confortablement sur un matelas gonflable, flottant avec insouciance au centre de l'immense piscine azur. Elle semble somnoler. Éléonore n'hésite pas, elle enlève sa robe et plonge à l'eau dans un plouf retentissant qui asperge son amie d'eau froide et crée une vague qui manque de la faire chavirer. Réveillée en sursaut, Yasmina proteste, à la grande joie d'Éléonore qui continue ses plongeons. Mais sa mauvaise humeur ne dure pas et elle se joint vite au jeu.

Du balcon avant, Jacqueline Saadi sourit en observant sa fille s'amuser gaiement. Son cœur de mère se détend. Au printemps dernier, Yasmina sombrait dans une dépression inquiétante et Jacqueline désespérait de l'en réchapper. C'est elle qui avait suggéré qu'on invite Éléonore à passer l'été, espérant remonter le moral de son Iseult. Elle constate, encore une fois, que le temps panse toutes les blessures. C'est un constat que sa fille trouve triste ; grande passionnée, elle veut le demeurer dans ses bonheurs comme dans ses peines. Mais c'est une vérité de La Palice que la vie continue, que le soleil se lève tous les matins et qu'on fait son petit bonhomme de chemin, jour après jour, le temps faisant sans répit son œuvre de prédateur des pensées moroses.

Le soir, les deux jeunes filles sortent souvent se balader sur la *piazza*. Le couvre-feu de Jamel Saadi s'assouplit un peu : après tout, en Italie, même les bébés sortent jusqu'à minuit. Dans cette grande chaleur de l'été, il serait impensable de ne pas vivre de nuit. Yasmina et Éléonore ont donc retrouvé avec plaisir une bande d'amis italiens, un joyeux mélange de garçons et de filles qui se connaissent depuis l'enfance. On rit, on se taquine, on sort danser, et cette vie insouciante chasse les derniers nuages du cœur de Yasmina, aidée en cela par le souffle d'un certain Paolo, qui lui chante la pomme comme seuls les Italiens savent le faire.

Après un souper bien arrosé au cours duquel Giuseppe, le cuisinier particulier des Saadi, a encore brillé, Éléonore et Yasmina fument une cigarette clandestine, lovées sur des chaises d'osier à la lumière de la lune. Le chant des grillons se tait subitement et le silence du jardin monte dans la nuit. Les bougainvilliers mauves et orange les surplombent, ressemblant dans la pénombre à d'énormes grappes de raisins bien mûrs. Les deux filles parlent peu, savourant ce moment de tranquillité.

Dans ce silence, elles entendent trois coups de klaxon. Le visiteur s'arrête à l'interphone, puis les lourdes portes de la grille s'ouvrent lentement, laissant entrer une Mercedes grise. Quelques minutes plus tard, on entend des bruits et des exclamations venant de la villa. Curieuses, les deux jeunes filles rentrent, sans négliger d'abord de passer à leur chambre se brosser les dents pour chasser toute trace de fumée.

Dans le grand hall de la villa, sous le lustre antique, madame Saadi serre un homme dans ses bras, sous le regard bienveillant de son mari.

– Malik! s'écrie Yasmina en dévalant les escaliers à la course. Elle saute dans les bras de son frère, lui ébouriffant les cheveux gaiement. Éléonore demeure en retrait et observe le jeune homme à la dérobée.

Avec sa veste et son pantalon de lin beige, sa chemise blanche entrouverte sur un torse bronzé, ses yeux d'un brun profond, elle se dit qu'il semble tout droit sorti d'un bar enfumé de La Havane, où il aurait bu des martinis avec son vieil ami James Bond. Éléonore ressent un gargouillis désagréable au fond du ventre au moment où Malik se tourne vers elle et l'aperçoit.

– Éléonore! lance-t-il. Ça fait plaisir.

Il lui fait la bise. Elle sent encore la chaleur de sa main là où elle s'est posée sur son épaule, le temps d'une brève salutation.

Jamel et Jacqueline sont fous de joie de revoir leur fils. Malik a terminé une année d'échange à la *London School of Economics* en faisant la tournée des capitales asiatiques: Tokyo, Honk Kong, Singapour et Pékin. Ce périple devait le tenir occupé tout l'été, mais il a volontairement écourté son séjour pour surprendre ses parents, avant de se rendre à Londres et d'y régler ses affaires. Son père lui sert d'autorité un scotch sur glace et lui demande ses impressions sur les marchés financiers d'Asie.

Lorsqu'enfin les parents montent se coucher, Yasmina entraîne Éléonore et Malik vers la piscine. Assis les pieds dans l'eau, ils dégustent un vin blanc local et contemplent le reflet de la lune. Le silence de la nuit noire les entoure.

Les filles allument une cigarette. Yasmina est au septième ciel de revoir son frère et ne se lasse pas de le questionner sur son voyage en Asie, son année à Londres, ses amis, les pubs anglais, et surtout, toutes les blondes qu'il a dû se faire en cours de route. Malik joue au mystérieux, lance des clins d'œil taquins à Éléonore et refuse de se dévoiler. Yasmina part à la course vers sa chambre y chercher un nouveau paquet de Marlboro Lights.

Dans la pénombre, Éléonore regarde droit devant elle et semble absorbée par les mouvements que fait lentement son pied dans l'eau. Malik l'asperge de quelques petites gouttes.
– Hé! La rêveuse!
– Ben quoi?
– Tu es perdue dans la lune. Tu penses à quoi?
– À rien.

La tension est perceptible. Éléonore a l'impression qu'un courant électrique lui passe dans le corps. Il lui semble sentir la présence du corps de Malik, à quelques centimètres du sien.

– T'as une goutte d'eau sur la joue. On dirait que tu pleures...
La main de Malik ébauche un geste vers son visage. Éléonore se tend.

– Élé! crie Yasmina. Où t'as mis tes *smokes*?
– Ah, elles sont dans mon sac. Attends, j'y vais!

Éléonore se lève d'un mouvement brusque et déguerpit. Elle rapporte le paquet de cigarettes et le tend à Yasmina sans mot dire. Yasmina prend le paquet d'une main distraite, pendant qu'elle raconte à son frère sa rupture avec

Nicolas. Éléonore estime préférable de les laisser à leurs retrouvailles et monte se coucher. Debout sous une douche brûlante, elle se remémore chacun des regards de son bref moment d'intimité avec Malik. Allait-il...?

Éléonore ne se reconnaît plus. Elle sent un chaos envahir ses pensées et ne sait comment y mettre de l'ordre. Revoir Malik la trouble. Plus que tout, sa réaction à elle la trouble. Tout en elle combat ce tremblement, qu'elle n'ose qualifier de désir physique. Depuis l'après-midi où elle a surpris sa mère en galante compagnie dans la chambre conjugale, Éléonore a banni de sa vie l'amour et toutes ses déclinaisons. Yasmina a bien essayé de lui raconter, gênée, comment c'était de faire l'amour. Éléonore continue d'être réticente. Le plaisir physique, ce n'est pas pour elle. Mais avec Malik... Elle est comme hypnotisée par ses mains, par sa peau. Un simple regard suffit à la faire chavirer. Elle ne sait comment nommer ce trouble qui l'envahit et se couche en se promettant, les poings serrés, de ne plus y penser et de passer à autre chose.

De son côté, Malik est conscient de l'émoi d'Éléonore ; il connaît déjà trop bien les femmes pour ne pas s'en rendre compte. Mais il ne comprend pas sa fuite sauvage. Il se dit qu'Éléonore a toujours été comme ça, même plus jeune. Elle a toujours voulu se battre. Résister. Qu'à cela ne tienne, il laisse cet oiseau farouche à ses craintes. Le monde est vaste et son appétit pour le travail et le plaisir, encore inassouvi.

Ce soir-là, Éléonore reste allongée des heures, les yeux grands ouverts dans la pénombre. La lune, presque pleine, éclaire doucement la chambre à travers le rideau rayé. Deux étages plus bas, Malik dort paisiblement.

De bon matin, madame Saadi tire Éléonore d'un lourd sommeil en lui annonçant que son père est au téléphone et qu'il semble agité. Le sang d'Éléonore ne fait qu'un tour dans ses veines : elle passe fréquemment ses vacances en Italie depuis plus de dix ans et c'est la première fois que ses parents appellent, même si, avant chaque départ, elle laisse religieusement le numéro de téléphone de la villa collé sur la porte du réfrigérateur. Elle pense tout de suite à sa grand-mère Castel et craint qu'il lui soit arrivé quelque chose. Elle dévale l'escalier.

– Allo? Claude? T'es là?

– Éléonore! lance Claude d'un ton jovial. Je te réveille pas?

Éléonore entend un brouhaha cacophonique en arrière-plan.

– Qu'est-ce qui se passe? Grand-maman va bien?

– Ta grand-mère? Mais oui, voyons, elle pète le feu.

– Qu'est-ce qu'il y a, alors? T'es où?

– À la Moulerie!

– Attends, il est quelle heure, là?

– Il doit bien être une heure du matin. Entéka, Élé, écoute-moi un peu, là. Je suis en train de déguster un bourgogne tellement riche en bouche, il faudrait absolument que tu goûtes ça.

– Quoi?

– De toute manière, c'est pas de ça dont je voulais te parler. Je suis en train de prendre un verre avec mon grand ami Jacques Martel, là, un homme plein de projets d'envergure.

– Je pensais que tu le connaissais à peine.

– Entéka. Ça fait que je lui ai parlé de toi, ma fille. Il se souvenait de t'avoir rencontrée, pis il t'avait trouvée ben allumée. Je lui ai dit que tu commençais l'université en communication, pis il voudrait t'offrir un stage d'été.

– Un stage d'été? Quand ça, où ça?

– Demain matin!

– Ben voyons, papa, tu lui as pas dit que j'étais en Italie?

– Ben oui, pis que tu reviendrais sur le premier avion!

– Écoute, ça a l'air débile, mais c'est quoi cette combine-là?

– Comment ça, une combine?

– Je sais pas, ça sent un peu la plogue, non?

– Ben non, Éléonore, inquiète-toi pas, ça n'a rien à voir. C'est toi qui as fait bonne impression, c'est tout, pis là, t'es en âge de commencer à travailler sérieusement. Un stage pas payé, hein? Tu serais fille à tout faire sur un plateau de tournage.

– Pour de vrai, là? Il fait pas juste dire ça?

– Non, non, je te le dis, il m'a proposé ça d'emblée, il m'a donné sa carte d'affaires, pis son assistante t'attend lundi matin à 8 heures.

– Lundi, c'est dans trois jours!

– Ça fait que, dépêche-toi!

Quand Éléonore raccroche, son cœur cogne très fort dans sa poitrine. Elle se retourne vers madame Saadi, un grand sourire étampé dans le visage. Elle lui fait tout de suite part de la nouvelle. Madame Saadi se réjouit devant la joie manifeste de sa jeune invitée, mais pense aussi à sa fille, qui sera bien déçue de la désertion de son amie. Sur ces entrefaites, Malik entre dans la cuisine et se sert un jus d'orange frais. Voyant qu'une certaine excitation règne dans l'air, il pose des questions et sourit en écoutant Éléonore, pleine d'animation, lui dévoiler son nouveau projet. C'est à ce moment-là que madame Saadi, qui était sortie chercher une assiette dans la salle à manger, l'interrompt:

– Euh, Éléonore, tu voudrais peut-être aller te changer?

Cramoisie, Éléonore s'aperçoit que dans sa hâte, elle est descendue répondre au téléphone dans ses vieux boxers et son t-shirt élimé des championnats provinciaux de tennis qui, à force de lavages consécutifs, s'est étiré jusqu'à devenir presque transparent. Malik éclate de rire et prie Éléonore de ne surtout pas se gêner pour lui. Remontée à la course dans sa chambre, elle contemple dans le miroir ses seins nus, bien visibles sous la mince couche de coton blanc et se dit que vraiment... elle n'a pas le tour.

Une fois à Montréal, Éléonore est entraînée dans un tourbillon qui ne cesse que le jour de la rentrée. Les horaires de tournage sont extrêmement exigeants, la vision de son patron aussi. Pour la première fois de sa vie, Éléonore goûte à des journées de travail de douze ou quatorze heures. Elle grignote sur les plateaux de tournage puis s'écroule le soir, après avoir avalé un bol de céréales ou un restant de souper préparé par les bons soins de madame Gaston. Malgré la rigueur de son horaire, elle adore chaque minute de l'expérience et se sent vivre comme jamais auparavant. Chaque parcelle de son être est électrisée par l'énergie contagieuse qui règne sur le plateau. Éléonore, comme fille à tout faire, touche à tout, apprend tout : elle sort un fil et une aiguille pour réparer un costume qui bâille, elle éponge le front dégoulinant de sueur d'une jeune première, elle se scie les épaules à tenir des éclairages juste au bon endroit. Son ardeur au travail est remarquée et c'est avec des remerciements sincères que Jacques Martel la salue, à la fin du tournage. Il a l'intention de garder à l'œil cette fille talentueuse qui, selon lui, ira loin.

Pendant cet été de dur labeur, Éléonore a aussi le plaisir de renouer avec une vie familiale plus détendue. Claude est en grande forme, Charlie est plus amoureuse que jamais et leur bonheur conjugal saute aux yeux. On voit à nouveau Claude fredonner des vieilles chansons d'amour dans la cuisine le matin et Charlie mettre les petits plats dans les grands pour faire plaisir à son gros nounours en lui concoctant ses mets préférés. Claude est plus généreux de sa personne, plus présent et il ne manque pas à son engagement de traiter sa femme comme une reine. Leurs week-ends d'amoureux se succèdent au même rythme que les réunions d'affaires de Claude. Charlie se sent choyée comme aux débuts de son mariage et elle ne manque pas de parader devant sa sœur Ginette, parée de vêtements griffés et de bijoux étincelants dénichés à Las Vegas ou à Miami. En honneur de cette accalmie, Charlie met sa relation avec Mike Delaney sur la glace, au grand dam de ce dernier.

De son côté, Claude vole de succès en succès. Le lancement de la nouvelle maison de disques s'est fait sous les applaudissements de la communauté artistique et le premier album qu'il a produit, celui de son poulain Georges Claudel, a été certifié disque de platine en un temps record. Franz continue d'être un partenaire d'affaires hors pair. Il a des idées, il est enthousiaste et surtout il fait preuve de beaucoup de déférence face au jugement de Claude. Ses exigences sont minimes : des billets de spectacle, tel que prévu, ou encore une requête polie pour que les artistes de Claude en tournée fréquentent tel ou tel hôtel avec lequel Franz tente d'établir une relation d'affaires. Claude acquiesce à tout, heureux de rendre d'infimes services à l'homme qui a su lui donner un second souffle.

Seule ombre au tableau, le directeur des opérations de Castel Communications se plaint des demandes à son avis trop fréquentes de Franz et rechigne à les satisfaire, mais Claude lui a fermement fait comprendre qu'elles étaient non-négociables. Franz passant le plus clair de son temps en Europe, il en coûte peu à Claude de se plier à ses quelques exigences, pendant que la majorité des opérations demeure sous son contrôle à Montréal. Et puis, le temps des orages est passé, pour Claude. Il entend maintenant profiter de la vie et refuse de s'embarrasser de détails. À la maison, il se réjouit de voir Charlie si câline et Éléonore si vive et passionnée. Malgré les mille petits tracas qui accablent un chef d'entreprise de son envergure, il s'endort tous les soirs avec sur les lèvres le sourire d'un homme comblé.

Chapitre dix

Éléonore déambule tranquillement sur le campus de l'Université McGill. On commence à sentir l'automne. Elle adore toujours autant la rentrée, les chandails de laine, l'odeur des cahiers neufs, le sentiment que tout est possible. Éléonore contourne un vieil immeuble en pierre et aperçoit une équipe de football à l'uniforme rouge, en pleine pratique. Avec l'arche de pierre de McGill en arrière-plan et les feuilles qui jaunissent, la scène semble tout droit sortie d'un collège de la Nouvelle-Angleterre.

Elle se rend à son premier cours de l'année, nerveuse. Elle remarque tout de suite la différence de ton avec Brébeuf et se sent immédiatement des affinités avec le milieu universitaire anglophone. Les étudiants semblent engagés, les babillards regorgent d'appels à soutenir des causes diverses: statut de la femme, droits des minorités, lobbying pour les gais, lesbiennes et transsexuels, protection de l'environnement. Une communauté d'intellos activistes parmi laquelle Éléonore se sent chez elle, plus qu'au sein de l'intelligentsia plus froidement cérébrale de Brébeuf et d'Outremont.

Après son cours de Théorie des communications, dans l'auditorium du Redpath Hall, Éléonore range son cahier dans son sac quand un garçon, assis deux rangées plus bas, lui demande ce qu'elle fait après le cours. Éléonore est ravie de pratiquer déjà son anglais et lui répond qu'elle doit aller acheter ses livres de cours. Matthew se présente. Ses cheveux châtains sont pâlis par le soleil et il a le teint doré des blonds qui passent l'été en plein air. Il lui demande la permission de l'accompagner. Éléonore accepte avec plaisir.

En marchant vers la librairie de McGill, Matthew parle à Éléonore de l'été qu'il a passé à planter des arbres en Colombie-Britannique. Il a grandi dans la vallée de l'Okanagan et a trouvé très dur son premier hiver montréalais, l'année précédente. Vêtu d'un pantalon vert kaki, d'un manteau en jeans et d'un foulard sud-américain enroulé autour du cou, Matthew ne ressemble en rien aux garçons qu'Éléonore a l'habitude de fréquenter. Il est souriant et marche du pas élastique d'un homme des bois. Leurs achats terminés, il invite Éléonore à prendre un café à l'Alley Cat, le café enfumé des profondeurs de McGill. Dès leur arrivée, un groupe hétéroclite d'étudiants interpelle Matthew. «On se joint à eux?» demande-t-il à Éléonore. Elle acquiesce.

Les heures passent dans le café sombre sans qu'Éléonore s'en aperçoive, accrochée aux paroles de ses compagnons. Une fille coiffée de dreadlocks et un garçon propret, en chemise Ralph Lauren, ont un débat passionné sur les subtilités juridiques de l'utilisation du viol comme arme de guerre. À leurs côtés, Matthew et son coloc, Trent, discutent d'un projet de centrale hydro-électrique dans le nord de l'Ontario, qui détournerait une rivière de son cours naturel à travers un parc national. Trent croit que les impératifs socioéconomiques priment: emplois pour la région, relance économique. Matthew est scandalisé et lance à la blague qu'ils devront peut-être arrêter de faire vie commune, pour cause de différences inconciliables.

En la quittant, Matthew invite Éléonore à se joindre de nouveau à eux le lendemain midi. Elle rentre chez elle sur un nuage et se précipite sur le téléphone pour appeler Yasmina. Elle lui décrit Matthew et ses amis ainsi que leurs discussions stimulantes.

– Tu sais, Yas, il est pas mal *cute*, Matthew. Ça pourrait faire un bon prospect pour toi ! Te permettre d'oublier un peu ton Italien…

Yasmina rigole et réplique qu'elle n'est pas près d'oublier le beau Paolo, qu'elle a le projet de revoir aux vacances de Noël. Elle se fait intérieurement la remarque que c'est à son amie que le fameux Matthew semble intéressé… Mais elle n'en dit rien, car elle sait Éléonore facilement effarouchée.

Le vendredi suivant, Éléonore invite Yasmina à se joindre à Matthew et son groupe d'amis, qui vont prendre une bière dans un bar étudiant sur Saint-Laurent. Élé et Matthew se taquinent sans cesse et Yasmina constate déjà l'intimité qui se dessine entre eux. Elle a rarement vu Éléonore si rayonnante. Par contre, on voit bien que pour Élé, cette amitié est sans arrière-pensée : elle niaise constamment Matthew au sujet d'une Sophie à lunettes qui semblerait en être éprise. Yasmina observe Matthew, qui rit de tout et qui regarde Éléonore comme si elle était la septième merveille du monde. *Pauvre mec*, se dit Yasmina, *il est mieux de prendre son mal en patience !*

Pendant les semaines qui suivent, l'atmosphère tourne résolument au politique. Le référendum tant attendu approche. Cet automne 1995 est fait de passions, de réflexions, de déchirement. Les Québécois ont toujours aimé se chicaner chaleureusement au sujet de la question nationale, dans les soupers de famille comme sur les tribunes médiatiques. Mais maintenant que la question se pose de manière concrète et immédiate, le débat perd de sa bonhomie et devient plus urgent. Ce n'est pas que les conversations s'enveniment; au contraire, on constate même une certaine pudeur entre opposants. Chacun se livre à un exercice d'introspection en profondeur sur sa vision de l'histoire, de la place de son peuple et de son avenir. L'humeur est sombre et chacun vit dans l'attente.

Claude Castel est un fier souverainiste, un militant de la première heure. Lors d'une soirée de collecte de fonds, il s'entretient quelques minutes avec Lucien Bouchard et conçoit énormément d'admiration pour le grand homme. Il met donc sa célébrité et son compte en banque au service du Bloc québécois. Il court les rassemblements politiques et on le voit sur toutes les tribunes. Il encourage ses artistes à faire de même et se consacre jour et nuit à la production d'un spectacle bénéfice pour aider la cause souverainiste. Charlie se préoccupe peu de la question et profite du manque d'attention de son mari pour renouer avec son beau joueur de hockey.

Maître Castonguay, en sa qualité d'avocat et en raison de son rôle au sein du Barreau du Québec, doit se faire plus discret. Il passe néanmoins de longues soirées avec son grand ami Charles Delorme, professeur de droit constitutionnel à l'Université de Montréal. Celui-ci, de par son statut d'expert, est très sollicité par les médias et il apprécie beaucoup le soutien de son vieil ami. Ensemble, les deux compères préparent des argumentations poussées concernant tous les enjeux de la campagne, de la clarté référendaire à la participation minimale requise, en passant par l'inviolabilité des frontières du Québec. Il peine à maître Castonguay de se contenter de travailler dans l'ombre et il doit se mordre la langue à plusieurs reprises lorsqu'il est en public.

De son côté, Nicole travaille dans un milieu professionnel jeune et moderne, où toutes les opinions ont cours. Du fait de sa carrière, elle est souvent appelée à voyager à Toronto, New York et Boston et elle se sent plus d'affinités avec les citoyens des grandes capitales nord-américaines qu'avec ceux des régions du Québec. Elle ne fait pas part de cette opinion à son père, mais décide déjà, dans son for intérieur, de voter «non». Allegra, quant à elle, est absorbée par sa carrière new-yorkaise et ne perçoit que de vagues échos de la tempête qui bouleverse le pays d'un océan à l'autre.

À McGill, les souverainistes sont minoritaires, mais comme ils sont activistes jusqu'au bout des ongles, leur présence se fait sentir. Éléonore est indécise. Elle a grandi bercée par les discours de son père sur le pays. Mais maintenant qu'elle est entourée d'anglophones provenant du reste du Canada, elle se dit que leur présence est une richesse et non un fardeau.

Matthew proclame son amour du Québec et est le premier à accourir avec un drapeau sur la place du Canada, le jour du fameux *love-in*. Son coloc Trent, encore une fois d'avis opposé, déclare à qui veut bien l'entendre que le Canada devrait tenir son propre référendum pour en exclure les Québécois, éternels insatisfaits. Sa province natale de l'Alberta contribuant énormément aux paiements de la péréquation, Trent a la ferme impression de se faire avoir. «Jamais contents, ceux-là», grommelle-t-il. Début octobre, les débats se font plus enlevés que jamais autour des tables de l'Alley Cat.

De l'autre côté du mont Royal, Malik Saadi détonne aux HEC. L'étudiant de troisième année consacre tous ses temps libres à la campagne souverainiste, parmi une foule d'étudiants plutôt fédéralistes. Il distribue des dépliants, rédige des prises de position, parle à la radio étudiante. Les organisateurs locaux du mouvement souverainiste sont impressionnés par ce jeune à la fois dévoué, posé et intelligent.

Malik est francophone jusqu'au bout des ongles et trouve logique que cette appartenance soit reconnue au niveau géopolitique. Il se sent plus près de Paris que de Toronto, plus interpellé par Bernard-Henri Lévy que par Charles Taylor. L'année qu'il a passée en Europe a renforcé ses convictions. Il aime le modèle européen, composé de plusieurs petits pays souverains, mais coopérant sur les questions d'importance.

Yasmina sait susciter la colère chez son frère. Elle accuse carrément le mouvement souverainiste de malhonnêteté intellectuelle, avec sa question tarabiscotée qui dit ce que chacun veut bien entendre. « Le jour où vous aurez le courage de nous demander si on veut être indépendants, sans avoir peur des mots, peut-être que vous aurez mon oui. »

Yasmina dit surtout détester l'emprise qu'a cette question sur la politique québécoise, aux dépens de toute autre question d'ordre social. «Mettons que je suis souverainiste, OK, mais que je suis super de droite, que je veux qu'on coupe les impôts, qu'on fournisse plus d'aide aux entreprises. Je fais quoi? Je vote pour qui? Ou mettons que je suis une fédéraliste très attachée au Canada, mais que je suis aussi une activiste sociale, qui veut une grosse augmentation de budget pour la santé, l'éducation, l'aide sociale. Je fais quoi? On est comme pris en otage par cette question, et c'est hyper infantilisant. Ça fait que les Québécois n'ont plus d'opinion politique réelle et travaillée, ils se contentent de voter pour le parti qui reflète leur position sur la question constitutionnelle, sur rien d'autre. C'est complètement ridicule. »

Malik se débat devant ce torrent d'arguments. Il doit reconnaître que sa petite sœur grandit vite, qu'elle est devenue une femme de tête. Son exaspération est légèrement teintée de fierté et il abandonne l'idée de la convaincre, surtout que Yasmina s'est formellement engagée à annuler son vote pour protester contre le manque de clarté de la question référendaire. À la maison, leur père les écoute avec bienveillance, mais s'intéresse peu à leurs propos. Pendant les derniers jours, Malik se consacre jour et nuit à la campagne, en compagnie de son camarade de classe des HEC, Jean-Philippe Deschambault.

C'est assis chez lui qu'il entend à la télévision ces paroles qui vont changer son avenir.

« Au fond, on a été battus par quoi ? L'argent et les votes ethniques. »

Silence.

« Mais maintenant, on va parler de nous autres. »

Malik sort en claquant la porte.

Jean-Philippe le retrouve au coin de la rue, dans l'atmosphère enfumée du Jello Bar. Assis à une table, il boit un whisky, perdu dans ses pensées. Jean-Philippe commande une bière blonde et s'assoit. La musique est assourdissante, il a du mal à se faire entendre. Le bar est presque vide. Tout le Québec est amassé devant les écrans de télévision ce soir. Jean-Philippe s'égosille. Il parle à Malik du pays, de l'histoire, de la fierté. « N'écoute pas Parizeau, lui dit-il, c'est un vieux con!» Malik hoche la tête. Non. Il y a cru, il en a rêvé, et il a reçu un coup de poing au cœur. Plus jamais.

Chez les Castel, lorsque le résultat final est annoncé, on entend Claude qui sacre, Charlie qui soupire, Éléonore qui monte le volume de la stéréo, enfermée dans sa chambre avec un CD de Neil Young. Indécise jusqu'à la dernière minute, elle a fini par cocher le «oui» par réflexe. Ce soir, elle aime mieux se tenir loin. Lors du *love-in*, il y a quelques jours, Claude avait été d'une humeur massacrante et elle préfère cette fois-ci échapper à ses commentaires sarcastiques. Pendant que son père tonne, sa mère se saoule systématiquement à grands coups de gin tonic.

Malik se réveille avec un mal de tête spectaculaire. C'est un lendemain de référendum amer. Amer parce que le résultat si serré déchire la province, amer encore plus lorsque le commentaire ethnocentrique de Jacques Parizeau fait les manchettes à travers le monde. Jamel Saadi ne prend pas trop au sérieux la dérive de son fils. Il rigole et se dit qu'après tout, c'est plutôt bon signe que le fils d'un immigrant se soit senti concerné par le discours souverainiste: ça montre que la famille Saadi s'est bien intégrée à sa société d'accueil. Pour lui, il n'y a jamais eu l'ombre d'un doute. Comme il l'explique à son fils, c'est au Canada qu'il a immigré, c'est au Canada qu'il veut continuer à vivre.

Dans les cafés étudiants, après un bref *post-mortem*, on commence vite à parler d'autre chose: les travaux de mi-session, la saison des Canadiens, les partys d'Halloween. Le ras-le-bol généralisé ramène les jeunes à un excès de frivolité, en réaction à ces semaines de campagnes si intenses et prenantes. Malik met les bouchées doubles pour rattraper les semaines qu'il a perdues à faire du porte-à-porte, au lieu de s'avancer dans ses lectures. *Plus qu'une session à passer*, se dit-il, *et puis je pars. Tant qu'à me sentir comme un étranger, aussi bien que cela ne soit pas chez moi.*

Malik repense beaucoup à l'été qu'il a passé à New York, comme stagiaire dans une entreprise de fonds spéculatifs dont l'un des directeurs est Daniel Cohen, un Montréalais d'origine qui fait souvent affaire avec Jamel Saadi. La ville lui a plu, le marché financier aussi. Pendant des heures, il peaufine sa candidature pour le programme de MBA de Columbia. En attendant de savoir s'il est accepté, il étudie comme un défoncé et se défoule le vendredi soir dans les bars du boulevard Saint-Laurent.

Le Gogo Lounge est plein à craquer. Éléonore, Yasmina, Matthew et Trent se fraient un chemin de peine et de misère à travers la foule en sueur. La musique pop des années 80 fait sautiller les filles debout sur les banquettes. «On est arrivés bien trop tard pour avoir une table», crie Yasmina à l'oreille d'Éléonore. Elles commandent chacune un cosmo, pendant que les gars sirotent une bière. L'alcool monte tout de suite à la tête d'Éléonore, déjà pompette d'avoir bu quelques bières chez Matthew avant de sortir. L'appartement de Matthew et Trent étant situé dans le ghetto de McGill, les amis se retrouvent souvent là pour prendre un verre avant de se rendre à pied sur le boulevard Saint-Laurent.

Matthew et Trent parlent des vacances de Noël qu'ils vont tous les deux passer dans leur famille, dans l'Ouest. Matthew est très excité à l'idée de dévaler les pistes enneigées de Fernie, où ses parents ont un chalet de ski. Éléonore pense à ses fêtes qui seront nettement moins joyeuses. Sa grand-mère Castel a fait une mauvaise chute en s'aventurant sur son perron arrière glacé et a dû se faire opérer à la hanche. Toujours convalescente, elle a été déclarée trop fragile pour recevoir toute la famille pour le réveillon. Elle restera seule à la maison en compagnie de sa fille Diane, qui s'assurera qu'elle est au lit avant 21 heures. Claude se promet malgré tout de célébrer Noël en grand. Il fait préparer la dinde par un traiteur et planifie d'ouvrir ses meilleures bouteilles. Il reçoit ses collaborateurs privilégiés, dont Franz Hess et Jacques Martel, et il compte bien les éblouir avec une fête opulente. Claude Castel est de retour au sommet et il tient à ce que ça se sache.

Les festivités traditionnelles manqueront énormément à Éléonore. De plus, la santé chancelante de sa grand-mère adorée la préoccupe énormément. Elle soupire. Matthew, accoudé au bar près d'elle, lui dit à l'oreille : « *Why don't you come with me?* » Il a dû s'approcher pour se faire entendre et mettre sa main sur son épaule. Elle sent son souffle doux sur sa joue. Des vacances de ski, dans une grande famille heureuse, avec son bon ami... Les doigts de Matthew caressent doucement le cou d'Éléonore.

Elle sursaute. Matthew la sent se raidir et sait tout de suite qu'il est allé trop loin. Éléonore se met à parler à toute vitesse, de son père, de sa mère, de sa grand-mère qu'elle doit quand même aller voir le matin de Noël. Elle ne veut surtout pas ruiner la bonne entente qu'elle a avec Matthew. Elle souhaite garder leurs rapports clairs. Pour ce faire, s'en tenir à l'amitié à tout prix.

Yasmina les interrompt en annonçant que son frère vient d'arriver. Accompagné comme à son habitude d'une jolie fille, jamais la même. *Pas juste jolie*, se dit Éléonore. *Un pétard.* C'en est à se demander où Malik les déniche.

Celle-ci est grande, mince, vêtue d'un legging moulant qui ne laisse rien à l'imagination. Elle est perchée sur des talons vertigineux et sa frange blonde encadre un visage de poupée. Malik dit brièvement bonjour à sa petite sœur, fait un clin d'œil taquin à Éléonore, puis se joint à un groupe d'amis sur la banquette arrière. Yasmina rigole en essayant de traduire en anglais, pour le bénéfice de Matthew et de Trent, la si juste expression « coureur de jupons ». Éléonore termine son cosmo d'un trait et annonce qu'elle a mal à la tête et qu'elle veut rentrer à la maison.

À minuit, un vendredi soir, Éléonore ne réussit pas à trouver de taxi. Elle descend et remonte le boulevard Saint-Laurent, impatiente. Tout en elle réclame la fuite, loin de ce bar, loin de Malik, loin de son clin d'œil charmeur et de la main baladeuse qu'il a laissé traîner sur les hanches de sa copine. Elle cherche encore un taxi lorsqu'elle aperçoit Trent qui s'avance vers elle.

– Qu'est-ce que tu fais ?

– Rien, je suis allé acheter des cigarettes. Toi, qu'est-ce que tu fais là ? Ça fait un siècle que tu es partie.

– Je ne trouve pas de taxi.

– Tu veux aller prendre un verre ailleurs ?

Éléonore se laisse facilement convaincre. Trent annonce qu'il a un CD sensationnel à lui faire écouter et l'entraîne vers son appartement. Il lui sert d'autorité une vodka tonic et s'assoit sur son lit. Il n'a même pas eu le temps de sortir le CD de sa boîte qu'Éléonore le saisit et l'embrasse à pleine bouche. Si Trent est surpris, il a l'élégance de ne pas le montrer et profite de l'occasion sans broncher. Il embrasse Éléonore, l'allonge sur le lit et commence à lui retirer ses vêtements. Lorsqu'il tente de détacher son soutien-gorge, Éléonore est prise d'un sérieux doute. Une voix en elle lui demande si elle veut vraiment être en train de faire ça. Une voix qu'elle fait taire tout de suite, dans sa révolte et son envie d'être ailleurs.

Avec Matthew, les choses auraient été compliquées. Matthew est son grand ami, et elle refuse de risquer leur amitié pour une histoire d'un soir. Mais Trent est un gars comme les autres, simple, musclé, gentil, habitué aux aventures sans lendemain. Trent fera l'affaire. Trent prouvera à Éléonore qu'elle est comme les autres, que c'est possible, pour elle aussi, de prendre son plaisir à gauche et à droite, sans perdre son temps en rêves vains.

Après des préliminaires pour la forme, où il l'a à peine touchée, Trent enfile un condom et pénètre une Éléonore crispée, qui ne peut s'empêcher de penser au visage suffisant de Malik. L'acte lui semble très physique et vigoureux. Rien qui ressemble aux soupirs langoureux qu'on entend au cinéma. Trent s'active sur elle, le visage tendu par l'effort. Éléonore ne bouge pas et rien de plus ne semble être requis de sa part. Pour la forme, elle met ses mains sur le dos moite de sueur de Trent et l'encourage dans son effort.

Lorsqu'enfin Trent s'affaisse sur elle, elle compte jusqu'à soixante avant d'oser se dégager. N'a-t-elle pas lu que les filles sont supposées vouloir se coller, après? Elle n'a pas envie de se sentir encore plus anormale. Elle se lève, murmure qu'elle doit rentrer. Elle est soulagée de constater que les draps bleu marin de Trent ne semblent pas être tachés de sang. Elle prie pour que Trent ne se soit pas aperçu que c'était sa première fois et lui demande d'être discret au sujet de leur aventure. Elle espère vivement qu'il n'en parlera pas à Matthew mais n'ose pas insister, de peur de paraître autre chose que la jeune fille désinvolte qu'elle voudrait bien être.

Manque de chance, en ouvrant la porte d'entrée, elle tombe face à face avec Matthew, qui lui demande d'un air étonné ce qu'elle fait là. Éléonore s'empêtre et finit par expliquer qu'elle ne trouvait pas de taxi, qu'elle a croisé Trent dans la rue et qu'elle est venue ici en appeler un. Elle s'enfuit en espérant que Trent aura la décence de tenir sa promesse et de ne rien dire à son coloc.

Le lendemain matin, elle se sauve avant même que Claude soit descendu préparer son premier espresso de la journée. Elle n'a la force d'affronter le regard de personne et surtout pas le sien. Elle part à la course vers le mont Royal, martelant d'un bon pas ses pensées orageuses. Malgré sa respiration hachurée, elle continue de se pousser à bout. Arrivée au lac des Castors, elle s'écroule sur un rocher plat. L'air frais du matin lui brûle la gorge et le battement fou de son cœur l'assourdit.

À la pensée de ce qu'elle a fait la veille, l'hyperventilation reprend. Éléonore se sent dégradée, avilie. Pas par Trent, qui a été somme toute très gentil; avilie par elle-même, parce qu'elle s'est poussée à faire quelque chose qu'elle ne désirait pas. Elle a agi par dépit, une raison complètement ridicule de perdre sa virginité.

Elle est déçue, déçue de l'expérience, déçue d'elle-même. Le rapport qu'entretient Éléonore avec la sexualité demeure ambivalent. À l'adolescence, dégoûtée par la promiscuité réelle ou imaginée de sa mère, Éléonore en est venue à se bâtir une vision très dure de l'attirance physique. À ses yeux, ce sont les êtres faibles qui y cèdent. Elle s'est sentie au-dessus de tout ça, supérieure à sa mère qui vivait sans morale. Par contre, en jeune fille de son temps, Éléonore est constamment exposée à des messages glorifiant une sexualité à outrance. Plus simplement, elle sait que ses amies le font et qu'elles aiment ça. Au fond d'elle demeurait le mince espoir d'être, elle aussi, transformée par cette expérience, de réagir enfin comme une fille normale de son âge.

Éléonore laisse échapper un gros soupir et descend lentement vers l'avenue du Parc, s'offrant pour toute consolation le constat qu'elle n'est vraiment pas comme les autres.

En rentrant chez elle, Éléonore tombe nez à nez avec sa mère, blanche comme un drap.

– Maman? Ça va? Qu'est-ce que tu fais debout à cette heure-là?

– Mathilde, Mathilde…

Charlie marmonne et Éléonore ne comprend rien. Elle se sent néanmoins paniquer en voyant l'état de sa mère et en entendant le nom de sa grand-mère.

– Maman! Ressaisis-toi, dis-moi ce qui se passe!

Charlie lui apprend que Mathilde a fait une crise cardiaque sérieuse pendant la nuit. Déjà très affaiblie par sa fracture à la hanche et par l'opération, les médecins craignent que cela lui soit fatal et prédisent qu'elle risque de ne pas passer la nuit. Claude s'est précipité à l'hôpital Notre-Dame. Éléonore repart à la course, les jambes tremblantes. Elle saute dans un taxi sur Côte-Sainte-Catherine. En direction de l'hôpital, elle qui n'est pourtant pas croyante ne peut s'empêcher de prier.

– Mon Dieu Seigneur, mon Dieu Seigneur, faites que grand-maman soit encore en vie! Faites que je puisse la voir, mon Dieu Seigneur!

Elle ne peut se réconcilier avec la pensée de ce qu'elle faisait hier soir, pendant que sa grand-mère… La juxtaposition des images lui est trop cruelle et elle refuse de repenser à son histoire d'un soir. Cette expérience maladroite est fermement reléguée au rang des mauvais souvenirs.

Éléonore entre en trombe à l'hôpital. Au cinquième étage, dans une triste chambre grise, elle trouve les six enfants Castel assemblés autour de leur mère. Mathilde est dans un état précaire : de l'eau dans les poumons, un cœur qui flanche. Le silence se fait autour d'elle, comme si ses enfants voulaient entendre chaque respiration, soutenir de leur amour chaque battement de cœur.

Couchée dans son lit, Mathilde prend soigneusement chaque respiration, consciente que ça pourrait être la dernière. Surtout, elle observe la famille qu'elle a menée avec une poigne de fer pendant tant d'années. Elle étudie tour à tour chaque visage. Les visages de ses enfants, qu'elle a portés, élevés, aimés.

Son regard s'attarde sur René, son petit dernier, le seul qui n'a pas encore réussi à faire sa place. Que cherche-t-il ? Elle aurait tant aimé pouvoir trouver les réponses pour lui. Maintenant qu'elle s'en va, il faudra se résigner à le laisser chercher tout seul. Elle espère que son grand frère Claude saura discrètement s'en occuper. Il faudrait lui en glisser un mot, si elle réussit à avoir deux minutes seule avec son bourru d'aîné.

Claude. Qu'elle l'a donc aimé, ce petit garçon-là. Entreprenant, espiègle, il faisait déjà fortune à six ans et demi en vendant des limonades dans la rue, puis plus tard en organisant des spectacles dans le voisinage et en faisant chèrement payer aux parents le privilège d'admirer leurs enfants en représentation. Celui-là a toujours eu le sens des affaires dans le sang, c'est sûr.

Son aîné et son petit dernier. Une mère n'avouera jamais avoir de favoris, mais ces deux-là ont toujours suscité les plus grandes émotions chez elle. La fierté dans le cas de Claude, l'inquiétude pour ce qui est de René. Les autres semblent tellement plus... casés. Bien installés dans une petite vie tranquille, sans remous.

Et voilà Éléonore. Sa belle Éléonore. Sa préférée parmi les petits-enfants, elle ne s'en est jamais cachée. Le luxe des grands-mères est de pouvoir offrir à ces beaux trésors toutes les petites douceurs qu'on a refusées à ses propres enfants, de peur de les gâter. Chez sa grand-mère, Éléonore avait toujours le droit de veiller tard, pour écouter un film avec les grands. La grande armoire de bois trônant dans la cuisine regorgeait des friandises préférées de la petite. Elle savourait avec délice les sucres à la crème maison et les pains aux bananes concoctés avec amour par la grand-maman gâteau. Elle trouvait chez sa grand-mère la stabilité qui lui faisait tant défaut, ainsi que l'amour inconditionnel que sa mère n'avait jamais su lui donner.

Éléonore se précipite vers sa grand-mère, bousculant sa tante Diane au passage. C'est elle qui a trouvé sa mère gisant à côté de son lit en pleine nuit et elle est encore secouée. Sa sœur Francine, plus forte, tient l'éplorée dans ses bras. Éléonore saisit la main en papier de crêpe et est dévastée d'entendre la respiration laborieuse de Mathilde. Le silence se fait de nouveau autour du lit. Mathilde murmure à Claude qu'elle voudrait leur parler un à un, par rang d'âge. Ils sortent donc tous de la pièce, sauf l'aîné, qui reste auprès d'elle.

De sa respiration haletante, elle parle de ses deux principaux soucis : l'avenir de René et la relation de Claude avec Charlie. Claude est sur le point de s'emporter, mais n'ose pas affaiblir davantage sa mère. Celle-ci lui confie René, lui demande de trouver un moyen de l'aider sans qu'il s'en rende compte.

Quant à Charlie, Mathilde se fait tranchante : maintenant que son temps est venu, elle n'a pas peur de dire ce qu'elle pense et refuse de s'embarrasser de politesses. Charlie n'est pas la femme qu'il faut pour Claude et si elle ne leur avait pas donné sa chère Éléonore, ce mariage aurait été une erreur du début à la fin. Le temps des mariages de convenance est terminé ; le divorce n'est plus le scandale qu'il était et il n'y a aucune raison pour que Claude continue à souffrir dans un mariage sans amour. De sa voix faible, Mathilde supplie Claude de penser à son bonheur. La vie est trop courte.

Claude retient le fiel qui l'envahit face à son frère, un raté qui trouve toujours le moyen de l'achaler avec ses idées à la noix. Et maintenant, Claude aura toujours la dernière demande de sa mère sur la conscience. Devoir s'occuper de son frère, si immature, et jamais capable de se brancher !

Et Charlie... Que dire à sa mère au sujet de Charlie. Comment lui dire qu'il l'aime, qu'il l'aime à en être fou, qu'il ne pourrait se passer d'elle. Ils ont chacun leur vie, c'est sûr. Charlie a eu quelques amants au cours des années, il le sait. Lui-même ne s'est pas gêné pour profiter des charmes offerts sur un plateau d'argent par l'une ou l'autre des starlettes avec lesquelles il a travaillé.

Mais malgré tout, Charlie est toujours demeurée la femme de sa vie, son âme sœur, sa passion. Jamais une autre femme ne l'a fait rire comme Charlie. Ils s'entendent comme larrons en foire, en plus d'être encore des amants passionnés. Laisser Charlie, jamais. Il sait que sa mère n'a jamais porté sa bru dans son cœur, mais vraiment, cette demande sur son lit de mort, c'est trop. Il prend sa main et lui parle doucement. En bon fils consciencieux, il veut rassurer sa mère. Cette femme lui a tout donné et a élevé six enfants d'une main de maître, après le décès prématuré de son mari dans un triste accident de la route.

Claude aime sa mère d'un amour profond. Il lui promet de garder l'œil sur René et même d'essayer d'envoyer en catimini des projets professionnels de son côté. Il parle de Charlie, de son amour pour la femme qu'il a épousée, qu'il a choisie entre toutes. Et ce ne sont pas les candidates qui manquaient, à l'époque. Mathilde rit silencieusement en repensant aux années de Casanova de son beau garçon. Que de larmes elle avait eues à éponger, quand les préten-dantes écartées venaient se lamenter chez elle!

Elle écoute son grand garçon lui parler de sa femme, avec une franchise qu'elle ne lui a jamais connue. Elle accueille ces confidences comme un ultime cadeau, levant le voile quelques instants avant sa mort sur tout un pan de la vie intérieure de son fils qui lui était jusque-là inconnu. Qu'il est plein d'amour, cet homme si passionné qui demeurera toujours son petit garçon en culottes courtes! Elle l'embrasse et le quitte, soulagée. Elle a confiance en ce réservoir d'amour qu'il possède et sait que son cœur saura le mener à bon port.

Quand c'est enfin au tour de René, Mathilde respire de plus en plus mal. Elle serre très longtemps son petit dans ses bras. Son original, avec ses idées folles et sa naïveté d'enfant. C'est celui-là qu'elle a le plus de difficulté à quit-ter. Son tout-petit. Elle lui répète qu'elle l'aime, tant que son souffle la porte encore. Puis, elle demande qu'on lui envoie Éléonore.

C'est la seule des petits-enfants qu'elle verra. Éléonore retient avec peine ses sanglots et voudrait serrer fort sa grand-maman si fragile. L'angoisse lui oppresse le cœur lorsqu'elle envisage tous les moments de sa vie dont Mathilde ne sera pas témoin. Son mariage, la naissance de son premier enfant. Elle qui avait toujours taquiné sa petite-fille en proclamant «avoir donc hâte de serrer dans ses bras une petite Éléonore».

Éléonore parle du jour où elle aura des enfants. Elle souhaite faire imaginer ces moments à sa grand-mère, lui en donner une vague idée comme un rêve qui semble réel au petit matin. Elle lui dit, surtout, qu'elle voudrait être une mère comme elle, toute en douceur et en fermeté. C'est le plus beau compliment que pouvait recevoir Mathilde, dont la maternité a été l'œuvre de toute une vie. Comme elle aime cette petite-fille, si pareille à elle, si forte qu'elle ne réussit parfois pas à se laisser aimer. Elle tient à se libérer de cette dernière inquiétude. «Éléonore, laisse les autres s'occuper de toi. Souviens-toi… Laisse-toi aimer.» Ce sont les derniers mots que sa grand-mère lui murmure.

Voyant ses yeux qui se ferment, Éléonore rappelle les autres dans la chambre. Mathilde ne parlera plus et s'éteindra au petit matin, après une longue nuit de râlements, dont chacun percera le cœur de ses enfants rassemblés.

Le jour des funérailles de cette grande dame qui avait toujours un mot gentil pour chacun, toujours du temps pour aider, l'église du lac Brôme est bondée. On se bouscule pour raconter à ses enfants une anecdote ou une blague dont émerge une Mathilde drôle, gaie, aimant la vie et sachant transmettre cette passion contagieuse à tous ceux qu'elle côtoyait.

Une fois le cercueil mis en terre et les dernières larmes séchées, la famille Castel se réunit chez le notaire Duquette. La lecture du testament est rapide : Mathilde lègue ses biens considérables en parts égales à ses six enfants. Éléonore est profondément peinée lorsqu'il apparaît clair que la maison ancestrale des Castel devra être vendue, aucun des enfants n'ayant les moyens ou n'offrant de racheter les parts des autres. Éléonore regarde son père de ses gros yeux, ne comprenant pas pourquoi Claude n'a pas encore offert de garder la maison. Elle est sûre qu'il en a les moyens. René dit tout haut ce qu'Éléonore pense tout bas. Claude se fâche, assénant que son frère ne connaît rien de ses finances privées et que la dernière chose dont il a besoin, c'est d'une maison de campagne sur laquelle tous ses frères et sœurs se sentiraient des droits moraux.

Devant la colère de son père, Éléonore ravale sa peine et écoute le notaire spécifier qu'un leg particulier lui est destiné. Un pécule qui lui permettra de faire un dépôt pour l'achat d'un appartement lorsqu'elle aura terminé ses études, et le collier de perles qu'elle a toujours admiré et dont elle aimait se parer, petite, quand elle jouait aux grandes dames. Éléonore est très émue, mais remarque l'air buté de son oncle René. Il marmonne que c'est injuste, que cela revient à augmenter la part de Claude en donnant à sa fille à lui, alors que les autres petits-enfants n'ont rien. Pour René, chaque sou est compté de cet héritage qui assurera son avenir et lui permettra de lancer son prochain projet grandiose. Il demande à Claude de renoncer à un pourcentage de sa part, pour compenser. Le notaire Duquette s'interpose : le testament est clair, chaque enfant aura sa part selon les vœux de madame Castel, y compris Éléonore, et toute contestation mènera à de longues procédures qui retarderont de beaucoup la division des biens. René se tait, trop tenté par l'appât d'un gain immédiat. Le montant dévolu à Éléonore est gardé en fiducie chez le notaire jusqu'à l'obtention de son baccalauréat.

C'est le meilleur cadeau que pouvait lui faire sa grand-maman, qui avait bien deviné le besoin d'indépendance de sa petite-fille chérie. Celle-ci pourra faire sa vie, sans avoir à demander quoi que ce soit à ses parents. Une fois la réunion terminée, Éléonore se rend de nouveau sur la tombe de sa grand-mère. Elle regarde la terre fraîche et lui murmure un ultime merci.

Chapitre onze

Devant le miroir, Allegra lève le bras et fait la moue lorsqu'elle pince la chair de son triceps. À vingt-et-un ans, elle trouve déjà de plus en plus ardu de maintenir son poids cible, celui au-delà duquel les contrats s'espacent et les directeurs de *casting* la remercient sans même l'avoir regardée. Elle examine le muscle un peu flasque. Elle se demande s'il lui faudrait faire plus de musculation. Mais elle n'ose pas ; la mode n'est décidément pas aux mannequins en santé et sportives, comme Christie Brinkley dans les années 80. Non, en 1997, la tendance est résolument au chic héroïnomane, personnifié par Kate Moss. Allegra, avec sa bouche pulpeuse et sa poitrine à faire damner un saint, peine à reproduire ce look squelettique. Elle conclut que ce n'est certainement pas la musculation qui va l'aider. La solution est simple : plus de cigarettes, moins de calories.

Allegra boit peu, voulant s'épargner des calories inutiles. La première fois qu'elle s'est vu offrir de la cocaïne, dans un party, elle n'a pas été tentée d'essayer. L'atmosphère électrisante du *nightlife* new-yorkais est déjà assez stimulante pour elle. Mais un jour, lors d'une séance de photos, Allegra qui a déjeuné d'un verre d'eau agrémenté d'une goutte de citron pressé, se sent défaillir. Le photographe exige une scène très physique : pour mettre en valeur les jupes bouffantes de la saison, les trois mannequins, au visage couvert de poudre de riz comme des poupées du début du xxᵉ siècle, sautent sur une immense trampoline. Il veut les saisir au vol, l'expression neutre et éthérée.

Allegra manque d'énergie lorsqu'il s'agit de sauter encore plus haut pour la sixième prise consécutive. Le photographe l'engueule copieusement et ne se gêne pas pour menacer de la remplacer au pied levé. Irina, une mannequin russe qui est aussi la coloc d'Allegra, demande une pause et entraîne sa copine vers les toilettes.

– *You've got to pull yourself together*[7], dit-elle avec son accent guttural.
– Je ne peux plus, je ne me sens pas bien.
– Tiens.

Irina sort une petite boîte de métal, d'où elle extrait une poudre blanche qu'elle étale d'une main experte sur le comptoir. À l'air que fait Allegra, elle devine tout de suite que c'est sa première fois. Elle coupe donc la ligne de moitié et inspire le reste d'un geste sec. Puis, elle invite son amie à faire de même.

– T'as pas le choix, Allegra.

Allegra obtempère, mue par le désespoir. Et quelle transformation. Quelques minutes plus tard, elle revient en scène, pleine de vitalité et d'entrain. La séance de photos est bouclée en moins de quinze minutes. Le photographe remercie chaudement son équipe et leur annonce que ces photos vont faire parler. Allegra flotte sur un nuage et pour la première fois depuis des lunes, elle rentre chez elle avec la satisfaction du travail bien accompli.

Elle se sent quand même prise de certains doutes, le soir, une fois que l'effet de la cocaïne a laissé place à un

---

7. Il faut que tu te ressaisisses.

vide épuisant. Irina la secoue en lui faisant part de ses théories sur le monde de la mode.

– Ce n'est pas humain, ce qu'ils exigent de nous. Personne ne peut être si mince, ne pas manger et avoir ensuite l'énergie de faire des heures et des heures de *shooting*. Il nous faut un *boost* quelque part. C'est la réalité. Tout le monde le fait.

Rassérénée par ce discours, Allegra s'endort ce soir-là le sourire aux lèvres. Elle est sûre qu'après la publication de ces photos, le téléphone de Karen va se remettre à sonner.

À Outremont, loin des préoccupations de son amie, Éléonore court dans la maison en pestant à voix haute. Son père avait pourtant promis de lui donner un *lift*. Et le voilà qui ne répond pas à son téléphone cellulaire, alors qu'elle est en retard. L'avion part dans moins de deux heures. Comble de malheur, le chauffeur de taxi qui vient finalement la chercher est d'un tempérament très zen et roule à la vitesse d'une tortue. Elle arrive enfin à l'aéroport et déboule dans le hall des départs avec valises, tuque, skis et mitaines.

Matthew s'empresse de lui donner un coup de main et fait de si beaux yeux à la préposée qu'elle leur trouve deux places ensemble dans l'avion, plein à craquer de vacanciers qui profitent de la semaine de relâche pour aller skier en Colombie-Britannique. Éléonore, Matthew, Trent et trois autres amis de McGill se rendent au chalet des parents de Matthew, situé sur les pistes de Fernie.

Dans l'autobus qui traverse Vancouver, Éléonore est estomaquée par la beauté des paysages et elle ne peut s'empêcher d'être un peu envieuse en apercevant les belles pelouses vertes dont les habitants de Vancouver profitent en plein mois de février. Matthew sourit de la voir si charmée, pendant que Trent lui demande, d'un air faussement baveux, faisant référence à l'éternel argument des fédéralistes : « Pis ? T'es contente de les avoir gardées, tes Rocheuses ? »

Éléonore éclate de rire, sa triste aventure avec Trent n'ayant créé aucune gêne entre eux. Trent était tout simplement content de se voir confirmer les théories foireuses qu'il entretient au sujet des mœurs libérales des belles Québécoises. Il s'était contenté de lui faire un petit clin d'œil taquin à leur rencontre suivante, sans exiger davantage. Il semble aussi avoir tenu sa promesse de discrétion, puisque Matthew n'a jamais mentionné l'affaire, ni changé son attitude chaleureuse à l'égard d'Éléonore.

Le soleil est radieux. Éléonore est assise sur la terrasse du sympathique resto-grill qui surplombe les pistes de Fernie. L'odeur des hamburgers sur le barbecue lui semble des plus alléchantes, surtout après une matinée intense de ski où Matthew l'a entraînée sur des pistes expertes qu'elle est très fière d'avoir pu dévaler. Après le lunch, elle plaide grâce auprès de son tortionnaire et se dirige vers le chalet, où elle sombre dans une sieste réparatrice. À son réveil, elle se rend compte que ses jambes la font souffrir et qu'elle est déjà complètement courbaturée. Elle se glisse tout de suite dans le bain tourbillon qui trône sur la terrasse du chalet, espérant apaiser ses muscles endoloris.

Lorsque Matthew rentre et qu'elle lui confie ses misères, il lui offre un massage thérapeutique dont elle lui donnera des nouvelles. Il allume un feu de bois dans la cheminée du salon et étend une épaisse couverture de laine douce sur le tapis. Éléonore enfile un pyjama court, puis s'allonge sur le dos pendant que la complainte de Cat Stevens envahit la pièce. Elle observe le reflet des flammes sur les cheveux châtains de Matthew, pendant que celui-ci réchauffe l'huile à massage dans ses mains. Il se penche vers elle. Ses mains exercent une pression forte sur les pieds endoloris d'Éléonore.

Elle est d'abord un peu chatouilleuse, mais se laisse vite aller. Un sentiment de détente l'envahit. Les doigts habiles remontent jusqu'aux mollets douloureux. La pression se fait plus profonde. Matthew lui demande doucement si ses quadriceps aussi la font souffrir. Éléonore murmure vaguement que oui, perdue dans la vague de relaxation qui l'emporte. Le massage des cuisses se veut thérapeutique et Éléonore sent ses muscles qui se relâchent, mais elle sent aussi une chaleur dans son entrejambe et se surprend à souhaiter que les mains de Matthew montent un peu plus haut, juste un peu plus haut...

Elle s'efforce de garder les yeux fermés et feint une attitude de relaxation totale, espérant que les mains baladeuses oseront s'aventurer plus loin. La respiration de Matthew se fait plus lente, il essaie de garder son calme, de prendre son temps, de ne pas la brusquer, d'attendre que... Il pousse un cri de surprise en sentant une masse mouillée et froide dans son dos. Éléonore sursaute et ouvre immédiatement les yeux pour apercevoir Trent et son ami James se sauver en riant, après avoir subrepticement enfoncé une énorme boule de neige dans le col du chandail de Matthew, si concentré qu'il ne les avait pas entendus approcher. Bon joueur, Matthew se lance à la poursuite de ses amis et le tout se termine en bataille de boules de neige généralisée.

Ce soir-là, penchée sur un bol de chocolat chaud, Éléonore observe à la dérobée Matthew qui est absorbé par un polar américain. Elle se sent envahie d'une grande affection envers celui qui est devenu, au cours des mois, son meilleur ami gars. Matthew lève les yeux et lui sourit. Éléonore lui décoche un sourire à son tour, puis replonge dans son chocolat chaud.

La joyeuse bande profite bien des pistes au cours des jours suivants et l'atmosphère de franche camaraderie ne laisse place à aucune ambiguïté entre Éléonore et Matthew. Celle-ci en est soulagée, ne faisant pas assez confiance à l'amour et au désir pour ne pas craindre qu'ils entachent irrémédiablement une si belle relation d'amitié. Elle est tout de même affreusement triste quand Matthew annonce, à leur retour à Montréal, qu'il a le projet de s'établir en Colombie-Britannique une fois son bacc terminé. Ce projet se concrétise deux mois plus tard, lorsqu'il reçoit une offre alléchante du ministère de l'Environnement de sa province natale.

La session d'examens de fin d'année débute. Éléonore commence à avoir l'habitude et l'exercice scolaire lui semble de plus en plus routinier. Elle a hâte à l'année suivante, à la fin de ses études et au début de sa vie active. Elle envie Matthew de déjà s'envoler vers un projet concret et adulte. Yasmina, de son côté, est plus ambivalente. Elle adore les cours de littérature qui la prépareront à être professeur de français au secondaire, mais a été un peu échaudée par son premier stage en salle de cours. Habituée des collèges privés de Westmount et d'Outremont, elle a un choc culturel lorsqu'elle se présente pour la première fois dans une polyvalente de l'ouest de la ville. Cette énorme usine en taule et en béton, sans fenêtres, lui semble être le comble de l'aliénation mentale, impression qui est renforcée lorsqu'elle se trouve sous les néons phosphorescents des salles de classe.

Les deux amies se réunissent tous les soirs à la Brûlerie, sur Côte-des-Neiges, pour y étaler leurs livres de cours, boire beaucoup de café noir et prendre des pauses cigarette-potins toutes les demi-heures. Elles attendent avec impatience la fin des examens, laquelle sera aussi l'occasion du party de départ de Matthew.

Un avant-midi d'avril, alors qu'elle révise son cours de Cinéma du monde, Éléonore se précipite sur le téléphone qui sonne.

– Allo ?

– Éléonore ?

– Allegra ? C'est toi ?

– Élé, est-ce que tu pourrais venir ?

– Allo ? Venir où ? Allegra ?

– Oui…

– Ça va ? Je t'entends mal !

– Élé…

Allegra se met à pleurer. Éléonore réussit à peine à distinguer quelques mots et elle est emplie d'une inquiétude grandissante.

– Allegra, calme-toi ! Es-tu toute seule ? Est-ce qu'il y a quelqu'un d'autre qui pourrait me parler ?

– Il y a une infirmière… mais elle parle juste anglais.

– C'est correct, ça. Passe-moi-la s'il te plaît.

Une infirmière new-yorkaise froide et efficace prend le combiné. Elle explique en quelques phrases succinctes qu'Allegra a été amenée en ambulance au St. Vincent's Hospital. Elle a perdu connaissance en pleine séance de photos, a été prise de convulsions et les examens ont révélé la présence d'une quantité considérable de narcotiques dans son sang. Allegra refuse qu'on appelle sa mère et comme elle a plus de vingt-et-un ans, l'hôpital respecte ce désir. Elle a tenu à appeler elle-même Éléonore.

– Merci, madame. Vous pouvez me la repasser ?

– Élé ?

– Allegra ? Je m'en viens, OK ? Je m'en viens.

Éléonore cogne à la porte de sa mère. Charlie se prélasse en peignoir blanc devant une reprise de *Dallas*.

– Ça va, maman ? Tu te tiens occupée ?

– J'ai pas besoin qu'on vienne dans ma chambre pour m'achaler avec des commentaires pareils. Je suis sortie tard hier soir, tu sauras, pour le Gala des Gémeaux en plus. Il faut que je continue à me faire voir, c'est bon pour ma carrière.

Éléonore réprime l'envie de répondre que la carrière de sa mère aurait besoin d'un coup de pouce autrement plus costaud qu'une apparition dans un gala. Elle n'est pas venue croiser le fer avec Charlie, mais lui demander une faveur. Mais c'est plus fort qu'elle, ses vieilles habitudes d'ado révoltée sont tenaces.

– T'es allée avec qui ? Un jeune premier, je suppose ?

– Tu sauras que je suis allée avec Georges Claudel, qui est un bon ami de la famille. À quoi dois-je cette charmante visite de ma fille si agréable ?

– J'ai besoin d'argent.

– Ah bon ? Et pour quoi faire ?

– Je peux pas te le dire, mais il faut que j'aille à New York.

– Mon Dieu, Éléonore, le temps des avortements secrets aux États est fini. Tu peux faire faire ça à Montréal, tu sais.

– Très drôle. Ça n'a rien à voir avec ça, c'est pour aider quelqu'un.

– T'es pas en examens, toi ?

– Oui, j'en ai un mardi, mais je vais être revenue à temps.

– Et tes études ?

– Fais pas semblant de te préoccuper de mes études tout à coup. Je vais passer mon exam, comme toujours, mais ça c'est mon affaire. S'il te plaît, maman ! Il faut vraiment que j'y aille.

– Et pourquoi tu demandes pas à ton père ?

La vérité vraie, c'est qu'Éléonore sait son père plus perspicace que sa mère et qu'elle a peur des questions qu'il pourrait lui poser. Elle décide de négocier un peu.

– C'est que je me sens plus à l'aise avec toi pour parler de ces choses-là.

– Ah bon ! C'est bien vrai qu'entre femmes, on s'arrange, dit Charlie, qui semble avoir oublié qu'Éléonore ne lui a finalement rien confié du tout. Tu as besoin de combien ?

– Merci, Charlie, je te le remets cet été, dès que j'ai mon premier chèque de paie, juré !

Éléonore s'envole et est déjà à Newark quand elle appelle Yasmina pour annuler leur séance d'étude ce soir-là. Lorsqu'elle explique où elle est et ce qu'elle y fait, Yasmina sent la rage l'envahir. Elle ne se gêne pas pour dire sa façon de penser à Éléonore. Elle accepte de risquer sa fin de session, ses examens, parce qu'Allegra n'est pas foutue de manger une tranche de pain avant d'aller travailler et de se balancer toute une pharmacopée par les narines.

– J'ai pas le choix, Yas, elle n'a personne.

– Elle a sa mère !

– Voyons donc, mets-toi à sa place, si tu faisais une *overdose*, même accidentelle, c'est quand même pas ta mère que tu ferais venir à ton chevet.

– Si l'autre option était de ruiner les chances d'avenir de mon amie, oui, je le ferais. Cette fille-là est tellement égoïste, Élé, ça me tue que tu ne voies pas ça.

– *Anyway*, que tu aies raison ou pas, je suis là. Ça fait que c'est ça qui est ça. Je te rappellerai en revenant.

– Élé, attends, sois pas fâchée ! Je dis ça pour ton bien.

– Je sais, je sais… J'aimerais ça que tu comprennes que j'ai vraiment pas le choix.

Éléonore pâlit en voyant Allegra si fragile dans son lit d'hôpital. La jaquette blanche ne fait rien pour améliorer son air frêle et cerné. Elle semble réellement épuisée, tant du point de vue physique que psychologique. Ses cheveux sales pendouillent misérablement sur un visage blême. Éléonore compte les mois qui ont filé depuis la dernière visite d'Allegra à Montréal, ne pouvant croire à une telle transformation en si peu de temps. La beauté si célébrée n'est plus qu'une ombre passagère sur les traits tirés d'Allegra.

Le médecin la laisse rentrer chez elle, lui conseillant fortement une thérapie et une cure de désintox. Lorsque les deux filles arrivent à l'appartement qu'Allegra partage avec deux collègues, elles sont accueillies par un tapage d'enfer. La musique joue à défoncer les murs. Irina ouvre une bouteille de champagne et invite les nouvelles venues à se joindre à elle. Agathe, une Française de vingt-deux ans, est en grande discussion au téléphone avec son amant du moment. Aucune d'elles ne semble remarquer l'air hagard d'Allegra, ni s'intéresser à la présence d'Éléonore. Pendant qu'elle range ses affaires, Allegra discute avec Irina du lancement d'un nouveau bar qui a lieu le lendemain. Éléonore n'en croit pas ses oreilles lorsqu'elle entend Allegra proposer d'aller prendre un verre au Lotus en début de soirée.

Elle entraîne Allegra dans sa chambre pour lui dire sans ménagement le fond de sa pensée. Elle est dans un état déplorable et d'une manière ou d'une autre, il faut absolument qu'elle se soigne. Elle est d'une maigreur à faire peur et a de toute évidence un problème de consommation de drogue. Allegra nie de toutes ses forces, mais pendant qu'Éléonore l'invective, elle est prise d'un étourdissement et doit s'allonger. Éléonore se tait, s'assoit près d'elle et lui prend la main.

– Écoute, cocotte, je pense que t'as besoin d'un *break*.

Des larmes silencieuses coulent sur les joues d'Allegra. Elle refuse de rentrer à Montréal, malgré les demandes répétées d'Éléonore, ne pouvant supporter l'inévitable sollicitude maternelle.

– Bon, mais si je t'organise quelque chose d'autre, tu pars?

Allegra hésite, parle de son travail, de quelques contrats en attente. Le lendemain matin, pendant qu'Allegra dort encore, Éléonore se rend aux bureaux de son agence à Soho, après avoir demandé l'adresse à Irina. Elle demande à voir Karen. On lui répond qu'il faut prendre rendez-vous, avoir un portfolio et que de toute manière, l'agence ne représente par les mannequins de taille plus. Éléonore laisse filer l'insulte et insiste pour être reçue, confiant aux oreilles indiscrètes de la réceptionniste qu'il s'agit de la santé d'Allegra.

Éléonore est soulagée de l'attitude pragmatique de Karen. Celle-ci est d'accord, Allegra doit se soigner. Elle représente en ce moment un poids mort pour l'agence, son comportement erratique faisant fuir la plupart des clients. Lorsqu'Éléonore tente d'en apprendre davantage sur les problèmes d'Allegra, Karen se ferme comme une huître, se contentant de parler vaguement d'instabilité. Éléonore devine que le tout se résume probablement à un problème d'anorexie, un mot tabou dans le domaine de la mode, où la minceur extrême est toujours célébrée.

De retour à Montréal, Éléonore expédie son dernier examen, puis se lance dans une délicate mission de diplomatie. Elle invite Yasmina à luncher avec elle à la Croissanterie. L'été s'annonce à Montréal et les filles profitent du beau temps pour inaugurer la terrasse. L'habituelle frénésie printanière envahit les rues. Les belles filles se font siffler, les casse-cou se faufilent en patins à roues alignées parmi les voitures et les cyclistes reprennent avec bonheur possession des rues. Yasmina s'allume une cigarette d'un air béat et annonce d'emblée qu'elle a l'intention de commander un pichet de sangria afin de lever un verre à ce début d'été qui le mérite bien.

Yasmina se méfie un peu quand Éléonore, au lieu d'embarquer dans une discussion légère, faite de potins et d'anecdotes cocasses, se met à lui faire l'éloge de l'amitié : la leur, mais aussi de l'amitié tout court. Elle s'embrouille et se répète. Yasmina lui demande posément où elle veut en venir et ce qu'elle a à se faire pardonner.

– Rien encore, mais ça s'en vient, soupire Éléonore.

Quand elle lui a raconté toute l'histoire, c'est à Yasmina de soupirer. Elle avoue ne pouvoir s'empêcher d'admirer sa grande amie qui a toujours ressenti le besoin de ramasser les chiens perdus.

– Mais là, par contre, Élé, c'est à moi aussi que tu demandes de la ramasser.

– Je sais, Yas, j'aimerais tellement mieux ne pas te demander ça, mais je ne vois pas d'autre solution. Il faut qu'elle se repose, qu'elle coupe avec New York et elle refuse de mettre les pieds à Montréal.

– Même sans me soucier de ce que je vais dire à mes parents pour justifier ça, tu ne penses pas que ça va la faire rocher, d'être en Italie ? Dans l'état où elle est, il ne faudrait pas qu'elle se mette à chercher son père.

– À ce que je sache, son père a disparu de la *map*. Et puis, on va être là, nous, on ne la laissera pas décrocher.

– Là, ma chère, je pense que tu es naïve. Même les spécialistes ont de la misère avec l'anorexie, qu'est-ce qui te fait penser que nous, on va y arriver ? Puis, même si elle te dit ne pas avoir de problèmes de drogue, on ne sait pas si on peut la croire. J'ai bien peur que tu sois déçue.

– Écoute, Yas, tout ce que je veux, là, aujourd'hui, c'est la sortir de New York. Pour le reste, on verra.

Le plan est scellé. Yasmina use de tous ses pouvoirs de persuasion pour convaincre ses parents de la laisser partir en Italie un mois avant eux, et qu'il est tout à fait raisonnable qu'elle y soit accompagnée de ses deux amies. Jamel et Jacqueline Saadi ont l'habitude de faire confiance à leur fille et ils cèdent rapidement. Éléonore annule sans regret l'engagement qu'elle avait pris de travailler comme caissière d'été à la Pâtisserie de Gascogne sur Laurier. Ses parents la laissent partir sans trop poser de questions. Le seul déchirement qu'occasionne cette tentative soudaine d'intervention est le fait qu'Éléonore doive dire adieu à Matthew trois jours plus tôt que prévu et manquer le gros party de départ que ses amis lui organisent. Matthew se montre compréhensif et fait promettre à Éléonore qu'ils vont s'appeler et se voir souvent.

Lorsqu'Allegra débarque à l'aéroport de Nice, Yasmina perd tous les doutes qu'elle conservait par rapport à l'opération sauvetage. C'est une fille brisée qui se tient devant elle. Elle est squelettique et semble prise de tremblements. Yasmina a bien peur d'avoir sous-estimé l'ampleur de la tâche et pense sérieusement qu'Allegra devrait plutôt se trouver à l'hôpital.

Lorsqu'elles arrivent à la maison des Saadi, elles sont accueillies par une Éléonore en pleine forme. Celle-ci babille sans arrêt, ne laissant pas à Allegra le temps de s'apitoyer sur son sort. Comme on est en mai, le cuisinier Giuseppe n'a pas encore repris le service et Éléonore annonce qu'elle et Yasmina vont cuisiner à tour de rôle, tirant avantage des nombreux marchés de la région pour découvrir les spécialités locales. Éléonore aborde le sujet épineux sans ambages.

– Ici, Allegra, c'est un paradis culinaire. J'insiste pour que tu en profites. Je sais que ça va être dur et je ne vais pas te demander d'avaler des assiettes complètes. Mais la règle, ici, c'est que tu goûtes à tout. Une bouchée. On va essayer de t'avoir par les papilles gustatives.

Les cuisinières en herbe étirent la règle du « une bouchée » et cuisinent une variété impressionnante de petits mets à chaque repas. Allegra goûte le *pesto alla genovese*, les gnocchis roulés dans la farine fraîche, les courgettes du marché presque croustillantes, les fromages odorants. Les saveurs si extrêmes la choquent, mais elle persiste à tout essayer, se raccrochant au projet d'Éléonore comme à une planche de salut.

Pendant ce temps, les filles sortent peu. Yasmina dévore *À la recherche du temps perdu* de Marcel Proust près de la piscine, pendant qu'Éléonore tente d'intéresser ses amies à des matchs de tennis ou de water-polo. Allegra fait le point. Elle passe de nombreuses journées dans un demi-silence respecté par les deux autres. Elle essaie de comprendre pourquoi cette insécurité d'enfance s'est transformée en anorexie d'adolescente et en désir destructeur de plaire à l'âge adulte.

Yasmina et Éléonore se font un point d'honneur de ne pas boire de vin et la seule drogue permise dans la maison demeure le tabac. Allegra ne semble pas souffrir de ce sevrage. Lors d'une de ses rares séances de confidences, elle explique à Éléonore que oui, elle prenait de la coke, mais que c'était surtout pour se donner l'énergie de passer à travers ses journées quand elle ne mangeait pas.

Allegra s'est fait peur en aboutissant comme ça à l'hôpital et elle se dit qu'elle a peut-être atteint le proverbial fond du baril qui pousse les gens à changer. Elle se sent en convalescence et envisage d'entreprendre une thérapie, mais ne sait pas si cette paix fragile survivra à son retour à la réalité et à son éloignement d'Éléonore, qu'elle considère toujours comme son pilier.

La question se pose avec acuité seulement quelques jours plus tard. Elles sont en Italie depuis près de trois semaines quand Éléonore reçoit un appel de son père. Le réalisateur Jacques Martel commence le tournage d'un nouveau film à Montréal. Sa première assistante a été victime d'un accident d'auto léger, mais qui l'empêche de remplir ses fonctions pendant au moins six semaines, le temps qu'une double fracture au poignet et au tibia se résolve. Éléonore accepterait-elle de venir le seconder? Élé dit à son père qu'elle va y réfléchir et le rappeler plus tard, puis raccroche pour couper court à son déferlement de questions.

Elle n'ose pas encore en parler à Allegra, mais confie à Yasmina que c'est son rêve de continuer à travailler avec Jacques Martel. Yasmina est ferme.

– Tu y vas, Élé, la question ne se pose même pas.

– Mais Allegra ?

– Je suis là, moi. Ne t'inquiète pas.

– Mais c'est même pas ton amie tant que ça ! Tu en fais déjà beaucoup, je ne peux pas te demander ça.

– Éléonore, tu pars, final bâton. C'est non négociable.

Yasmina est soulagée lorsqu'elle constate que, malgré ses craintes, Allegra n'a pas l'audace d'exiger d'Éléonore qu'elle reste. Néanmoins, elle décide de se faire discrète et laisse les deux filles passer leur dernière soirée en tête-à-tête. Éléonore souhaite donner un dernier grand coup, percer à jour les raisons qui poussent son amie dans la voie de l'autodestruction. Elle aborde la question délicate de l'anorexie. Allegra avoue ne pas avoir eu ses règles depuis au moins six mois, mais minimise la chose en disant que de toute façon, elle n'a jamais été régulière.

– Mais ça ne te fait pas peur, ça ? Ça pourrait te rendre infertile, tu sais ! À vie. C'est pas sûr que ça reviendra.

– Je sais, je sais, je sais. Mais de toute manière, je suis pas sûre de vouloir des enfants.

C'est un concept qu'Éléonore ne peut saisir. Même si sa vie familiale n'a pas été des plus heureuses, elle adore son père et l'atmosphère de grande famille qui a toujours régné chez sa grand-mère Castel. Elle n'ose pas rêver de grand amour, mais elle rêve d'une famille comme celle de sa grand-mère et d'une grande maison pleine d'enfants espiègles.

Dans ses rêves, le rôle du mari est d'une neutralité quasi asexuée, à l'image des poupées Ken de son enfance. Mais les enfants font partie de son avenir et elle ne comprend pas ce qu'elle perçoit comme étant de l'égocentrisme de la part d'Allegra. Éléonore ne saisit pas que la haine d'elle-même qui habite Allegra ne laisse pas de place à un quelconque sentiment maternel. Allegra ne s'aime pas assez pour pouvoir envisager d'aimer les autres, surtout pas un enfant à son image.

Allegra se tait. Éléonore reprend son plaidoyer.

– Allegra, je t'aime, tu le sais, ça ? Ça me met complètement à l'envers de te voir comme ça. Je pense vraiment que le problème c'est ton estime de toi. Tu étais la plus belle fille de Brébeuf, de loin, et tu étais quand même insécure par rapport à ton apparence ! Là, tu es une super mannequin à New York et tu en es encore à te trouver grosse ! Il faut que ça arrête, à un moment donné.

Éléonore soupire et allume une cigarette. Elle sent bien que ce discours met Allegra mal à l'aise, mais elle ne sait plus quoi faire pour la réveiller. Elle a envie de la prendre par les deux épaules et de la secouer. À l'idée que son amie continue de s'amocher comme ça, de s'abîmer jusqu'aux os, elle sent ses yeux se remplir de larmes. Le nez lui pique et un sanglot lui étouffe la voix lorsqu'elle essaie de recommencer à parler.

Allegra se jette dans les bras de sa meilleure amie et elles pleurent toutes les deux en chœur. Voir la peine sincère d'Éléonore bouleverse Allegra plus que tous ses discours. Le lendemain matin, Éléonore part à l'aube, toujours inquiète. Allegra la regarde partir, du haut de son balcon, et sent une déprime noire l'envahir à la pensée qu'elle ne réussit qu'à être une source de déception pour sa meilleure amie.

La dernière semaine de leur séjour semble interminable à Yasmina et Allegra. Les deux filles sont courtoises, mais ne se confient pas. Allegra continue de picorer et semble reprendre des couleurs sous le soleil méditerranéen. Lorsqu'elles se séparent à l'aéroport, Yasmina entoure Allegra de ses bras, la serre très fort, puis lui murmure à l'oreille : « Il n'y a que toi qui doutes de ton potentiel. »

Allegra rentre à New York et y reprend son train-train. Ses camarades remarquent qu'elle semble détachée. On ne la voit plus dans les lancements et les premières. Sa remise en question continue et menace de se transformer en dépression. Elle ne se sent à la hauteur de rien, ni de sa carrière, ni des attentes de ses amies. Elle ne donne plus signe de vie à sa mère. Celle-ci, inquiète, appelle Éléonore, qui ne peut se résoudre à mentir à Nicole quand la santé et la sécurité d'Allegra peuvent être en jeu. Elle lui raconte son intervention estivale et la crainte qu'elle entretient qu'Allegra puisse un jour aller trop loin. Nicole panique complètement et prend le premier vol pour New York.

Elle trouve sa fille amorphe, dépressive. Elle ne veut pas la brusquer et ne sait plus à quoi penser lorsqu'Allegra refuse de manière péremptoire la possibilité d'un retour dans le nid maternel. Désespérée, Nicole appelle sa grande amie Johanne pour se confier. Celle-ci lui parle d'un centre de santé niché dans les Adirondacks, dont l'approche holistique saurait peut-être traiter les problèmes d'Allegra. Nicole se renseigne et est soulagée d'apprendre que le centre compte certes des médecins, mais aussi des psychologues, des thérapeutes, des massothérapeutes, des acuponcteurs, ainsi qu'une nutritionniste qui saura rebâtir les références alimentaires dissipées d'Allegra. Seule ombre au tableau, le coût du séjour est faramineux et Nicole ne peut prévoir combien de temps Allegra devra y rester. Elle se résigne à y faire passer ses économies et prend rendez-vous avec sa banque pour discuter d'une extension hypothécaire. Son cœur de mère ne peut envisager de faire moins que l'impossible pour sa fille.

Après avoir reconduit Allegra aux portes de l'imposant immeuble en pierre, Nicole rend sa voiture de location et prend un taxi vers l'aéroport pour y attraper le vol qui la ramènera à Montréal. Pendant les longues heures d'attente à l'aéroport, elle pense au visage de sa fille lorsque la lourde porte s'est refermée sur elle. Son petit oiseau abîmé, aux ailes cassées. Elle éclate en lourdes larmes et s'abat sur le dossier de l'inconfortable banquette de cuir de la salle d'embarquement. Le sentiment de culpabilité menace de l'étouffer. Où a-t-elle failli? Où a-t-elle échoué, pour que sa petite se ramasse dans cet état-là? Incapable de s'aimer, incapable de ressentir l'instinct de survie le plus élémentaire. Incapable de se nourrir. Ne l'a-t-elle pas assez aimée, assez choyée? L'a-t-elle trop gâtée? Est-ce faute de ne pas lui avoir donné un père, un vrai? Nicole se déchire en questionnements vains. Ses enfants sont le centre de sa vie. Elle n'en ressent que plus durement l'échec cuisant qui l'accable.

Au total, Allegra passe trois mois au centre. Elle en ressort apaisée, et pesant un bon dix livres de plus. La route a été dure mais, guidée par des professionnels qui s'y connaissent, elle a su aller au fond d'elle-même et y affronter ses démons. Elle s'est engagée à continuer une thérapie hebdomadaire et à éviter la consommation de drogue. Sa thérapeute principale, la chaleureuse Nancy, lui a aussi fortement recommandé un retour à Montréal, où elle a davantage de soutien. «Montréal, c'est ton port d'attache.» Allegra trouve l'image jolie et est d'accord pour s'y poser, tout en se réservant la possibilité de séjourner à New York lorsque ce sera nécessaire pour le travail. Elle ne peut toujours pas envisager de gagner sa vie autrement que comme mannequin. Elle n'a pas encore la force et le courage nécessaires pour réorienter complètement sa carrière.

Chapitre douze

Le retour d'Allegra à Montréal se fait sans tambour ni trompette. Nicole est folle de joie lorsqu'elle accueille sa fille à Dorval. Elle planifie déjà un week-end à deux dans un spa du Mont-Tremblant. Allegra fait la moue et explique à sa mère qu'elle sera très occupée. Elle a déjà pris contact avec une agence de mode basée sur le Plateau.

Elle trouve les bureaux de Sass & Jones un peu miteux. Désabusée, elle se permet d'entrée de jeu une remarque assez désobligeante sur le milieu de la mode à Montréal. Elle se fait vertement rabrouer par Julianne, la directrice de l'agence la plus en vue de Montréal.

– T'es cinq ans en retard, Allegra. Montréal, aujourd'hui, c'est *edgy*, c'est urbain. Fais-moi plaisir, en sortant d'ici, descends l'avenue Mont-Royal. Ne t'arrête pas à Saint-Denis. Descends passé Papineau. Après, va faire un petit tour dans le Vieux-Montréal. Va voir les galeries avant-gardistes, va à l'Ex-Centris. La ville est pleine de chantiers. Toi, t'as gardé une image de Montréal en récession. Va jeter un petit coup d'œil, pis si t'as un peu de respect pour ce que tu vois, rappelle-moi. Il se passe des choses excitantes ici et j'ai pas envie de travailler avec quelqu'un qui fait la baboune dans les studios.

Allegra se balade un peu, de mauvaise grâce. Elle n'a pas travaillé dans le milieu toutes ces années pour se faire rabrouer comme une débutante. Elle décide d'aller prendre un verre au bar de l'Ex-Centris. Elle y croise Ricardo, un promoteur un peu gino qui fait la pluie et le beau temps dans les bars du boulevard Saint-Laurent. Ravi de revoir Allegra, il l'invite tout de suite à un party qui a lieu le soir même, dans une galerie d'art du Vieux-Montréal. Il lui dit qu'il a des gens très intéressants à lui présenter. Allegra ricane en se faisant la réflexion qu'elle réussira à satisfaire Julianne malgré elle.

Allegra est au septième ciel ce soir-là. On la traite comme une célébrité en visite. On lui parle de New York, du Mumba, du Lotus et de tous les autres bars en vue de Manhattan, qui ne sont pas accessibles au commun des mortels. Allegra divertit l'assemblée de mille anecdotes cocasses. Elle rayonne, comme toujours lorsque toute l'attention est sur elle.

Elle sent un regard qui se fait plus insistant. Elle feint de ne pas trop en faire cas, ayant mille fois joué ce jeu dont elle ne se tanne jamais. Un homme d'un certain âge, vêtu d'un complet italien d'une élégance sans failles, la regarde de loin. Elle se retourne et éclate d'un rire ostentatoire à la moindre remarque de Ricardo. Un serveur lui apporte une bouteille de champagne dans un seau de glace : «Compliments de monsieur de Vries.» Allegra regarde autour d'elle pour remercier le généreux donateur. Le serveur lui indique la table où était assis son admirateur, qui s'est éclipsé. Allegra hausse les épaules et offre une coupe de champagne à Ricardo.

Dès le lendemain matin, Allegra rappelle Julianne, prête à faire son *mea culpa*. La soirée de la veille lui a plu, l'atmosphère aussi et surtout, elle a aimé se sentir aussi célébrée, loin de Manhattan où elle n'est qu'une des énièmes beautés qui peuplent un bar. La semaine suivante, elle reçoit un appel de l'agence. Allegra est invitée au lancement d'une nouvelle boisson énergisante. On lui offre un cachet de cinq mille dollars pour la soirée. C'est son premier contrat à Montréal et elle se dit que ça s'annonce bien. Elle est contente de voir que sa réputation la précède. Elle se prépare avec soin, enfilant un pantalon de cuir noir moulant, des bottes aux talons vertigineux et une camisole rose pâle qui épouse ses courbes et laisse peu de place à l'imagination. Une limousine noire vient la chercher. À côté de la banquette, elle trouve une bouteille de Veuve Clicquot posée dans un seau de glace et un coffret à bijoux orné en argent. Elle l'ouvre et sourit tristement en voyant un petit sac de plastique rempli de poudre blanche.

Le lancement a lieu dans un entrepôt désaffecté du Vieux-Port, dont l'intérieur a pour l'occasion été transformé en chapiteau de cirque. Des éléphants déambulent parmi l'assistance, des cracheurs de feu s'activent devant la foule blasée, des filles à la beauté sculpturale se pavanent, perchées sur des échasses. Julianne a dit à Allegra de s'adresser à Maria en arrivant. Maria est une petite brune efficace, vêtue d'un casque d'écoute et d'un micro quasi invisible qui donne l'impression qu'elle parle toute seule. Elle conduit Allegra dans une loge bordée de velours rouge, qui surplombe la scène et la laisse observer à son aise les personnages masqués qui évoluent parmi l'assistance.

Encore une fois, Allegra est accueillie par une bouteille de champagne dans un seau de glace. Du Cristal, cette fois. Elle se verse une coupe, puis sort le petit coffret argenté de son sac à main. Elle toise le sac de poudre et se dit que c'est seulement pour ce soir, pour son premier contrat. Elle inspire rapidement la première ligne. L'effet est immédiat. Elle se sent gaie, pleine de confiance et d'énergie. La porte de la loge s'ouvre et un homme distingué entre. Elle reconnaît tout de suite celui qui l'admirait à la galerie d'art la semaine précédente.

– C'est vous ! s'exclame-t-elle.

– Bonsoir, ma chère.

Johan de Vries se présente en lui serrant la main. Sa poigne est ferme et sa main chaude réchauffe celle d'Allegra.

– Écoutez, je ne sais pas à quel jeu vous jouez et je vous remercie pour le champagne, mais je suis ici pour travailler.

– Je l'espère bien.

– Qu'est-ce que c'est supposé vouloir dire ?

– Seulement que je suis content de vous savoir si consciencieuse, répond-il avec un sourire arrogant.

– Si vous voulez bien m'excuser...

Allegra sort son téléphone cellulaire et compose le numéro de son agence. Johan l'interrompt en posant sa main sur son poignet.

– Je vous dois sans doute quelques explications. C'est moi qui vous ai engagée pour la soirée. Je suis ravi d'avoir le plaisir de votre compagnie.

– Monsieur, je ne suis pas à vendre.

Allegra se lève et quitte la pièce. Maria tente de l'intercepter près de la sortie, mais elle saute prestement dans un taxi qui déverse deux belles filles trop maquillées. Allegra est très fière de son coup. Elle connaît trop ces vieux renards pour leur céder si vite. L'intérêt si évident de cet homme puissant l'émoustille et elle demande au chauffeur de taxi de la déposer au coin de Sherbrooke et Saint-Laurent. L'effet de la cocaïne se fait encore sentir et elle compte bien trouver d'autres amis avec qui continuer de faire la fête. Comme elle l'espérait, elle croise Ricardo, qui l'entraîne à une soirée de fous au Di Salvio. Allegra danse toute la nuit.

Le lendemain matin, le *come-down* de la coke l'assomme. Comble de malheur, elle doit se rendre à 10 heures chez sa psychologue. Celle-ci n'hésite pas à lui rappeler ses promesses du centre de santé. Pas de drogue. « Si tu veux que je t'aide, il faut que tu commences par t'aider toi-même. » Allegra promet, mais au cours des semaines qui suivent, elle a plusieurs rechutes. Elle compte de plus en plus sur la cocaïne pour l'aider à surmonter des situations inconfortables, que ce soit lors d'un *casting* ou d'une sortie. Elle croise souvent Johan de Vries et celui-ci a toujours une petite boîte de poudre sur lui.

Allegra fréquente peu Éléonore et Yasmina depuis son retour. Leurs modes de vie sont trop différents pour qu'elles arrivent à se voir souvent. Allegra se lève la plupart du temps à midi, alors qu'Élé et Yasmina finissent déjà leur session de cours du matin à cette heure-là. Le soir, elles étudient et refusent les invitations à des soirées glamour que leur lance Allegra. Yasmina ne se plaint pas de cet éloignement. Les semaines passées en Italie, si elles ont su l'attendrir, n'ont pas complètement changé son opinion sur Allegra, ni sur l'influence néfaste qu'elle la juge avoir sur Éléonore. Cette dernière voit toujours Allegra avec plaisir, mais elle doit admettre que son amie est un peu trop jet-set pour les interminables sessions d'études et de potins qu'elle affectionne. Élé a bien essayé d'inviter Allegra avec sa gang de McGill, un soir, mais ça n'a vraiment pas cliqué. Par contre, elles se parlent souvent au téléphone et soupent ensemble de temps en temps.

C'est d'ailleurs au cours d'un de ces soupers qu'Allegra, venue chercher Éléonore chez elle, croise Claude pour la première fois depuis l'appel qu'elle lui avait fait pour se défiler du tournage de la deuxième saison de *Colocs en ville*, il y a plusieurs années. Claude est gentil et s'informe de ses projets. Allegra lui parle d'un catalogue de grand magasin, d'une publicité de parfum. Claude ne se gêne pas pour lui dire qu'elle gâche son potentiel.

À ce moment, son frère René arrive, mettant fin à la conversation qui s'annonçait houleuse. René ne semble pas remarquer l'air buté d'Allegra et lance un sifflement admiratif en l'examinant de la tête aux pieds. Allegra a profité de l'arrivée du printemps pour étrenner une robe cocktail rouge très moulante, qui met en valeur une poitrine affolante pour un vieux mononcle un peu pervers. Claude le rabroue vertement.

– Voyons donc, René, tiens-toi un peu. Tu viendras certainement pas dans ma maison pour harceler les amies de ma fille.

Claude a tenu la promesse qu'il a faite à sa mère sur son lit de mort et déniché une série de contrats pour René. Le cadet est tour à tour dépisteur de talent, scout de locations de tournage, concepteur de pochettes de disque. René a du talent et surtout de l'imagination, Claude en convient; cependant, il s'éparpille et réussit rarement à mener un projet à terme. Il manque aussi de diplomatie. Il s'est heurté de front à Franz plus d'une fois, modifiant à la dernière minute les détails d'un spectacle ou d'un déplacement lors d'une tournée. Les artistes de Claude font un tabac en Europe, surtout en France, et il est rapidement apparu opportun que Franz profite de ses nombreux séjours professionnels en Europe pour se charger des opérations logistiques. Cette expertise l'a aussi amené à se consacrer aux tournées québécoises. René aime se mêler de tout et a voulu remettre en question les contrats liant Castel Communications à certaines salles de spectacle ou certains hôtels. Franz, pourtant de nature affable, n'a pas toléré cette ingérence et Claude a dû assumer l'indigne rôle d'arbitre entre son jeune frère et son partenaire d'affaires. Il respecte énormément l'instinct de Franz en matière commerciale et a dû souligner à son frère que ses décisions n'ont pas à être remises en question, surtout lorsqu'il s'agit d'infimes détails. René s'est contenté de rouspéter pour la forme puis a vite trouvé un autre cheval de bataille.

Éléonore dévale les escaliers, vêtue d'un jeans et d'une jolie camisole turquoise. Elle embrasse rapidement son père et son oncle, s'exclame devant le look d'Allegra, puis entraîne son amie dehors. Elles profitent de la soirée douce pour marcher jusqu'à la rue Laurier. Éléonore raffole des pizzas de la Pizzaiolle et elles y font honneur avec une bonne bouteille de Valpolicella. Allegra n'ose pas confier à Éléonore ce que son père lui a dit. Elle respecte beaucoup l'opinion du grand homme et a honte d'avouer, même à sa meilleure amie, le peu d'estime qu'il semble avoir pour elle. Elle n'a pas compris qu'au contraire, Claude reconnaît son talent et son charisme à leur juste valeur et que c'est ce qui le rend d'autant plus amer de les voir s'étioler ainsi.

Éléonore a de grandes nouvelles à annoncer et attend le dessert pour raconter à Allegra qu'elle a eu une entrevue en bonne et due forme avec Jacques Martel et que celui-ci... lui a offert un emploi à temps plein à la fin de ses études, au mois d'avril !

Allegra pousse un cri de joie et embrasse son amie, qui flotte sur un nuage en lui racontant la promesse qu'il lui a faite : un stage à l'infini où elle apprendra toutes les facettes de l'industrie. Il s'attend autant à ce qu'Éléonore fasse le café pour tout le monde, qu'à ce qu'elle fournisse des idées originales de lieux de tournage ou d'améliorations au scénario.

Autre bonne nouvelle à partager, Yasmina aussi a obtenu un poste permanent dans une école secondaire de la Rive-Sud.

Aussi heureuse qu'elle puisse l'être pour ses amies, Allegra ne peut s'empêcher de comparer leurs réussites à la sienne. Elle a un portfolio impressionnant, soit ; il y a peu de filles à Montréal qui peuvent se vanter d'avoir fait les pages d'*Allure* et de *Marie-Claire*. Elle gagne bien sa vie, surtout à coups de contrats publicitaires. Mais elle ne peut s'empêcher de penser qu'il doit y avoir plus, que ça ne peut pas être juste ça, sa vie, sa carrière. Où sont la gloire et la célébrité dont elle a si souvent rêvé ? Comme ça lui arrive souvent, Allegra se sent nulle, la réalité ne pouvant se mesurer à ses rêves les plus fous de reconnaissance publique.

Le samedi soir suivant, Allegra trône au centre d'une bande de fêtards qui a envahi le Buena Notte, sur le boulevard Saint-Laurent. Elle aperçoit Nicolas Sansregret, Philippe Dupuis et une gang de gars de Brébeuf qui se faufilent vers le bar. Nicolas l'aperçoit et vient tout de suite la saluer. Allegra se sent mal à l'aise tout à coup. Elle a peur qu'on lui pose des questions. Elle ne sait comment expliquer son parcours ni ce qu'elle fait de retour à Montréal. Elle a peur que sa « maladie » se sache, que les gens connaissent son échec. Le fait d'être revenue de New York la queue entre les jambes lui pèse.

Elle file voir Johan et lui demande une dose. « *This time, baby, it's going to cost you*[8]. » Johan attire Allegra vers lui et essaie de l'embrasser. Elle se dégage vivement, ne souhaitant pas être vue par les gars de Brébeuf, et elle entraîne Johan vers les toilettes pour lui soutirer de la coke.

---

8. Cette fois-ci, bébé, tu vas devoir la payer.

Ils s'entassent dans un cubicule et Johan se remet à l'embrasser. Allegra se dit que ce sera vite fini, puis qu'elle aura ce qu'elle veut. Juste une petite ligne pour se remettre en forme. Johan se fait plus insistant et essaie de déboutonner les jeans d'Allegra. Elle prend sa voix la plus enjôleuse pour essayer d'extirper la coke des poches de Johan. Lorsqu'il insiste, elle voit bien qu'il va falloir qu'elle cède ; elle se fait la réflexion qu'il vaut mieux accélérer la chose.

Elle s'accroupit face à Johan qui, satisfait, s'adosse contre la paroi. Allegra le prend dans sa bouche et use de ses meilleures techniques pour le faire venir au plus vite. Johan pousse un son guttural en éjaculant et Allegra entend des rires gouailleurs près des lavabos. Elle aspire sa ligne à toute vitesse pendant que Johan rattache son pantalon. Lorsqu'elle ouvre la porte du cubicule, elle tombe nez à nez avec Nicolas qui finit de se laver les mains. À ses côtés, Philippe la regarde en ricanant. Johan lui agrippe le poignet d'un air satisfait, la tire vers lui et lui dit clairement, le visage à deux pouces du sien : « Tu vois, ma chère, tout le monde est à vendre. »

La honte brutale qu'elle ressent la pousse à se présenter chez sa mère à la première heure le lendemain matin. Elle n'a pas dormi, ayant passé la nuit dans la haine d'elle-même et l'autoflagellation. Allegra demande à sa mère de la renvoyer au centre de santé des Adirondacks. Pour une fois, Nicole fait preuve de retenue et ne pose pas de questions. Sa fille veut se soigner, c'est l'essentiel. Nicole fait rapidement ses bagages et elles sont sur la route quelques heures plus tard.

Éléonore reçoit ce matin-là un courriel envoyé par Allegra tard dans la nuit. Celle-ci explique qu'elle doit partir un moment, qu'elle n'en peut plus de souffrir et de se haïr autant. Paniquée, Éléonore imagine une lettre de suicide et appelle sans relâche le numéro d'Allegra. En larmes, elle se rend chez son amie le plus rapidement possible et tambourine sur la porte. Elle est surprise lorsque Chiara lui ouvre, l'humeur maussade et engourdie de sommeil.

– Chiara ? Qu'est-ce que tu fais là ?

– Euh, scuse, je suis chez moi. Toi, qu'est-ce que tu fais là ?

– Je cherche ta sœur, c'est vraiment urgent.

– Les nerfs, les nerfs. Ma mère m'a dit qu'elles s'en allaient, ce matin, pis depuis le téléphone a pas arrêté de sonner au point que je l'ai débranché. OK, je retourne me coucher.

– Attends, s'il te plaît, elles ont pas dit où elles allaient ?

Chiara pousse un soupir gros comme le monde.

– Ma mère a dit qu'elle laissait un mot. Il doit être dans la cuisine. Va voir si tu y tiens, moi je retourne me coucher, je suis sur le décalage.

Le mot de Nicole explique en termes doux à sa fille, rentrée d'Espagne tard dans la nuit, qu'elle fera l'aller-retour jusqu'à la clinique des Adirondacks pour y déposer Allegra. Sans plus d'information. Éléonore se résigne à ne pas obtenir plus de détails et est soulagée de savoir qu'au moins, Allegra est en vie.

Éléonore est très occupée, dans les semaines qui suivent. Ses examens et sa graduation à venir la préoccupent mais surtout, elle se lance à corps perdu dans la recherche d'un appartement. Elle recevra en avril le pécule laissé par sa grand-mère pour acheter son premier appartement et elle compte bien ne pas demeurer plus longtemps que nécessaire chez ses parents. Elle passe tous ses temps libres en compagnie d'une agente immobilière, qui s'impatiente vite devant le caractère pointilleux de la jeune fille. Ses parents s'intéressent peu à sa démarche, son père se contentant de dire qu'il peut donner des garanties hypothécaires si nécessaire, et sa mère affirmant d'un ton indifférent qu'après tout, le choix de sa fille ne la regarde pas. Éléonore est trop habituée à leurs manières distantes pour en ressentir de l'amertume. Elle se contente de poursuivre sa quête, reconnaissante plus que jamais de la pensée que sa grand-mère a eue pour elle.

Outremont est hors de prix, mais Éléonore tient à rester proche de ses repères sur les rues Bernard et Laurier, et près du mont Royal où elle a pris l'habitude d'aller courir plusieurs fois par semaine. Elle jette son dévolu sur le Mile-End, un quartier en pleine éclosion où les commerces babas cool côtoient les bouis-bouis ethniques et autres Café Olimpico. Elle a finalement le coup de foudre lorsqu'elle visite un haut de duplex ensoleillé sur Waverly. Le plancher de bois grince, l'escalier en colimaçon sera assassin en hiver, mais la cuisine est neuve et le beau balcon arrière semble perché dans les arbres.

Éléonore sait se construire un chez-soi qui lui ressemble, sobre et serein. L'appartement regorge de plantes et de musique. Elle a accroché dans le hall d'entrée une jolie photo de sa grand-mère Castel lorsqu'elle était jeune fille. Une jeune Mathilde fait tourner la jupe d'une robe évasée, le sourire aux lèvres. Le soleil de fin d'après-midi brille derrière elle. Elle a raconté à sa petite-fille que cette photo avait été prise avant la soirée dansante où son Georges l'a demandée en mariage. Tout le bonheur d'aller vers son amoureux était inscrit sur le visage souriant de Mathilde. Éléonore souhaite que sa grand-mère lui lègue ce sourire et cette capacité pour le bonheur en même temps que le don qui a rendu l'achat de cet appartement possible.

Elle adore recevoir ses amis à souper. Pas trop cuisinière, elle se contente la plupart du temps de réchauffer une sauce du Latina, mais ouvre généreusement de bonnes bouteilles de vin. Son café au Bailey's devient vite légendaire. Yasmina quant à elle a choisi de demeurer encore un an chez ses parents, ne pouvant se résoudre à aller en colocation et n'ayant pas les moyens d'acheter avec son maigre salaire de professeur.

Les deux amies se lancent avec enthousiasme dans leur nouvelle vie professionnelle. Éléonore s'épanouit sur les plateaux de tournage et travaille avec une intensité qui impressionne ses collègues. Yasmina est plus partagée. Elle est passionnée de littérature et adore transmettre son amour pour cette matière à ses élèves, mais elle vit très mal le rôle de dispensatrice de discipline qui vient avec le poste de professeur au secondaire. Elle déteste rabrouer les élèves en retard ou interpeller ceux qui discutent dans le fond de la classe. Elle est réticente à faire quoi que ce soit qui pourrait humilier ses élèves. Les jeunes de treize ou quatorze ans sentent bien cette faille, qu'ils exploitent sans vergogne. Résultat, l'atmosphère dans la classe se transforme peu à peu en foire. Yasmina rentre souvent à la maison en larmes après un affrontement particulièrement cinglant avec un de ses élèves plus dégourdi. Ses parents ont beaucoup de difficulté à voir leur fille ainsi. Le climat de confrontation qui règne dans la classe éteint peu à peu leur fille, auparavant toujours si gaie et enthousiaste.

Pendant ce temps, leur fils va de succès en succès. Après un MBA obtenu avec distinction à Columbia, Malik se voit offrir un poste prestigieux au sein de l'entreprise de fonds spéculatifs new-yorkaise où il avait travaillé comme étudiant quelques années auparavant. Le salaire de base est médiocre, mais les bonis sont faramineux et même

Jamel Saadi avale de travers lorsque son fils lui dévoile le nombre de zéros sur son relevé de compte annuel. Malik se lance dans son travail, dans les voyages d'affaires, dans la vie sociale à New York et dans les Hamptons. On le voit peu à Montréal. Par contre, ses parents lui rendent souvent visite à New York, ville qu'ils affectionnent tous les deux.

Éléonore est étonnée et ravie lorsqu'elle entend la voix d'Allegra, telle une revenante, au bout du fil un samedi matin.

– Ma fille! T'es revenue! Comment t'as trouvé mon numéro?

– C'est ta mère qui me l'a donné. Scuse si j'ai pas écrit pendant que j'étais partie, mais ma thérapeute voulait que je fasse le vide autour de moi.

– C'est pas grave, c'est pas grave, là, t'es là! Qu'est-ce que tu fais ce matin?

– J'attendais que tu me poses la question.

– La Croissanterie, dans quinze minutes?

– Oui, madame.

Éléonore marche d'un pas vif dans le matin hivernal, toute à sa joie de retrouver son amie. Attablée devant deux bols de café au lait fumants, elles se racontent.

– T'as l'air tellement en forme, ma fille! s'exclame Éléonore. Je t'ai jamais vue si belle.

– Exagère pas.

– Je te jure! T'as vraiment un teint santé.

– Tu veux dire grosse.

– Ben non, veux-tu arrêter avec ça!

– Je te niaise. Je le sais, ce que tu veux dire.

Au cours des derniers mois, Allegra a vécu une réelle transformation. Ce n'était certes pas la première fois qu'elle se retrouvait en milieu hospitalier ou thérapeutique, mais c'était la première fois qu'elle avait une réelle volonté de guérir. Du plus profond de son être, elle avait la conviction de ne pas pouvoir continuer sur cette pente glissante, qui ne pouvait la mener que vers une mort précoce ou une vie de misère et de souffrances. Allegra s'est donc découvert une humilité nouvelle, une vraie capacité à se regarder en face et à reconnaître dans son âme meurtrie la source de ses faiblesses comme de ses forces.

Pendant longtemps, Allegra s'est glorifiée de son apparence physique hors du commun, tout en n'ayant aucunement confiance en elle dans les autres sphères de sa vie. Ces longs mois de thérapie, de convalescence, lui ont appris à se rebâtir, morceau par morceau. La route devant elle est encore longue mais, au moins, elle sait qu'elle avance dans la bonne direction. Prochaine étape, renouer avec ses amis, ses vrais amis, ceux qui lui font du bien. Elle raconte à Éléonore qu'il lui faut éviter, pendant au moins un an, les histoires amoureuses qui chamboulent et peuvent aisément faire perdre les pédales.

Éléonore éclate de rire à cet énoncé.
– Ça, ma vieille, je te rassure tout de suite, t'auras pas de misère. C'est la disette à Montréal. Même Yasmina, qui est prête à voir une histoire d'amour partout, elle est célibataire depuis des siècles. Je te jure, toutes les filles en parlent, il n'y a pas de gars ! Pas de gars intéressants, en tout cas.

Éléonore se raconte à son tour. Elle parle de son travail, de la passion qui l'anime pour le cinéma, des heures de fou sur les plateaux de tournage. Ses joues sont rouges d'enthousiasme et ses yeux brillent. Allegra, plus sage, sait savourer le bonheur de sa grande amie sans le lui envier. Elle confie qu'elle restera encore un moment chez sa mère.

Elle se sent toujours trop fragile pour voler de ses propres ailes. Sa thérapie lui a permis d'apprivoiser quelque peu la sollicitude de Nicole, qu'elle tente maintenant de voir comme une preuve d'amour.

– Je suis pas une sainte, quand même. Je te dis pas qu'elle va pas m'énerver, mais je vais essayer de faire la part des choses et de pas péter une coche à chaque fois.

Côté carrière, c'est le doute, le seul gros doute qui subsiste chez Allegra. Elle a peur de se relancer dans le milieu de la mode, mais ne se sent qualifiée pour rien d'autre.

– Tu me l'avais dit, Élé, que j'aurais dû finir mon cégep. Tu me l'avais donc dit...

– Écoute, si tu te sens comme ça, rien t'empêche de le finir, ton cégep.

– Tu penses? Ça serait pas trop honteux?

– Écoute, je te dis pas d'aller à Brébeuf avec les jeunes de dix-sept ans, mais il y a plein de cégeps qui donnent des cours pour adultes, des cours du soir. T'as quand même juste vingt-trois ans, t'en as pas trente-huit!

– Peut-être...

– Qu'est-ce que tu voudrais étudier?

– Je sais pas, Élé, je sais pas ce qui m'intéresse.

– Qu'est-ce que t'as fait dans ta vie qui t'a le plus fait tripper? N'importe quoi, pense à n'importe quoi.

– Euh... Ça fait niaiseux, mais c'était probablement notre pièce de théâtre de secondaire 5. J'ai vraiment aimé ça. Faire partie d'une équipe.

– Bon! Ben, tu pourrais aller en théâtre!

– Je sais pas. J'ai comme plus envie d'être sous les feux de la rampe, tu vois ce que je veux dire?

Avec sa vie plus calme, Allegra s'intègre sans peine au cercle d'amis d'Éléonore, un mélange hétéroclite de gens de Brébeuf, de McGill et du monde du cinéma. Yasmina côtoie peu ses collègues à l'extérieur du travail et préfère se fier à sa grande amie et à son cercle social à elle. De nature plus grégaire, Éléonore a toujours attiré les gens, et cela ne change pas à l'âge adulte, maintenant qu'elle peut recevoir et organiser des événements de toutes sortes.

En octobre, elle réunit des amis qui louent un chalet dans les Cantons de l'Est afin de profiter des couleurs. Le joyeux groupe part à l'assaut du mont Sutton et profite d'un paysage panoramique à couper le souffle. Dès que la neige tombe, elle rassemble de nouveau des groupes d'amis pour louer des chalets de ski, à Mont-Tremblant ou à Jay Peak. Les plus sportifs dévalent les pistes, les autres font de la raquette en forêt ou profitent d'une pause lecture auprès du feu de bois.

Au centre de tous ces événements, Éléonore rayonne, rassembleuse née qui aime profiter de la vie et transmet cette passion contagieuse. Elle est toujours célibataire, mais cela l'inquiète peu. Plus tard, dans des années-lumière, elle voudra fonder une famille avec un homme bien, mais toutes les tergiversations amoureuses que vivent périodiquement ses amies lui semblent étrangères. Elle a tenté l'expérience de l'amour physique à quelques reprises, avec des amants de passage, mais aucun de ces essais ne l'a amenée à souhaiter la présence d'un homme dans sa vie de manière régulière, en tout cas pas jusqu'au jour où elle sera prête à se caser.

Yasmina, par contre, cherche l'amour dans tous les regards et va de déception en déception. Il y a le *bad boy* supposément réformé, qui joue au chat et à la souris pendant des mois, lui promettant la lune et se défilant avec des excuses de plus en plus ténues ; l'artiste torturé, qui ne cherche qu'un pansement à ses tourments ; le banquier jet-set, qui veut une pitoune à son bras et qui se tanne vite des opinions tranchées de sa blonde féministe.

Allegra semble en voie de tenir toutes ses bonnes résolutions. Elle s'inscrit au cégep de Bois-de-Boulogne en sciences humaines, à défaut de savoir en quoi. Elle se dit qu'une telle formation générale lui sera toujours utile. Elle évite les situations ambiguës avec les gars et agit avec tous sous le signe de la franche camaraderie. À sa grande surprise, elle a plus de succès maintenant que du temps où elle jouait à l'ingénue. À l'époque, elle rendait les hommes fous; aujourd'hui, sa grande beauté jointe à une attitude sympathique et ouverte font d'elle la fille que tous les gars rêvent de marier.

Allegra se rend vite compte qu'elle a besoin d'être financièrement indépendante de sa mère. Elle a quelques prêts étudiants, soit, mais elle veut aussi avoir les moyens de participer aux week-ends qu'organise Éléonore et de contribuer aux soupers de groupe autrement que par sa présence. Après de longues discussions avec sa thérapeute, elle décide donc de reprendre quelques contrats de mannequin à temps partiel. Elle change d'agence, optant pour une petite agence spécialisée dans des produits plus « familiaux », tels que les magasins à aubaines, les produits nettoyants et les aliments pour animaux domestiques. Un environnement où l'on n'exigera jamais d'elle une maigreur de magazine et où avoir l'air de Madame Tout-le-monde est un plus. Des contrats simples, où Allegra est traitée en travailleuse comme les autres et non en superstar. Cela fonctionne plutôt bien, ses années d'expérience en séances photos faisant d'elle une professionnelle recherchée.

Ironiquement, sa petite agence lui déniche même un contrat lucratif et régulier à New York, pour les catalogues saisonniers d'une chaîne de magasins d'escompte. Quand elle y va, Allegra loge dans un *bed & breakfast* de Brooklyn tenu par une Irlandaise maternelle et se tient loin de ses anciens repaires. Elle n'informe surtout jamais Karen de sa venue. Le tout se fait dans la simplicité, sans drames ou rechutes, et la thérapeute d'Allegra la félicite chaudement d'avoir réussi à approcher ce monde empli de risques sans y déraper.

Un dimanche matin frileux de novembre, Éléonore, Yasmina et Allegra bravent la file interminable qui s'étire devant chez Beauty's, avenue Mont-Royal. Cliente assidue avec son père quand elle était petite, Éléonore jure à ses amies frigorifiées que l'attente en vaut la peine. Enfin attablées devant trois tasses de café fumant, les filles font honneur à l'omelette mish-mash, aux crêpes aux bleuets et aux bagels et saumon fumé. La conversation est endiablée. Elles débattent fiévreusement d'un point d'importance capitale : où et comment célébrer «le plus gros party à vie», le 31 décembre 1999.

Yasmina souhaite danser jusqu'à en perdre l'équilibre et prône de se rendre dans un immense entrepôt du bas de la ville, reconverti pour la soirée en salle futuriste avec musique techno à l'appui. Éléonore veut surtout s'entourer de tous ses grands amis et aimerait accepter l'invitation de Charlotte Bonsecours, qui profite de l'absence de ses parents pour faire un énorme party dans la maison familiale avec bar et piscine intérieure. Allegra se déclare en faveur du party chez Charlotte, puisqu'elle craint toujours les rechutes et les tentations en tous genres qui pourraient se présenter à elle dans une soirée comme celle où voudrait aller danser Yasmina. Yasmina soupire, se résigne à aller à ce qu'elle traite de «party de maison plate» où, en plus, elle décrète archi-nulles les chances de rencontrer un gars intéressant. Éléonore et Allegra haussent les épaules, n'ayant ni l'une ni l'autre à cœur cette préoccupation particulière.

— Vous êtes plates, les filles, répète Yasmina.
— Il y a personne qui te force à venir.
— Ben oui, je vais aller *raver* toute seule, encore. Coudon! Ma job est plate, pis là même mes partys vont être plates.
— Veux-tu bien m'arrêter ça? En passant, continue Allegra, oubliez pas de retirer de l'argent d'avance, hein, pour le taxi? À partir de minuit, il paraît qu'il y a plus rien qui va marcher. Vous devriez voir ma grand-mère, on croirait que la fin du monde arrive, je pense qu'elle a des provisions pour l'année dans sa cave!
— J'ai vraiment hâte de voir ça, répond Éléonore. Ça ajoute de l'excitation, vous trouvez pas?
— C'est vraiment *super* excitant, dit Yasmina d'un ton railleur.

La fameuse soirée se déroule mieux que prévu. Yasmina se fait cruiser par Olivier Pelchat, un beau et jeune avocat du bureau de Charlotte. Le monde ne s'écroule pas à minuit et les horloges continuent de tourner. C'est vers deux heures du matin que la situation s'envenime. Charlotte surprend Olivier et Yasmina en train de s'embrasser dans une chambre d'amis. Elle prend tout de suite Yasmina à part pour lui demander si elle est au courant qu'Olivier a une blonde. Yasmina se retient de gifler le goujat et se contente de lui asséner un «Quel gros cave, vraiment!» bien senti.

Quelques instants plus tard, alors que les fêtards giguent allègrement et hurlent à tue-tête les paroles de *La Bitt à Tibi*, la mère de Charlotte débarque en plein party, le visage ravagé par les larmes. Une âme charitable a le réflexe de baisser tout de suite le volume de la musique. Quelques échauffés continuent d'entonner, dans le silence général : «En Abitibi! Dans mon pays! Coooooooooolonisé!» Charlotte les fait vite taire et entraîne sa mère dans sa chambre. Cela met fin de manière abrupte au party et chacun rentre chez soi, déçu.

Éléonore et Yasmina terminent la soirée chez Élé, parlant des gars qui sont tous les mêmes et faisant des suppositions sur l'origine du drame chez les Bonsecours. Allegra les a mises au courant de la relation qu'entretient le maire avec Johanne Lachance et elles en sont toutes les deux scandalisées.

– Pis c'est pas mieux que l'autre épais, là. Dire que j'ai perdu ma soirée à *frencher* un pareil imbécile. Des fois, je te jure…

Allegra se traîne de peine et de misère au brunch du jour de l'An chez ses grands-parents. En chemin, elle glisse un mot à Nicole du drame de la veille et celle-ci s'empresse d'appeler Johanne, les yeux brillants, pour lui relayer cette information d'une très grande valeur. Allegra écoute sa mère pépier au téléphone et est contente de constater qu'on n'est jamais trop vieille pour potiner avec sa meilleure amie.

Tout semble rentrer dans l'ordre dans les semaines qui suivent. Charlotte, orgueilleuse de nature, tient à spécifier qu'il ne s'agissait que d'un malentendu. On la laisse dire et on passe vite à autre chose. Quant à Yasmina, elle se fait un plaisir d'appeler Olivier Pelchat pour lui dire sa façon de penser. Sans l'influence désinhibitrice de l'alcool, celui-ci a honte de son comportement et s'en excuse. Cela n'empêche pas Éléonore de conclure que les hommes sont bien faibles devant la tentation de la chair fraîche.

Alors que les mois passent, Allegra recommence à rêver d'amour. Au printemps 2000, un an après sa sortie du centre des Adirondacks, vient finalement le grand jour où sa thérapeute et elle décrètent de concert qu'elle est officiellement prête à recommencer à fréquenter des gars, voire à construire quelque chose de sérieux. La thérapeute la prévient que ce chemin peut être miné et recommande de continuer leurs sessions régulières, mais elle esquisse un fier sourire en soulignant les progrès d'Allegra au cours de la dernière année. En sortant de la clinique pour marcher sur l'avenue Mont-Royal, Allegra se sent pleine d'une confiance en l'avenir qui ne lui est pas familière et elle est convaincue que son prince charmant l'attend quelque part. Elle met beaucoup d'énergie dans cette quête que Yasmina partage, mais qu'Éléonore ne comprend pas.

Yasmina peine à boucler sa deuxième année d'enseignement. Son manque de motivation est flagrant et sa mère l'assoit, un matin de février, devant un délicieux petit déjeuner de croissants et d'œufs sur le plat afin de lui parler sérieusement.

– Il est temps de regarder la réalité en face, Yasmina.

– Quoi ? Quelle réalité ?

– Penses-tu vraiment que l'enseignement est fait pour toi ?

– Ben, je sais pas. C'est pas si pire. J'aime vraiment ça, enseigner le français.

– Mais il y a quelque chose qui cloche, voyons. Ça fait presque deux ans que ton père et moi, on te voit traîner ta misère dans la maison.

– C'est pas juste mon travail, confie Yasmina en buvant son café. Être célibataire aussi, je commence à trouver ça plate. Pis, sans vouloir t'insulter, habiter chez mes parents je pense que ça a fait son temps.

– Bon, OK. Un problème à la fois. Les garçons.

– Maman, à mon âge, tu peux dire les hommes.

– Moui. Les hommes alors.

– Ben, il n'y en a pas !

– Comment, il n'y en a pas ? Dans Montréal au grand complet ?

– En tout cas, je n'en rencontre pas.

– Pour ça, il va falloir que tu sortes de ton milieu, que tu voyages, que tu élargisses tes horizons.

– Toi, t'as une idée en tête ! fait Yasmina d'un air taquin. Elle connaît trop sa mère pour ne pas savoir qu'une idée précise se trouve à la source de toute cette conversation.

– Yasmina, pour être franche, je ne te trouve pas heureuse. Je trouve que tu devrais songer à faire des changements, de gros changements.

Cette conversation, avec l'une des femmes qui la connaît le mieux au monde, laisse Yasmina songeuse. Surtout lorsqu'elle en parle avec l'autre femme qui la connaît le mieux au monde, son amie Éléonore. Elles prennent un verre sur Mont-Royal, avant d'aller au cinéma voir la dernière comédie romantique américaine. Éléonore demande une bouteille d'un excellent Rioja qu'elle affectionne particulièrement, et attaque de front le sujet.

– C'est un peu vrai, Yas.

– Un peu vrai, quoi ?

– T'avances pas vraiment, ici. T'aimes pas ta job, tu te cherches un chum, mais t'en n'as pas, t'habites encore chez tes parents... Il me semble que t'as besoin de changement.

Secouée, Yasmina prend quelques semaines pour réfléchir à ces opinions concordantes. Elle n'a jamais été impulsive dans ses décisions et celle-ci ne fait pas exception. Elle pèse le pour et le contre soigneusement et analyse sérieusement ses sentiments par rapport à chaque facette de sa vie. De cette remise en question ressort ce constat :

elle adore la littérature, elle aime l'enseigner, mais elle ne se trouve pas à sa place dans le milieu du secondaire. La solution : poursuivre ses études, décrocher un autre emploi en lien avec la littérature, voire même continuer jusqu'au doctorat et pouvoir enseigner de nouveau, mais au niveau collégial ou universitaire cette fois. Cette conclusion lui semble si sensée, si évidente, qu'elle peine à croire qu'elle a pris autant de temps pour y parvenir.

Quant à son besoin de se secouer, de changer son quotidien, de délaisser ses habitudes calcifiées, Yasmina attaque ce problème de la manière la plus directe : en décidant de changer d'air.

C'est ainsi qu'après avoir fait tout ce processus intérieur en silence, puis des semaines de démarches en catimini, elle annonce un beau matin à ses parents et à ses amis qu'elle s'est inscrite en maîtrise de littérature à la Sorbonne, à Paris, et qu'elle y a été acceptée. Elle commence en septembre prochain.

Éléonore est tout de même sonnée d'apprendre que sa meilleure amie va la quitter, mais elle ne peut qu'être heureuse du virage que prend la vie de Yasmina. Celle-ci rayonne désormais et elle termine son année scolaire dans la bonne humeur. Monsieur et madame Saadi se réjouissent de la décision de leur fille, ayant tous les deux de la famille à Paris, qu'ils visitent plusieurs fois par an. C'est donc une Yasmina apaisée qui profite d'un été de farniente en Italie, avant de rentrer à Montréal préparer son grand déménagement.

Chapitre treize

– *I will surviiive!*

Yasmina éclate de rire. Éléonore termine son numéro en se jetant sur le lit, le corps secoué par le fou rire.

– Tu as manqué ta vocation ! Je te verrais bien en star de cabaret, taquine Yasmina. Éléonore enroule un boa de plumes turquoise autour de son cou et prend une pose dramatique. « *Of course, darling* », roucoule-t-elle d'une voix faussement rauque.

– *Come on*, mets *Dancing Queen!*

Éléonore se précipite sur le lecteur de CD et appuie sur un bouton. L'air enlevant d'ABBA envahit la pièce. Les deux filles dansent à en perdre le souffle et font des sauts de biche à travers la pièce en hurlant de rire. Une bouteille de champagne déjà vide traîne sur la commode de la chambre d'Éléonore. Ce soir, c'est le party de départ de Yasmina. Une dernière bonne vieille soirée avec ses meilleurs amis, à parler, à trop boire, à trop fumer et à danser. Toute la gang se rejoindra au Tokyo, sur Saint-Laurent. En attendant, Yasmina et Éléonore se préparent ensemble et se remémorent mille anecdotes.

– Mais oui, voyons, tu te souviens pas de la fois, au Gogo, j'étais tellement paquetée, je me suis mise debout sur la table pour danser, la table a reviré à l'envers et tous nos *drinks* se sont retrouvés par terre ? demande Éléonore.

– Ma fille! T'es complètement folle! C'est à moi que c'est arrivé, ça! Voyons! T'sais, c'était après mon party de fin de session et on avait bu trop de *shooters*?

– T'es sûre? Il me semble que je me souviens d'être tombée. Le *bouncer* était venu me demander d'aller prendre l'air.

– Non! C'est moi qui étais allée prendre l'air! Tu te souviens pas, Matthew était sorti avec moi.

Elles rient de bon cœur des vieilles histoires si souvent répétées qu'elles leur appartiennent à toutes les deux.

Tous leurs amis se joignent à elles ce soir-là, sauf Allegra qui est à New York pour le catalogue hivernal de son magasin d'escompte. Yasmina admet en son for intérieur qu'elle en est soulagée. Pour une occasion si spéciale, elle n'avait pas envie de voir Élé se faire accaparer par les drames permanents d'Allegra. Même si Allegra s'est beaucoup assagie avec les années, elle demeure une fille à la vie émotive chargée. Yasmina ne peut s'empêcher de trouver qu'Allegra bouffe toute l'énergie d'Éléonore.

Pas étonnant qu'Élé n'ait jamais de chum, se dit-elle souvent, *elle passe son temps à vivre par procuration les histoires d'Allegra. À l'écouter déballer ses pensées jusqu'à tard dans la nuit. Pas un gars ne tolérerait ça!* Ce soir, Yasmina a sa grande amie tout à elle et elle compte bien en profiter, malgré la tristesse qui l'assaille par moments lorsqu'elle pense à son départ.

Éléonore se précipite sur le téléphone qui sonne.

– Allo? *Hey!!! How are you? ... What? You're here? In Montreal*[9]?

À l'excitation d'Élé, à sa voix enjouée et chaleureuse, Yasmina devine tout de suite que c'est Matthew qui

---

9. Heille!!! Ça va? ... Quoi? T'es ici? À Montréal?

appelle. Éléonore raccroche pleine de joie, après lui avoir donné rendez-vous au bar.

– Matthew est là! Il y a un congrès à Montréal sur les sources d'énergie renouvelables ou je sais pas quoi. C'est son collègue qui devait venir représenter le ministère de l'Environnement de la Colombie-Britannique, mais il est tombé malade à la dernière minute. Matthew a juste eu le temps de faire sa valise et de sauter dans l'avion. Trop malade! Il buzzait d'attraper ton party.

Les deux filles prennent un taxi vers le boulevard Saint-Laurent, débordant d'énervement. C'est une super soirée qui s'annonce. Il y a une file impressionnante devant le Tokyo. Pas question pour elles d'attendre. Elles embrassent le *bouncer* sur les deux joues et montent immédiatement à l'étage. Éléonore se charge de commander deux vodkas tonic pendant que Yasmina fait un tour de repérage, pour voir qui est là. Elles sont les premières arrivées et montent sur la terrasse siroter leur verre. Leur gaieté contagieuse attire immédiatement l'attention de deux hommes accoudés au bar.

– Salut les filles, dit l'un d'eux d'une voix nasillarde.

Elles éclatent de rire de nouveau et lui tournent le dos. Il n'insiste pas.

– Matthew! Hey! Ici! s'écrie Éléonore en courant à sa rencontre.

Matthew ouvre grand les bras et la serre contre lui. Elle se fond tout entière dans son étreinte et se laisse envelopper par l'odeur familière. Matthew sent le grand air, le soleil, le bien-être. Yasmina l'accueille chaleureusement. Les trois amis bavardent à qui mieux mieux. Éléonore veut connaître dans les moindres détails la vie de Matthew en Colombie-Britannique.

Après s'être fait tordre le bras, il finit par leur avouer en rougissant que oui, il a rencontré quelqu'un… mais que ce n'est pas sérieux, s'empresse-t-il d'ajouter en regardant Éléonore dans les yeux. Celle-ci ressent un pincement minime, qu'elle chasse immédiatement en niaisant copieusement son ami au sujet de sa vie amoureuse. Yasmina hausse les épaules avec un sourire en coin, se demandant quand est-ce que ces deux-là vont finir par arrêter de se tourner autour et se rendre à l'évidence : ils sont faits l'un pour l'autre.

Soudain, Éléonore se fige en plein milieu d'une phrase. Elle regarde fixement un point situé au-dessus de la tête de Yasmina. Celle-ci tente de se retourner et étouffe un cri lorsque des mains se posent sur ses yeux.
– Devine qui c'est ! dit une voix à son oreille.
– Malik !
Elle se retourne vers son frère aîné, rayonnante.
– Qu'est-ce que tu fais là ?
– Ben voyons, le départ de ma petite sœur, j'allais pas manquer ça ! Maman m'a promis de garder la surprise. Je pensais t'attraper à la maison, mais tu étais déjà partie. Salut, Éléonore, dit-il en lui faisant la bise. Il serre la main de Matthew et s'assoit.

Le cœur d'Éléonore bat furieusement dans sa poitrine. Ce n'est pas possible comme il lui fait de l'effet. Elle déteste se l'avouer mais depuis qu'elle est toute petite, Malik Saadi suscite en elle de vives émotions. Toute jeune, il jouait à l'agacer, à la faire rougir ; adolescente, elle a appris à lui répondre et ils aimaient bien croiser le fer, sous le regard ulcéré de Yasmina ; jeune adulte, elle le rencontrait parfois, toujours accompagné d'une belle fille et d'un sourire dévastateur ; le voilà homme maintenant, viril, sûr de lui, dégageant une assurance qui fait fondre Éléonore.

Elle en perd ses moyens. Tout à coup, la jeune fille vive et divertissante s'éteint, laissant place à une potiche. Elle ne sait plus quoi dire. Elle n'a plus l'âge de jouer à la brave, de bluffer en envoyant promener Malik. Sous le regard attentif de Matthew, elle ne réussit pas à discuter normalement. Elle se lève et s'empresse d'aller commander une tournée au bar.

Le reste de la gang arrive et dilue l'atmosphère, au grand soulagement d'Éléonore. Les vodkas tonic lui montent à la tête et elle se défoule avec ses amies sur la piste de danse. Elle se rend aux toilettes, les cheveux mouillés de sueur et les joues rouges de gaieté. À son retour, Malik l'intercepte et lui offre un verre. Assis tous les deux sur une banquette, ils parlent d'abord de Yasmina, de ses projets, de sa vie à venir à Paris. En tête-à-tête, sous l'influence de l'alcool qui l'engourdit, Éléonore se détend. Elle redevient elle-même et discute allégrement avec Malik. Son ventre se serre d'énervement.

Ça «clique» vraiment entre eux. Ils parlent de tout, se font rire. Éléonore se sent au sommet de sa forme. Ils se taquinent en se remémorant de vieilles histoires d'enfants. Le regard de Malik se fait de plus en plus pénétrant. À plusieurs reprises, Yasmina vient se joindre à eux, mais s'éclipse rapidement, prétextant qu'elle doit absolument danser sur telle ou telle toune, sentant bizarrement qu'elle est de trop.

Au tour de Matthew de s'approcher de la banquette. Il dit à Éléonore qu'il doit y aller, son congrès commence de bonne heure le lendemain matin. Il l'invite à aller manger une bonne vieille poutine, comme dans le temps. Éléonore baisse la tête et marmonne qu'elle est désolée, qu'elle doit rester, que Yasmina part demain. Matthew regarde les yeux brillants d'Éléonore et comprend assez vite de quoi il retourne. Il s'esquive, l'air las. Malik sourit.

Éléonore sort des toilettes, où elle a été retenue par une amie trop saoule qui tenait à pleurer avec elle le départ de Yasmina. Elle approche de la banquette, mais Malik n'y est plus. Elle le cherche des yeux, se disant qu'il est peut-être allé commander un verre au bar. Elle l'aperçoit en effet, qui paie le barman. Et qui tend une bière à la grande blonde perchée sur le tabouret à côté de lui. Le cœur d'Éléonore se serre. Tout de suite, elle se détourne et s'empresse d'aller rejoindre Yasmina sur la piste de danse, refusant par orgueil que Malik la surprenne en train de l'épier. Elle fait semblant de danser et au rythme de ses gestes mécaniques, elle se répète qu'elle est une belle imbécile, qu'une conversation dans le fond d'un bar n'allait pas changer les choses, qu'elle est complètement cruche si elle a imaginé quoi que ce soit d'autre. Yasmina saute de joie en entendant les Rita Mitsouko entamer la chanson de leur jeunesse, mais Éléonore peine à la suivre. L'entrain n'y est plus.

Malik est encore en grande conversation près du bar. Yasmina se fait inviter à un party dans un *after-hour* et supplie Élé de l'accompagner. Celle-ci n'en a pas la force et lui dit rapidement au revoir. Elles se reverront le lendemain, puisque Éléonore accompagnera Yasmina à l'aéroport avec ses parents.

Pressée de s'échapper, Éléonore dévale les escaliers du Tokyo et se retrouve parmi la foule bigarrée du boulevard Saint-Laurent. Il pleut à boire debout. Elle tient sa veste au-dessus de sa tête et se faufile parmi les flaques d'eau. Le trafic est complètement bloqué et les rares taxis sont tous occupés. Elle se dirige vers l'avenue des Pins. Toujours rien. Les fêtards de fin de soirée incommodent Éléonore, elle se sent aux antipodes de leur humeur joyeuse. Elle repart vers la rue Sherbrooke, puis commence à marcher vers l'avenue du Parc, se résignant à devoir prendre un autobus de nuit.

Un taxi s'arrête près d'elle, déchargeant deux gars qui titubent. Éléonore n'en croit pas ses yeux et s'empresse de monter. Elle ferme la portière et attend que le chauffeur ait fini de parler à la centrale pour lui demander de remonter Parc vers le Mile-End. Le chauffeur acquiesce lorsque des coups forts résonnent contre la vitre. La porte s'ouvre et un Malik mouillé jusqu'aux os entre dans le taxi.

– Malik ?

Il la regarde, se penche vers elle et l'embrasse sans dire un mot. Le taxi démarre. Quelques minutes plus tard, le chauffeur, gêné, se racle la gorge avant de demander où aller. Éléonore s'entend lui répondre automatiquement « À droite sur Saint-Viateur, puis c'est la deuxième porte à gauche sur Waverly. » Elle ne sent que la bouche de Malik, que son souffle sur son visage. Elle remarque à peine l'arrêt du taxi, le billet de vingt dollars que Malik jette au chauffeur, l'escalier, la clé dans la serrure. Ils entrent dans le salon.

De se retrouver chez elle réveille un peu Éléonore. Elle recule d'un pas, regarde Malik et lui demande ce qui se passe entre eux.

– Si tu savais depuis combien de temps je rêve de ce moment, répond-il. Tu me rends fou.

Il s'approche et encadre son visage de ses mains fortes. Éléonore fond, gagnée par l'affolement de ses sens. Elle oublie toute hésitation. À nouveau il l'embrasse. Ils se regardent, se respirent. De sa bouche, elle touche ses joues, ses lèvres, son nez, son cou. Elle le renifle lentement. Elle le guide vers sa chambre. Ils tombent entrelacés sur l'édredon blanc. Les mains de Malik se glissent sous la camisole d'Éléonore. Elle frissonne à son toucher. Son corps entier répond avec une vigueur dont elle ne se croyait pas capable. Quant à lui, il prend son temps, savoure le moment et la réaction d'Élé. Il la touche, la caresse, l'effleure du bout des doigts. Il explore son corps avec patience.

Éléonore ressent un désir si fort qu'il lui fait presque mal. Malik embrasse sa cheville, son mollet, sa cuisse. Sa bouche a la légèreté d'un papillon lorsqu'il la pose sur elle. Elle aussi le touche, découvre les splendeurs de son corps masculin, pouce par pouce. Elle caresse la peau si douce du membre dur qui se tend vers elle. Elle se sent prise par une délicieuse frénésie et n'en peut plus d'attendre. Malik étire son supplice. Il la touche partout et semble la posséder tout entière de ses mains, de sa bouche. Éléonore se sent chavirer au bord du précipice. Lorsqu'enfin il la pénètre, une vague de plaisir la submerge jusqu'aux orteils. Malik lui chuchote des mots doux à l'oreille. Éléonore ne dit rien, on n'entend que sa respiration haletante. Ils bougent tous les deux de concert, les yeux fauves de Malik plantés dans le regard clair d'Éléonore.

Le soleil éclatant d'un beau matin de septembre réveille Éléonore. Sa première pensée est qu'elle a oublié de baisser ses stores de bois. Puis, elle sent la main de Malik qui la cherche, lui caresse l'épaule et elle s'abandonne de nouveau au plaisir. Cette fois, leur étreinte est rapide, forte de tous les mots qu'ils n'osent pas se dire. Éléonore s'étire comme une chatte.

— Je dois me sauver, Élé. Je suis à Montréal juste pour une journée, j'aimerais ça rentrer à la maison avant que mes parents se lèvent.

Elle acquiesce et fait mine de se lever. Il lui ordonne de rester au lit en pensant à lui et promet de l'appeler. Éléonore l'embrasse, puis retombe sur son édredon, tout heureuse de somnoler en rêvassant. Elle se remémore avec joie chaque minute de la soirée d'hier. Ce qu'ils se sont dit, les regards qu'ils se sont échangés. Et leur nuit… Jamais elle n'aurait pu imaginer ça. Ni ses essais solitaires ni sa maigre expérience de la gent masculine ne l'avaient préparée à ça. À cette explosion, à cette perte de contrôle. Elle s'étire langoureusement et revit dans sa tête chaque instant de leurs ébats. Elle est si détendue qu'elle s'endort de nouveau.

Le téléphone sonne, tirant brusquement Éléonore d'un profond sommeil. Elle tend la main vers l'appareil, le sourire aux lèvres. Serait-ce déjà lui?
— Allo, dit-elle d'une voix caressante.
— Éléonore! aboie son père. Tu sors pas de chez toi, tu réponds pas au téléphone, tu *flushes* ton cellulaire aux toilettes, pis t'allumes pas la télé, c'tu clair?

Claude raccroche.

— Allo? Allo?

Chapitre quatorze

Éléonore compose pour la énième fois le numéro de téléphone de ses parents. Leurs cellulaires respectifs restent résolument fermés. Rapidement, au lieu de la voix chaleureuse de Claude qui invite à laisser un message, Éléonore entend une voix robotisée annoncer que la boîte vocale du destinataire est pleine. Le cellulaire d'Éléonore se met à sonner. Échaudée par l'appel de son père, elle n'ose pas répondre aux numéros qu'elle ne connaît pas. Devant l'avalanche d'appels, elle se résout, elle aussi, à fermer son cellulaire. Aux prises avec une inquiétude grandissante, elle décide de se rendre chez ses parents.

Une erreur stratégique monumentale. Elle monte la rue Pagnuelo, puis tourne sur Maplewood pour apercevoir une meute de caméras qui se précipite sur sa Honda Civic. Complètement paniquée, la première pensée d'Éléonore est que quelque chose de terrible doit être arrivé à ses parents. Sans réfléchir, le cœur battant, elle baisse la fenêtre de sa voiture pour demander ce qui se passe. Gilles Cossette, le journaliste vedette de l'émission *Stars de chez nous*, produite par une boîte rivale de Castel Communications, se fait un plaisir de lui dévoiler les détails de l'affaire, tout en enregistrant sa réaction sur caméra.

Franz Hess, le fameux investisseur de Claude, son grand partenaire d'affaires, a utilisé sa compagnie de disques comme véhicule de blanchiment d'argent. Du gros argent. On parle de réseau international de prostitution, de proxénétisme, de fraude. Éléonore demeure sonnée, son expression béate capturée pour la postérité sur des dizaines d'appareils photo et de caméras de télé. Les questions fusent de partout.

– Mademoiselle Castel, saviez-vous que votre père était acoquiné avec le crime organisé ?
– Éléonore ! Éléonore ! Combien d'années en dedans tu penses qu'il mérite, ton père ?

Enfin, elle se reprend, remonte sa vitre et doit klaxonner sans relâche pour qu'enfin on consente à la laisser avancer. Quelques journalistes plus entreprenants la suivent à la course tandis qu'elle s'éloigne vers la montagne. Se sauver, elle ne pense qu'à se sauver. Elle gare sa voiture au lac des Castors et part en courant vers le sommet, son remède de toujours dans les moments où elle se sent submergée d'émotions. Elle évite le chalet, trop fréquenté par les touristes et les curieux. Une fois arrivée à la croix, elle s'écroule, bien à l'abri des regards indiscrets dans un petit boisé. Les mots de Gilles Cossette rejouent en boucle dans sa tête. Elle ne peut que se répéter que ce n'est pas possible. Ça ne peut pas être possible. Rien de tout cela ne lui semble logique. Son père, coupable de blanchiment d'argent ? De proxénétisme ? Arrêté ? C'est avec ce mot que la réalité du drame la frappe de plein fouet. Son père, en prison ? En prison, maintenant ?

Elle doit absolument le voir. Elle ne peut imaginer quelle situation, quel drame a pu le mener là, mais ce qui est sûr, c'est qu'il faut qu'elle l'en sorte. Par tous les moyens possible. Éléonore prend une grande inspiration et élabore un plan. Elle retourne à toute allure vers sa voiture, puis conduit au hasard, vers un quartier qu'elle ne connaît pas et où on la connaît encore moins. Elle prend Décarie, puis la métropolitaine et sort au boulevard Saint-Charles. Elle s'arrête dans un Dunkin Donuts anonyme, demande un café, puis se dirige vers le téléphone public munie de tout son petit change. Elle appelle tous les numéros auxquels elle peut penser : le bureau de son père, celui de sa compagnie de disques, celui de sa compagnie de production. C'est occupé partout. Prise de désespoir, elle appelle la seule personne qui puisse peut-être l'aider : son patron, Jacques Martel.

Celui-ci fait preuve d'une grande empathie et ne questionne pas Éléonore sur les raisons de son appel. Pendant qu'elle faisait la grasse matinée, les lignes ouvertes s'échauffaient déjà et tout le Québec est au courant du plus grand scandale médiatique de la décennie. Jacques Martel se montre très utile : il a eu à boucler un contrat avec Claude récemment, il est donc en mesure de donner à Éléonore le nom et le numéro de téléphone de l'avocat attitré de son père, maître Jérôme Paquin. Au bureau de maître Paquin, une secrétaire pleine de compassion lui passe tout de suite son patron. Enfin, Éléonore aura de vraies réponses. Où est son père, que lui arrive-t-il, que s'est-il vraiment passé.

– Mademoiselle Castel ?

– Moi-même.

– Où êtes-vous ?

– Euh, dans un Dunkin Donuts sur le boulevard Saint-Charles, à Beaconsfield.

– Fallait y penser, répond l'avocat, pince-sans-rire. Attendez-moi, j'arrive.

– Attendez ! Mon père est où ? Je veux le voir !

– J'ai bien peur que cela ne soit pas possible aujourd'hui.

– Et ma mère ?

– J'arrive. Je vous en parle.

Éléonore ronge son frein, commandant un autre café noir et un beigne sucré qu'elle ne fera que toiser avec dégoût. Maître Paquin, très élégant dans son complet gris perle, arrive enfin et reconnaît tout de suite la fille de son célèbre client. Il lui serre la main d'une poigne franche.

– Mademoiselle Castel.

– Bonjour.

– J'aurais bien entendu souhaité vous rencontrer dans des circonstances plus heureuses. Permettez-moi d'aller tout de suite au vif du sujet. Votre père a été arrêté tôt ce matin. Pour le moment, il est détenu au centre opérationnel sud de la police de Montréal. Un de mes collègues au criminel est avec lui pendant son interrogatoire.

– Et quand est-ce qu'il va sortir?

– Ça, c'est plus compliqué. Les enquêteurs doivent le faire comparaître devant un juge en moins de vingt-quatre heures, mais comme on est samedi, il y aura sûrement une comparution par vidéo demain matin. Par contre, je préfère vous prévenir, selon mon collègue, maître Vincelli, il serait très étonnant que votre père soit libéré avant l'enquête sur cautionnement. On peut s'attendre à ce qu'il passe quelques semaines à Rivière-des-Prairies.

– Mais c'est effrayant, ça! Voyons donc! On peut pas le sortir de là?

– Hélas, non. Pas avant l'enquête sur cautionnement. C'est là qu'un juge décidera de sa remise en liberté provisoire.

– Pis ça prend des semaines, cette affaire-là? On peut pas laisser mon père en prison tout ce temps-là, faut qu'on fasse quelque chose!

– Je suis vraiment désolé, mademoiselle. Au moins, étant donné que l'affaire s'annonce très médiatisée, il y a des chances que ça se passe un petit peu plus vite.

Il y a encore une question qu'Éléonore n'ose poser.

– Mais mon père, il… Est-ce qu'il… ?

Charitable, maître Paquin ne la laisse pas finir.

– Écoutez, je n'ai pas encore parlé à votre père, mais c'est moi qui l'ai conseillé de près pour toutes ses transactions avec Franz Hess et je peux vous dire que j'ai vraiment été abasourdi en apprenant la nouvelle. Votre père, c'est un homme d'honneur.

Éléonore se tait, peinant à démêler ses pensées.

– De manière plus immédiate, reprend maître Paquin, ça veut dire que tous ses comptes personnels et certains de sa compagnie sont gelés pour les fins de l'enquête. Je ne sais pas si vous vivez indépendamment de votre père, mademoiselle, mais je vous conseille d'organiser vos affaires en conséquence.

Éléonore esquisse un triste sourire. Elle est indépendante financièrement de son père depuis belle lurette et l'argent est le dernier de ses soucis. Une inquiétude fait surface, plus immédiate :

– Et ma mère ?

– C'est délicat… J'aurais préféré qu'elle vous l'apprenne elle-même…

– Allez-y, maître, au point où on en est. Crachez le morceau.

– Votre mère s'est, disons, défilée du regard de la presse. Elle se terre chez un ami.

– Un ami ? Qui ?

– Euh, encore une fois, c'est délicat, mais il s'agit du joueur des Canadiens, Mike Delaney.

– Le joueur de hockey ? Voyons donc, je savais même pas que ma mère le connaissait !

Devant l'air gêné de maître Paquin, la lumière se fait dans la tête d'Éléonore.

– Ah, bon. Oui. Passons.

Elle le regarde sans gêne, de ses grands yeux clairs.

– Voilà, mademoiselle, c'est tout ce que j'avais à vous dire. Avez-vous des proches chez qui vous pourriez aller ? Je vous recommande de ne pas rentrer chez vous ce soir.

Éléonore acquiesce distraitement, puis remercie l'avocat. Maître Paquin lui serre la main et repart, inquiet de la laisser seule avec de si gros problèmes sur les épaules. Il ne peut s'empêcher d'être impressionné par le calme avec lequel elle a réagi à la nouvelle. Il se serait attendu à des larmes, des récriminations. Il admire la force de la jeune femme, ainsi que le calme tranquille qui l'anime. Il ne sait pas qu'Éléonore a toujours préféré s'écrouler en privé.

Ce qu'il lui tarde de faire maintenant, mais où ? Elle ne peut pas rentrer chez elle. Yasmina part cet après-midi. Yasmina ! Cette pensée la ramène à la réalité. Elle regarde sa montre. Trois heures et quart. Yasmina devra partir sous peu pour l'aéroport et s'attend à ce qu'Éléonore l'accompagne. Elle retourne vers la cabine téléphonique qui trône dans le stationnement du Dunkin Donuts et appelle sa meilleure amie.

La conversation est brève. Yasmina, folle d'angoisse, tente de ne pas l'assommer avec ses inquiétudes. Éléonore lui souhaite bon voyage et Yasmina rejette du revers de la main son *mea culpa* de manquer ce départ si important. Elle est désolée de ne rien pouvoir faire pour son amie et de l'abandonner à un moment si crucial. Avant de raccrocher, Éléonore ose ajouter un petit mot.

– Yas… Peux-tu dire à ton frère que ça m'a fait plaisir de le revoir ?

Puis, elle salue sa grande amie et raccroche.

La voilà seule. Plus que jamais, l'absence de sa grand-mère Mathilde se fait sentir. Elle ne peut imaginer un endroit au monde où elle aimerait plus aller se réfugier. Mais la vieille dame n'est plus là, avec ses potages fleurant bon les herbes du jardin et sa grande maison si accueillante. Éléonore rêve de se recréer un jour une telle oasis. Un jour. Mais pour le moment, il faut aller au plus pressant : où demander asile ? Sa mère n'a pas donné signe de vie ; elle abhorre l'idée de contacter ses oncles et tantes ; Allegra est en *shooting* à New York ; aucun autre ami n'est assez proche pour recevoir ses larmes et sa peine. Sauf… L'inspiration la saisit.

Elle compose à toute vitesse le numéro du Reine Elizabeth, puis demande la chambre de Matthew Linden. La standardiste lui dit qu'il est absent, mais lui demande de s'identifier, car un message très important a été laissé. Lorsqu'Éléonore dit son nom, la dame lui répond tout de suite qu'une clé pour la chambre 1248 l'attend à la réception. Matthew ! Éléonore l'embrasserait, en fait elle a bien l'intention de le faire dès qu'elle le verra.

Elle stationne sa voiture dans une rue du Mile-End, puis prend l'autobus vers le centre-ville. En marchant sur le boulevard René-Lévesque, elle savoure l'anonymat que lui procure la foule. Elle ramasse la clé, puis monte rapidement à la chambre. Pleine d'énervement, elle veut écouter la télé, mais change vite d'idée lorsqu'elle voit que toutes les chaînes principales ne parlent que de l'arrestation de son père. Elle éteint tout de suite et se résigne à prendre d'assaut le minibar, pour faire passer le temps jusqu'au retour de Matthew. Chips, arachides, Heineken, tout y passe dans une fringale libératrice.

Vers cinq heures, Matthew entre dans la chambre. Son regard s'éclaire immédiatement.

– Elly ! Tu es là !

Éléonore ne peut qu'acquiescer et fondre dans l'étreinte réconfortante de Matthew. Celui-ci lui caresse les cheveux sans mot dire, se contentant de murmurer des « *There, there*[10]... » apaisants. Lorsqu'elle se dégage, Matthew observe sa mine tirée et ses yeux rougis. Il lui caresse doucement la joue. C'est à ce moment qu'Éléonore éclate de rire. Interloqué, Matthew ne dit rien. Elle rit jusqu'à l'essoufflement, puis s'affaisse sur le lit, vidée.

– Ouf ! Ça fait du bien.
– Ça va ?
– Oui, oui. En fait, non. C'est juste que tout à coup, ça m'est apparu tellement ridicule comme situation... Moi qui me cache dans ta chambre d'hôtel en mangeant des pinottes... Mon père en prison...

À ces mots, Éléonore passe tout aussi facilement des rires aux pleurs. Recroquevillée en boule sur le lit, la douleur la traverse. Matthew s'allonge près d'elle et pose doucement sa main sur le dos d'Éléonore, qu'il masse avec des gestes lents. Encore une fois, elle s'apaise, tranquillement. Elle se couche à côté de lui et ils regardent le plafond en silence.

– Me semble que je mangerais bien un *club sandwich*, dit Éléonore.

C'est au tour de Matthew d'éclater de rire. La tension brisée, ils commandent leurs plats auprès du service aux chambres et vident minutieusement le minibar de son contenu d'alcool. Ils louent un film américain idiot sur une

---

10. Là, là...

chaîne payante et rient comme des défoncés jusqu'à tard dans la nuit. Le lendemain étant un dimanche, ils répètent ce beau programme, sans culpabilité. Après un gros déjeuner américain, ils se vautrent devant la télé et se repaissent de films légers. Vers midi, tel que convenu, Éléonore appelle maître Paquin sur son téléphone cellulaire. Celui-ci lui confirme ce qu'il lui a prédit la veille : Claude est gardé en détention et envoyé à Rivière-des-Prairies. Éléonore répète à l'avocat qu'elle souhaite voir son père le plus rapidement possible. Maître Paquin promet de la contacter dès qu'une audience pourra être arrangée.

En après-midi, Matthew mentionne à Éléonore que son vol part dans quelques heures, mais qu'il a l'intention de le reporter. Éléonore s'insurge et refuse que son ami reste uniquement pour être son *baby-sitter*. Elle le renvoie à coups de pied vers la porte, non sans que Matthew ait insisté pour payer la chambre une nuit de plus afin qu'Éléonore n'ait pas à rentrer chez elle ce soir-là. Peu de temps après le départ de son ami, elle s'endort d'un lourd sommeil dont elle n'émergera que le lendemain matin.

Comme c'est lundi, Éléonore décide de se rendre au bureau. Elle ne voit pas ce qu'elle pourrait bien faire d'autre de son temps. Elle a surtout besoin d'arrêter de penser. Malheureusement, son lieu de travail est connu et assailli par les journalistes. Avec Claude en prison et Charlie terrée chez son amant, Éléonore se retrouve seule face au déferlement médiatique. À sa sortie de la voiture, les demandes d'entrevues pleuvent. Elle demeure de glace, jusqu'à ce qu'un journaliste mentionne le nom de Félix Lacroix.

– Mademoiselle Castel, que pensez-vous des déclarations de Félix Lacroix ?

Le nom du chanteur la fait hésiter. Le journaliste saute sur ce moment de faiblesse pour la mitrailler de questions.

– Pouvez-vous confirmer qu'il a été l'amant de votre mère ? Quelle crédibilité accordez-vous aux renseignements confidentiels qu'il détient sur les projets d'affaires de votre père ? Avez-vous des commentaires sur ses révélations exclusives par rapport au mariage ouvert de vos parents ?

Éléonore se retient de ne pas le tasser physiquement de son chemin et entre en trombe dans son bureau. Une fois le premier café avalé, elle saute sur le téléphone et compose le numéro de maître Paquin. Celui-ci lui explique que Félix Lacroix vient de donner une entrevue-choc, dans un effort désespéré de relancer sa carrière et de se retrouver dans le feu de l'action. Son nom est sur toutes les lèvres. Impossible de poursuivre, explique maître Paquin, anticipant la prochaine question d'Éléonore. Claude et Charlie sont des personnages publics et le magazine a fait bien attention d'énoncer des suppositions et non des faits. Éléonore raccroche, abattue.

Le coup final est porté plus tard cet après-midi-là, lorsque l'oncle René accorde une entrevue bien payée à Gilles Cossette, qu'on titre « Dans l'intimité des Castel. » Éléonore frémit de rage en voyant le visage faussement apitoyé de son oncle débitant des salades inventées de toutes pièces. Elle se sent trahie et effroyablement seule.

Devant cette avalanche de mauvaises nouvelles, elle décide d'affronter le pire, une fois pour toutes. Elle demande à Julie, la réceptionniste, de lui apporter les journaux.

– Êtes-vous sûre ?
– Julie, les journaux.

Éléonore les lit tous. Elle gardera la une de ces journaux imprimée à l'encre indélébile dans son cœur pour le reste de ses jours. Les journalistes déversent leur fiel. Claude Castel s'est pensé plus *smatte* que les autres, il a eu trop de succès, gagné trop d'argent. Le milieu médiatique fait des gorges chaudes de sa débandade. À coups d'insinuations grossières, on détruit tous ses grands succès, leur attribuant après coup une influence scabreuse. On ne se gêne pas pour coiffer Claude des cornes du cocu, ridiculisant du même coup sa faillite professionnelle et sa faillite familiale. La relation de Charlie et de Mike, un secret bien gardé jusque là dans quelques milieux sélects, a été chuchotée aux oreilles de journalistes sans scrupules et éventée dans les heures qui ont suivi l'arrestation de Claude. Charlie est la risée de plus d'une caricature, avec son célèbre amant de douze ans son cadet.

Alors pour Éléonore commence un véritable état de siège. Les journalistes l'attendent à la sortie du travail. Certains, nullement découragés par sa froideur, la suivent jusque chez elle. Elle baisse ses stores et s'assomme en écoutant Bob Marley à tue-tête. Elle ne répond pas au téléphone et ne consulte pas ses courriels. Ce n'est que dans l'isolement total qu'elle réussit à peu près à encaisser ce qui lui arrive.

Par moments, la folle nuit qu'elle a passée avec Malik lui revient en tête et elle savoure ces souvenirs idylliques l'espace de quelques instants ; mais toujours, la réalité de sa situation familiale la rattrape et l'angoisse qui l'habite face à l'avenir de son père reprend ses droits. Malik étant à New York, il n'apparaît pas pour le moment au chapitre des priorités. Il est plutôt l'évasion qu'Éléonore n'ose se promettre, lorsque tout cela sera fini. Elle n'a jamais eu confiance en l'amour, mais ce qui lui est arrivé avec Malik l'a bouleversée à un point tel qu'elle ne peut déjà plus imaginer son avenir sans lui. Le fait que Malik soit le premier, le seul à avoir eu la clé de son cœur et de son corps lui donne la conviction intime qu'il est le seul homme pour elle.

Le mardi matin, soit quatre jours après l'arrestation de Claude, Éléonore n'arrive pas à se concentrer sur son travail. Elle décide de prendre son courage à deux mains et de contacter sa mère. Elle juge franchement ridicule que sa mère ne l'ait pas appelée la première; après tout, Charlie sait où Éléonore vit et travaille, alors que sa fille n'a aucune idée de la façon de la joindre. Maître Paquin se dit incapable de l'aider, mais lui suggère de communiquer avec le bureau des relations publiques du Canadien de Montréal.

On transfère Éléonore à une relationniste, qui est immédiatement sur la défensive.
– Les numéros de téléphone privés de nos joueurs sont hautement confidentiels.
– Je ne veux pas parler à vos joueurs, j'ai besoin de joindre ma mère.
– Je comprends que vous soyez dans une situation délicate, mademoiselle, mais c'est un règlement très strict. Je suis désolée de ne pas pouvoir vous aider.

Sentant la réticence de la relationniste à être mêlée à toute cette histoire, Éléonore perd les pédales.
– Fait que finalement, l'image de votre sacro-saint club compte plus que le gros bon sens, c'est ça?

– Mademoiselle, je ne peux malheureusement pas vous aider. Les numéros privés de nos joueurs sont confidentiels.

– Je veux même pas son numéro, OK? Mais pouvez-vous au moins appeler chez lui et dire à ma mère que sa fille veut lui parler.

– Je vais voir ce que je peux faire.

Seulement dix minutes plus tard, le téléphone sonne. La réceptionniste indique à Éléonore que c'est sa mère. Éléonore prend l'appel, échaudée.

– Allo.

– Veux-tu bien me dire ce qui t'a pris, d'appeler le bureau des Canadiens comme ça? Ciboire, Éléonore, c'est le bureau du directeur général qui m'a appelée. T'as vraiment conscience de rien. Mike est déjà assez dans le trouble pour qu'on vienne le mêler encore plus à nos histoires.

– Ah, Mike est dans le trouble? Pis moi, je suis pas dans le trouble, peut-être? Pis papa, il est pas dans le trouble?

– Viens pas mêler ton père à tout ça.

– Tout ça, c'est mêlé à papa, voyons donc, Charlie, réveille!

– Écoute, Éléonore, t'es une grande fille, pis moi aussi. On fait chacune ce qu'il faut pour sortir de cette crise-là, pis quand ça se sera calmé on se reparlera. OK?

– Maman! Attends. Peux-tu au moins me donner ton numéro de téléphone?

– Ouin. Je sais pas, Éléonore, c'est compliqué, OK?

– J'en reviens pas, j'en reviens juste pas. Pis moi, je me débrouille, c'est ça?

– Bon, OK. Mais appelle-moi juste s'il y a une urgence, pis essaie d'appeler quand tu sais qu'il y a un match, pour pas attraper Mike.

Sans plus de façons, Charlie raccroche.

Éléonore se sent noyée dans un brouillard dont elle ne voit plus la fin. Elle tourne machinalement les pages d'un dossier posé devant elle. Julie, la jeune réceptionniste, lui fait de nouveau signe qu'elle a un appel, cette fois-ci de l'avocat de son père. Maître Paquin apprend à Éléonore qu'elle pourra voir son père cet après-midi, à 16 heures. Dix minutes d'entretien lui seront accordées. Éléonore a tellement hâte de le voir, de lui parler de tout ce qui se passe, de lui demander quoi faire. En même temps, elle ne peut s'empêcher d'avoir quelques appréhensions. Elle a des visions de films américains et de prisonniers en combinaison orange derrière des barreaux.

La réalité s'avère autrement plus prosaïque. Claude est amené dans un bureau miteux, assis à une vieille table sous un éclairage aux néons. Il semble abattu, à peine content de voir sa fille. Elle se rend vite compte que tout ça lui est tombé sur la tête comme une tonne de briques et qu'il n'est pas encore réellement à même de saisir ce qui lui arrive. Elle s'aperçoit surtout que, dans l'état fragile où il est, elle ne peut pas se permettre de l'assommer davantage en lui parlant des difficultés de sa vie en dehors, de l'acharnement des journalistes, du silence de Charlie, de la solitude étouffante qui l'accable. Pour la première fois, les rôles sont inversés. C'est à elle de rassurer son père, d'être forte. À elle de le convaincre que tout va bien aller, qu'ils vont le sortir de là. Que tout ça n'est pas de sa faute, qu'il n'a rien à se reprocher, que sa fille l'aime et l'admire toujours et encore. Elle ressort du centre de détention vannée.

Le lendemain midi, la réceptionniste l'appelle pour lui annoncer qu'elle a de la visite.

— Je ne veux voir personne, Julie, c'est clair, il me semble ?

– C'est que… je suis pas mal sûre que c'est votre amie, celle qui jouait dans *Colocs en ville*. C'était mon personnage préféré quand j'étais au secondaire.

Éléonore se jette dans les bras d'Allegra. Celle-ci est en pleine forme, rayonnante dans un jeans ajusté et un délicat chemisier crème qui rehausse le teint de sa peau. De retour d'une semaine à New York, Allegra n'a entendu parler du scandale qui frappe la famille Castel qu'à son arrivée à Montréal, sa mère n'ayant pas voulu la faire paniquer inutilement. Aussitôt au courant de la nouvelle, elle s'est précipitée chez Éléonore, puis à son bureau.

– Tu es sûre que tu es assez bien pour être au travail, ma chouette?

– Écoute, je vire folle chez moi. Je suis séquestrée. Et je refuse de lâcher ma vie à cause de tous ces parasites-là. Ça leur ferait bien trop plaisir. Je vois déjà les grands titres: « La fille Castel craque sous la pression. »

Allegra voit bien que son amie se sent traquée comme une bête. Elle met à profit sa science du déguisement et de la transformation pour imaginer un stratagème qui permettra au moins à Éléonore de passer une soirée en toute liberté. Vers 15 heures, Éléonore sort du bureau par la porte avant, mais vêtue de vêtements sombres et conservateurs et d'un hidjab qui lui couvre les cheveux. Elle marche à petits pas soumis et aucun caméraman ne regarde dans sa direction. Elle prend l'autobus jusque chez Allegra, dans l'anonymat total. Elle dormira là ce soir, puis répétera son stratagème jusqu'à ce qu'il soit éventé.

Nicole accueille Éléonore avec beaucoup de gentillesse. Elle leur prépare un plat réconfortant de bœuf bourguignon puis laisse les deux jeunes femmes manger ensemble, devinant qu'Éléonore a besoin de se confier. En effet, elle a un trop-plein d'émotions à déverser et elle se retrouve vite dans les bras d'Allegra en train de pleurer. Cette dernière la console du mieux qu'elle peut.

Puis, au dessert, Allegra annonce à Éléonore qu'elle a aussi quelque chose à lui confier. Éléonore essuie ses larmes, contente que son amie lui procure une distraction, peu importe laquelle. Allegra prend une grande inspiration et lui annonce, d'un air pénétré, que ça y est.

– Ça y est quoi?

– Ça y est, j'ai trouvé l'amour de ma vie!

Éléonore sourit avec indulgence.

– Je te jure, Élé, tu ris, mais cette fois c'est pour de bon. Je ne me suis jamais sentie comme ça, jamais.

– Parlant de ça, rappelle-moi de te raconter quelque chose moi aussi.

– Ah oui, quoi?

– Non, non, toi en premier.

– Et puis, tu devineras jamais c'est qui.

– Hmm… Brad Pitt?

– Mais non!

– OK, sérieusement. Le gars du party de l'autre fois, chez Charlotte? Comment il s'appelait donc?

– T'es dans les patates! On parle pas d'un petit épais dans un party, là. On parle du grand amour.

– Je donne ma langue au chat.

– Penses-y. C'est comme si c'était mon âme sœur. Je trippe sur lui depuis tellement longtemps. Pis, c'était ma *date* de bal! C'est tellement romantique qu'on se retrouve comme ça.

Éléonore sent un couteau lui transpercer le cœur.

– Ta *date* de bal, tu parles de quel bal, là ?

– Mon bal de secondaire 5, voyons ! Malik ! Tu ne trouves pas qu'on a toujours fait un super beau couple ?

– Mais je comprends pas…

– Tu sais qu'il vit à New York ? Je ne l'avais jamais croisé, jusqu'à la semaine dernière. Le destin ! C'était à l'ouverture d'un bar vraiment hallucinant, avec des fontaines d'eau et un bouddha géant, j'étais invitée par mon client et Malik était là aussi ! Trop beau, si tu savais. On s'est parlé, puis il m'a invitée à aller souper au resto deux jours après.

– Et alors, qu'est-ce qui s'est passé ? demande Éléonore, se sentant bizarrement détachée du déroulement de l'histoire.

– On est sortis souper, ça a vraiment cliqué, puis je suis allée prendre un verre chez lui.

– Et vous avez couché ensemble, prédit Éléonore d'un ton monotone.

– Mais non, qu'est-ce que tu penses ! Un gars comme lui, faut le faire attendre ! Mais bon, disons qu'il y a quand même d'autres manières de faire plaisir à un homme. En tout cas, le lendemain il était occupé, puis il est parti pour Montréal, pour faire une surprise à sa sœur à son party de départ. L'as-tu vu, d'ailleurs ? Est-ce qu'il a parlé de moi ?

– Euh, pas vraiment.

– Là, j'attends de ses nouvelles. Impatiemment. Et toi, t'avais pas quelque chose à me dire aussi ?

– Ah ? Euh, je ne m'en souviens plus. Ça ne devait pas être important.

– Élé, si tu savais comme je suis en amour. J'ai jamais rencontré un homme pareil.

Éléonore accuse le choc en silence. Allegra ne s'aperçoit de rien, mettant l'air maussade de sa copine sur le compte de ses problèmes familiaux. Elle est tout de même étonnée lorsqu'Éléonore déclare devoir rentrer. En marmonnant une excuse peu crédible au sujet du chat de son voisin qu'elle a oublié de nourrir, Éléonore s'esquive, faisant fi de son déguisement. La rue devant son appartement est vide, les journalistes ayant bien compris qu'elle leur avait filé sous le nez. Maître Paquin avait bien fait de lui conseiller la patience, lui promettant qu'au Québec, les journalistes se tannent vite et sont rarement campés devant une résidence privée plus de quelques jours.

Éléonore entre chez elle et s'affaisse sur le divan blanc du salon. Elle sent un profond trou noir au creux de son estomac. Sa vision s'embrouille et elle pleure à chaudes larmes. Elle n'arrive plus à démêler ses pensées, à y distinguer la douleur, la déception amoureuse, le coup d'orgueil, la disparition de sa mère, la faillite de son père. Elle sanglote sans relâche, la tête enfoncée dans un coussin brodé. Elle se sent si seule qu'elle murmure « Maman ». Elle se sent tout de suite ridicule, mais malgré sa disparition, Charlie demeure sa mère.

« Papa… » Son père qui s'écroule, c'est son roc qui cède. L'ordre de son monde qui chancelle. Claude est l'aune à laquelle Éléonore mesure chacun de ses succès, chacun de ses échecs. Le baromètre de sa vie. Claude qui tonne, qui sacre, qui rit fort et qui saisit la vie à pleines mains. Toujours plein de projets, d'une énergie foudroyante, empli de vie, de sève, de lumière. Son papa. Son papa qu'elle ne verra plus, son papa qui vivra, humilié et meurtri, enfermé comme un chien au milieu de criminels ! Éléonore éclate de plus belle et rien ne semble pouvoir endiguer le flot de ses pleurs.

« Malik. » Lorsque ce nom surgit dans sa tête, Éléonore se sent devenir froide. Elle ne voit que son rictus moqueur. Quel salaud, quel beau salaud. Et elle, quelle poire. Elle s'est fait avoir comme une débutante. Qu'il a donc dû rire, de constater comme ça a été facile de la faire tomber! Éléonore s'est pensée bien fraîche, toutes ces années, du haut de sa prétendue tour d'ivoire; ça n'a pris qu'un charmeur aux yeux doux pour la faire céder. Pathétique, complètement pathétique. Éléonore se juge durement: comment a-t-elle pu être naïve à ce point?

Demeurée farouchement indépendante de cœur toute sa vie, elle s'est donnée à lui avec un abandon aussi profond que son ancienne retenue. Corps et âme. Jamais un homme ne l'avait autant fait vibrer. Et elle, pauvre conne, a pris cela pour une preuve d'amour! Éléonore repense à ses pitoyables yeux brillants d'étoiles lorsqu'elle regardait Malik. Elle souhaiterait maintenant se flageller jusqu'à oublier ce souvenir immonde. Qu'il a dû rire!

Par masochisme peut-être, Éléonore décide d'ouvrir son téléphone cellulaire, resté fermé depuis le matin fatidique. Elle efface sans les écouter les énièmes messages de connaissances de toutes sortes. Malik lui a laissé trois messages. Le premier, empli de sollicitude. Le deuxième, lui demandant de le rappeler. Le troisième, d'un ton sec qui n'augure rien de bon. Elle réécoute les messages plusieurs fois. Le son de sa voix sur le premier message, chaleureux et taquin, la fait trembler. Le ton plus froid des messages subséquents la trouble, elle tente de discerner l'état d'esprit de Malik, de s'inventer des théories pouvant justifier son comportement. Elle s'imagine un instant comme il serait satisfait s'il la savait en train de réécouter sa voix et, dans un sursaut d'orgueil, elle efface brusquement tous les messages. Puis, elle appelle sa compagnie de téléphone cellulaire et leur demande de changer son numéro.

Pendant les semaines qui suivent, Éléonore fonctionne sur le pilote automatique. Son épuisement est autant physique que psychologique. Elle peine à faire ses journées au travail et s'écroule de fatigue le soir. Dès qu'elle entre chez elle, elle allume la télé sur une comédie américaine insipide, devant laquelle elle avale distraitement le bol de céréales qui lui tiendra lieu de souper. Elle a peu d'appétit, c'est normal avec ce qui lui arrive. Abrutie devant la télé, elle gagne rarement son lit et préfère sombrer dans un sommeil profond qui, s'il n'est pas réparateur, lui permet au moins d'arrêter le fil inexorable de ses pensées. Elle se réveille courbaturée sur son divan blanc, prend une douche brûlante et part travailler. Ses collègues se montrent compréhensifs et l'on pardonne facilement ses quelques étourderies.

Elle est éminemment seule. Elle évite Allegra, cela va sans dire. Dans leurs rares conversations, celle-ci déplore le fait que Malik ne l'ait pas rappelée. *Join the club*, pense amèrement Éléonore. Charlie se terre dans l'imposante demeure de Mike à Rosemère. Yasmina est à Paris. Élé n'a jamais été très proche de ses oncles et de ses tantes, elle déteste son oncle René à en mourir et elle ne se sent pas la force d'affronter les questions de ses copains de Brébeuf ou de McGill. Hormis ses collègues de travail, elle ne fréquente donc personne.

Heureusement qu'il y a l'extraordinaire Georges Claudel. Ce chanteur extrêmement populaire est le seul qui soit resté fidèle à son producteur et agent, les autres s'étant empressés, dans la foulée de Félix Lacroix, de se dissocier de Claude de manière très publique. Georges contacte Éléonore la semaine suivant l'arrestation de son père et il lui offre de l'accompagner aux audiences de l'enquête sur cautionnement, fixée au début octobre. Éléonore accepte, reconnaissante. La présence de Georges aura au moins le mérite de détourner l'attention des caméras et des badauds.

Claude fait piètre figure devant la salle comble. Il semble fatigué, a les épaules tombantes et le regard fuyant. Le cœur d'Éléonore se serre en voyant son père si abattu. Le procureur de la Couronne, de toute évidence émoustillé par la notoriété de l'affaire, mène une attaque cinglante. La poursuite s'oppose à la remise en liberté conditionnelle de Claude et allègue un risque de fuite élevé. Franz Hess a échappé au ratissage qui a mené à l'arrestation de certains de ses collaborateurs et de Claude et il est toujours au large. Le procureur met de l'avant les nombreux contacts d'affaires de Claude à l'étranger et le risque qu'il se joigne à son complice en fuite. Malgré le plaidoyer érudit de maître Vincelli, le juge donne raison à la poursuite et refuse la remise en liberté de Claude.

Maître Vincelli s'entretient immédiatement avec son client. Il lui explique qu'il s'agit là d'une décision extrêmement inattendue, d'autant plus que Claude n'a pas d'antécédents judiciaires. Le juge, en fin de carrière, devait avoir quelque chose à prouver ou vouloir faire un coup d'éclat devant les médias. Le jugement sera renversé en appel sans aucun doute. Claude demeure silencieux quelques instants. Il demande une cigarette, lui qui avait arrêté de fumer depuis des années. Puis, les yeux baissés, il marmonne un « Laissez faire... » à peine audible.

– Pardon ? s'étonne l'avocat.

– Laissez faire. J'ai rien à faire dehors. J'ai vu la foule aujourd'hui, les caméras, pis j'ai pas envie d'affronter ça. Je vais être plus en paix en dedans.

Maître Vincelli a beau supplier son client, rien n'y fait. Claude est profondément abattu. Il est heurté jusqu'aux entrailles de constater que sa femme n'a pas daigné se présenter à l'audience. Sa fille y était, mais harcelée par les journalistes qui la poursuivent avec acharnement. Depuis son arrestation, Claude sombre dans une dépression de plus en plus difficile à combattre. Il n'a pas la force de tenir tête, il a à peine celle d'avancer, soumis, là où l'envoie son destin.

Éléonore quitte la cour sous les flashs, au bras de Georges et protégée par maître Paquin, qui fait tout pour la soustraire aux regards. Éléonore le retrouve à son bureau après l'audience. L'avocat lui explique que Claude devra demeurer en centre de détention jusqu'à son procès.

– Ça veut dire combien de temps, encore? demande Éléonore, déjà résignée aux délais procéduraux.

– Au mieux, six mois. Au pire, un an. C'est une grosse affaire et la poursuite mettra du temps à amasser toute sa preuve. Si vous voulez regarder ça du bon côté, ça donne aussi beaucoup de temps à maître Vincelli pour préparer sa défense.

– Maître Paquin?

– Oui?

– Si on est pour passer un an dans la poche l'un de l'autre, est-ce qu'on peut se tutoyer?

– Avec plaisir, Éléonore. Je m'appelle Jérôme.

Il lui décoche un sourire lumineux qu'Éléonore ne peut s'empêcher de retourner.

Éléonore rentre chez elle, au moins soulagée d'enfin savoir à quoi s'en tenir. L'incertitude des dernières semaines a été très angoissante. Elle ne peut toujours pas tolérer l'idée que son père, si plein de vie, d'énergie et de projets grandioses, soit réduit aux quatre murs d'une cellule et à la compagnie de prisonniers. Pendant presque un an! De manière plus immédiate, son père lui manque. Avec sa mère qui ne donne plus signe de vie, Yasmina au loin, Allegra qui l'irrite chaque fois qu'elle la voit, Éléonore continue de se sentir très isolée. Heureusement, Georges tient parole et demeure présent. Il l'invite à souper, l'emmène contre son gré au cinéma et fait tout pour la distraire. Ça la calme un peu d'écouter Georges raconter de bonnes vieilles histoires sur son père, d'entendre parler de Claude en termes chaleureux et positifs. Elle finit par avoir hâte à leurs sorties hebdomadaires qui lui permettent de conserver un brin d'équilibre mental.

Au travail, Jacques Martel est aussi un envoyé du ciel. Il sait Éléonore sous le choc et il la ménage du mieux qu'il peut. Il lui propose de nouveaux projets, en espérant que son engouement professionnel saura la distraire et l'aider à traverser ces durs moments. Jacques a vu juste. Éléonore est prise de passion par un nouveau script laissé sur son bureau, une histoire rocambolesque de vampires au Nouveau Monde truffée de légendes amérindiennes. Ce récit puissant mais si éloigné de sa réalité l'apaise. Elle est capable d'y consacrer ses énergies et ses pensées, sans que les élans dramatiques ne lui rappellent sans cesse sa situation amoureuse ou familiale, comme ça aurait pu être le cas avec une œuvre contemporaine. Elle est si enthousiasmée par le projet que Jacques se laisse entraîner et lui confie pour la première fois la responsabilité du découpage technique du scénario. Éléonore est folle de joie d'avoir enfin la chance de poser son empreinte sur la réalisation d'un film. Elle se lance à corps perdu dans le projet, mais remarque qu'elle n'a toujours pas la force de faire de longues journées et s'écroule de sommeil dès qu'elle rentre à la maison.

Yasmina annonce son arrivée pour la fin octobre, n'ayant pu se libérer avant à cause de travaux à remettre. Éléonore compte les jours qui la séparent de leurs retrouvailles.

Chapitre quinze

– Charlie, ça ne peut plus durer longtemps comme ca…

Un grognement jaillit de l'édredon de duvet d'oie sous lequel Charlie s'est terrée.

– Écoute, je peux pas sortir de chez moi sans me faire sauter dessus par les médias. Ils m'attendent dans le vestiaire après chaque pratique. C'est plus vivable !

Charlie ne bouge pas.

– La direction parle même de m'échanger, *fuck* ! C'est partout sur les lignes ouvertes, pis dans les journaux. Tu saurais peut-être ça si tu daignais t'intéresser à autre chose qu'à toi-même, de temps à autre.

Mike quitte la chambre.

Il tente à nouveau sa chance une heure plus tard.

– Charlie ? Tu dors ?
– …
– Bon, là, ça va faire ! s'exclame-t-il en arrachant l'édredon du lit.

Charlie, estomaquée, enlève le masque de velours dont elle s'était couvert les yeux et matraque Mike du regard.

Ses cheveux, toujours impeccables, sont dans un fouillis total et les cernes noirs qui ornent ses yeux accusent les semaines d'insomnie et de stress.

– Ça va faire? Ça va faire? Je vais te l'dire, moi, ce qui va faire, Mike Delaney. Ce qui va faire, c'est toi pis tes plaintes de phoque en Alaska. Il t'est rien arrivé, à ce que je sache. C'est pas toi qui es ruiné pis humilié.

– C'est pas moi qui suis humilié? Avec mon nom qui traîne dans les journaux à potins? C'est pas ma carrière qui est ruinée? Le Canadien de Montréal, c'est le rêve de ma vie, crisse, tu sais ça, Charlène Beaulieu!

Charlie se renfrogne, puis répond, de mauvaise foi:

– Ta carrière, comment ça, ta carrière? Je vois pas en quoi c'est de leurs affaires.

– Tu sais bien que ma vie privée, c'est de leurs affaires. Je suis à peu près le seul joueur de l'équipe qui est pas marié avec une gentille petite femme pis 2,4 enfants à la maison. Depuis sept ans, j'ai *toughé*, j'ai résisté à toutes les pressions, parce que ça adonnait que la femme de ma vie, elle était déjà mariée. Mais là, crisse, ça va faire, Charlie! Le capitaine du Canadien associé publiquement à une femme mariée, qu'est-ce que tu penses qu'ils disent de ça, les propriétaires de l'équipe, avec leurs sacro-saintes valeurs familiales? Je suis convoqué au bureau du direc-teur général à peu près à chaque matin!

Mike arpente la pièce d'un pas rageur.

– Non, là, je mets mon pied à terre. Ça va faire de jouer au torchon. Tu t'en rends peut-être pas compte, mais il me reste une saison à jouer, deux pas plus. Pis ces saisons-là, je veux les jouer à Montréal, c'tu clair? Ça fait qu'on organise une conférence de presse demain matin, avec les relationnistes de l'équipe, pour dire au monde qu'on est en amour, pis que tu vis chez moi. Tu t'expliques sur ton mariage, pis t'arrêtes de me faire jouer le mauvais rôle. Pis tu sors du lit, tu prends ta douche et tu soupes avec moi ce soir. Sinon, trouve quelqu'un d'autre pour te cacher.

Il quitte la pièce en laissant derrière lui une Charlie ébahie. Ce n'est pas son gros nounours de Claude qui lui aurait parlé comme ça. Elle sourit et se dit qu'après tout, ce n'est peut-être pas si mal, de se faire secouer par son homme. Le jeune Mike semble avoir une force de caractère qu'elle n'avait pas soupçonnée, aveuglée par ses prouesses d'amant extraordinaire.

Elle se lève et se dirige vers la salle de bains, composant déjà mentalement la déclaration qu'elle va faire à la presse le lendemain. En y réfléchissant bien, l'idée de s'afficher avec Mike lui semble des plus acceptables. Un homme jeune, beau, riche, qui se déclare publiquement en amour avec elle… Ça ne pourrait que relever son image. Quand on regarde à quel point ça a aidé Demi Moore! Charlie se demande même si le temps ne serait pas venu d'accorder une entrevue exclusive à un magazine. La veuve éplorée qui continue de se battre, en espérant des temps meilleurs… Charlie n'est pas veuve, bien sûr, mais elle est si enragée contre Claude qui, par manque de jugement, a fait s'écrouler sa vie comme un château de cartes, qu'elle ferait tout pour se distancier de lui. Son cœur déjà dur s'est complètement fermé à l'égard de son mari. Elle se dit qu'il est peut-être temps qu'elle appelle son avocat.

On avait un deal, mon gros crisse, se dit-elle en se frottant le visage sous le jet de la douche. *Moi je me gardais belle, je t'accompagnais dans les soirées et je fermais les yeux sur tes indiscrétions. Je t'ai donné une fille, sacrament! Pis toi, ta job, ta seule job c'était de nous faire vivre, de nous faire bien vivre, qu'on puisse se promener la tête haute. Ben là, mon grand, c'est raté.* Charlie se shampouine vigoureusement les cheveux, toute à ses pensées colériques. *Pis si tu penses que je vais me planter avec toi, tu te trompes. J'ai travaillé fort pour sortir de mon village, pis je vais pas y retourner à 48 ans, la queue entre les jambes! Je vais penser à mon avenir. Pis mon avenir, c'est avec Mike qu'il va se construire. Fait que, prends ton mal en patience, parce que c'est pas ta p'tite femme qui va venir te voir pour une visite conjugale.*

S'étant bien défoulée en invectivant Claude dans sa tête, c'est avec un sourire serein que Charlie se joint à Mike dans la salle de billard anglais. Elle se sert un grand verre de shiraz californien. «*Cheers!*» Mike entrechoque son verre avec le sien, l'air préoccupé.

Il n'en peut plus de vivre cette liaison en cachette, presque dans la honte. Il se fait copieusement «baver» dans le vestiaire des joueurs depuis que sa relation avec Charlie Castel a été dévoilée, il y a de cela quelques années. Un massothérapeute de l'équipe les avait surpris dans une chambre d'hôtel sur la route et la rumeur avait vite fait le tour de l'équipe. Les joueurs québécois, qui connaissaient la Jessica de *Amours et trahisons*, trouvaient hilarant que leur collègue s'offre cette sex-symbol vieillissante.

Ils avaient commencé à moins rire lorsque Mike s'était mis à refuser de se joindre à eux pour leurs fêtes et leurs parties de fesses. Lorsqu'on avait compris que sa liaison devenait sérieuse, avec une femme mariée en plus, on s'était mis à le traiter de «*boy-toy*», de gigolo, d'homme soumis. Les plus comiques lui lançaient des coups de fouet imaginaires dans le vestiaire, selon l'expression qui veut qu'un homme soit fouetté par une femme trop dominante. La direction de l'équipe en avait vite eu des échos et avait demandé à rencontrer Mike à ce sujet. Le Canadien de Montréal tient à sa réputation, lui avait-t-on dit, et le poids de cette réputation repose sur les épaules de chaque joueur qui porte le gilet du CH. Mike avait juré qu'aucun scandale n'éclabousserait le Canadien.

Mais c'était sans compter les histoires foireuses de Claude Castel. Mike ne connaît pas grand-chose à la production ou à la finance mais dans son livre à lui, des « tout-croches », ça devrait se sentir à un mille de distance. Il fallait que Claude soit volontairement aveugle pour ne pas avoir vu ça venir.

Mike Delaney a passé son adolescence à fantasmer sur Charlie Castel, entre un match et deux pratiques. Il l'a trouvée tellement belle, pas du tout changée, lorsqu'il l'a croisée dans un gala pour la fondation d'un hôpital pour enfants, il y a plusieurs années déjà. Il ne pouvait croire sa chance lorsqu'elle lui avait parlé, lui avait souri, lui avait lancé un clin d'œil évocateur. Il n'avait plus jamais regardé en arrière. Les petites pépettes dans les bars, les groupies dans les arénas, pas une n'arrivait à la cheville de Charlie. Une vraie femme, ensorcelante. La seule chose qui a toujours manqué à Mike, c'est de pouvoir clamer son amour sur tous les toits. Enfin, ce sera chose faite. Retrouvant enfin le contrôle sur sa vie, après toutes ces années dans l'ombre, Mike se sent pris d'un sentiment de puissance. Il enlace Charlie et l'embrasse profondément.

Le lendemain, Charlie arrive à la conférence de presse rayonnante, au bras d'un Mike fier comme un paon. Ils font face aux journalistes main dans la main et vont jusqu'à s'embrasser sous l'œil de la caméra. Les flashs crépitent et les questions gouailleuses fusent. Charlie et

Mike répondent à tous avec une bonne humeur évidente. La générosité avec laquelle ils partagent les détails de leur histoire d'amour, l'honnêteté dont ils font preuve rassasient les journalistes avides de nouvelles exclusives. Gilles Cossette, plus cynique, soulève d'un ton hargneux la question de l'adultère. Charlie lui adresse un sourire serein, serre la main de Mike dans la sienne et déclare calmement que les procédures de divorce sont déjà entamées. Elle ne juge pas pertinent de spécifier qu'elles ne le sont que depuis la veille au soir. Cette régularisation de leur situation désarme les plus virulentes des critiques.

Dans les semaines qui suivent, la direction de l'équipe se calme en même temps que l'assaut médiatique s'essouffle. Mike compte un tour du chapeau lors d'un match contre Boston et la province au grand complet hausserait les boucliers si l'on parlait encore de l'échanger.

Chez elle, Éléonore trépigne d'impatience en attendant l'arrivée de Yasmina. Elle a commandé des sushis, mis une bouteille de pinot gris au frais, refait le lit de la chambre d'amis, rangé la vaisselle et allumé une chandelle aromatisée qu'elle doit vite éteindre, car l'odeur lui lève le cœur. La maison est prête, archi-prête. Éléonore ne sait plus quoi faire pour tromper son impatience. Enfin, elle entend la porte du taxi qui claque et elle se précipite, malgré le froid, pour aider son amie à monter sa valise. Yasmina serre longuement sa meilleure amie dans ses bras. Éléonore sent une larme lui perler au coin de l'œil. Elle prend le parti d'en rire.

– Allez viens, rentre avant que je me donne en spectacle dans la rue! Pis de toute manière, faut monter fermer la porte, on chauffe pas le dehors, quand même!

Yasmina éclate de rire, ayant toujours adoré les expressions québécoises dont Éléonore saupoudre ses conversations et qui lui semblent d'autant plus colorées qu'elle vient de passer deux mois à Paris.

Elles parlent toutes les deux en même temps tellement elles sont excitées de se revoir et ont mille choses à se raconter. Éléonore a besoin d'oublier un peu ses soucis et elle plonge avec délice dans une bonne session de potinage et d'évocation de souvenirs cocasses. Éléonore ne s'est jamais sentie aussi chanceuse d'avoir Yasmina dans sa vie. Une famille, ça peut blesser, ne serait-ce que par égoïsme ou par indifférence. Un homme, ça peut détruire, anéantir complètement. Une grande amie… une grande amie est toujours là. Elle rit dans les moments de liesse, elle pleure dans les moments de malheur et, mieux encore, elle sait faire ressortir le côté cocasse des soucis de la vie.

Les filles font honneur à la bouteille de vin blanc et dévorent les sushis de chez Maïko sur Bernard, une demande spéciale de Yasmina qui en rêve depuis des semaines. Puis Éléonore raconte les derniers mois d'enfer. Elle reprend tout depuis le début, chaque moment de l'audience, les visites qu'elle a faites à son père et les attaques médiatiques qui ont dépeint Claude comme un opportuniste malhonnête, un play-boy perverti et un magouilleur de première classe.

– Et ta mère, là-dedans?
– Je sais pas.
– Comment ça, tu sais pas?
– Je lui ai parlé genre deux fois depuis, pis deux minutes à chaque fois.
– Je te crois pas, mais c'est épouvantable!

– Sincèrement, est-ce que ça te surprend ? Elle a toujours pensé juste à elle, ma mère.

– Et ton père, comment il prend ça ?

– Sérieusement, je pense qu'il est protégé du pire. Au moins, il ne lit pas les journaux. Tu peux pas savoir comme les journalistes ont été *bitchs*. Mais sinon, écoute, ça va comme ça peut. Je pense qu'il est en état de choc. Il dit pas grand-chose, il écoute son avocat, il pose pas trop de questions.

– C'est pas trop le style de ton père, ça.

– Je sais. Sérieusement, on dirait qu'il est anesthésié. Des fois, j'ai l'impression que j'ai perdu mon père. Je vais le voir, mais ce n'est plus lui. Il paraît vidé de lui-même.

– C'est vraiment triste.

– Je sais…

Éléonore sent de nouveau les larmes poindre. Elle se secoue et change de sujet.

– Toi, à Paris ? As-tu rencontré quelqu'un ?

– Oh, moi, tu me connais, je pense juste à ça ! Non, pour vrai, rien de sérieux. Il y a un gars dans mon cours qui m'a invitée à prendre un verre, mais je l'ai trouvé inintéressant. Il était calé sur les sujets littéraires, mais pour le reste, il avait rien à dire.

Yasmina ne se donne pas la peine de questionner Éléonore sur sa vie amoureuse. C'est un sujet presque tabou entre elles. Éléonore est très pudique, très secrète, et elle a rarement confié ses affaires de cœur à Yasmina. Elle n'a jamais eu de chum sérieux, et si elle a des aventures pour satisfaire ses besoins, elle les garde pour elle. Yasmina demeure dans le noir en ce qui concerne le cœur de son amie et elle l'a rarement vue séduite par un garçon. Elle persiste à croire qu'elle et Matthew feraient le plus beau couple du monde, mais Éléonore ne semble pas partie pour voir en lui autre chose qu'un ami.

Éléonore, vidée après des heures de confession au sujet de ses parents, ne se sent pas la force d'aborder avec Yasmina le sujet de son frère. Et puis, pour elle, la question est réglée. C'est une erreur dont elle n'est pas fière et elle n'a pas l'intention de le crier sur tous les toits, surtout pas auprès de la sœur de l'erreur en question, même si celle-ci s'adonne à être sa meilleure amie. Plus tôt elle oubliera Malik, mieux elle se portera. De plus, elle sait que Yasmina adore son grand frère et elle trouve la situation trop délicate pour y mêler son amie. Elle débouche une deuxième bouteille de pinot gris et se love dans le fauteuil blanc du salon pour écouter Yasmina lui raconter sa vie parisienne. Les bouquinistes, les cafés de Saint-Germain-des-Prés, les caves sombres où l'on fait la fête jusqu'aux petites heures du matin, tout cela évoque, pour Éléonore, un ailleurs qui la fait rêver, elle qui est aux prises avec un quotidien si exigeant. Elle pose de nombreuses questions et se repaît de chaque détail. Les filles parlent jusqu'à tard dans la nuit et font la grasse matinée le lendemain matin.

En se réveillant, Yasmina déclare avoir envie d'un bon brunch québécois dans les règles de l'art. «Ça va faire les baguettes et les croissants», dit-elle en riant. «Je veux des bines pis des cretons!» Les deux amies se dirigent vers la Binerie Mont-Royal. En entrant, l'odeur de fèves au lard donne tout de suite mal au cœur à Éléonore, qui supplie Yasmina d'aller ailleurs. Elles se retrouvent à l'Avenue, où Yasmina fait honneur à un énorme plat d'œufs bénédictines, pendant qu'Éléonore picore dans son plat de crêpes, blâmant le vin de la veille qui a mis son estomac à l'envers. Elles passent le reste de la journée à flâner sur le Plateau.

Yasmina profite de l'absence de ses parents, qui sont au Maroc, pour consacrer entièrement son séjour à Éléonore. Elles planifient en riant de ne s'arrêter de potiner que pour dormir. Lorsqu'elles bouquinent au Renaud-Bray de l'avenue du Parc, Yasmina annonce sans préavis que son frère a eu une super promotion. Éléonore s'était préparée toute la fin de semaine au choc d'entendre parler de Malik ; malgré cela son cœur saute et elle a toutes les misères du monde à continuer d'agir normalement. Elle feint de feuilleter nonchalamment un magazine de mode et se contente de murmurer « Ah oui ? ».

– Oui, ils lui ont offert un poste à Londres ! Je *buzze*, Paris et Londres c'est vraiment à côté, je vais pouvoir le voir bien plus souvent.
– Oui, c'est le fun pour toi.
– Il fait encore plus d'argent, je te jure, je pensais pas que c'était possible. Même mon père commence à trouver ça démesuré. J'ai jamais compris c'était quoi, des fonds spéculatifs, pour moi c'est comme du chinois, mais mon frère, lui, il a attrapé le gène des finances de mon père, ça, c'est sûr.

Éléonore se contente de hocher la tête et de changer de sujet.

Le dimanche soir, la veille du départ de Yasmina, elles écoutent *How to Lose a Guy in 10 Days*, un de leurs films préférés. Yasmina le met sur pause pour aller aux toilettes. Elle revient en demandant à Éléonore si elle aurait un tampon à lui prêter, ses règles jamais régulières sont en avance. Éléonore fouille dans la salle de bains et ne trouve qu'un paquet vide de Tampax. Yasmina grogne en se faisant une serviette temporaire avec du papier de toilette, se préparant à ressortir dans la nuit froide pour aller à la pharmacie. Éléonore semble blême.

– Ça va, Élé?

– Je sais pas, je suis un peu mélangée. Je me souviens plus quand j'ai eu mes règles.

– Tu penses que c'est quand?

– Je me souviens que je les avais quand on est allés au chalet de Julie Mercier, ça m'énervait parce que je voulais me baigner et je n'avais plus de tampons, mais ça fait longtemps, c'était avant que tu partes. Depuis, je ne m'en souviens plus.

– Écoute, c'est normal, t'as pas eu la tête à ça. En plus, avec le stress, il paraît que ça peut faire arrêter les règles. Je suis certaine qu'il n'y a pas de quoi s'inquiéter.

Éléonore demeure songeuse. Yasmina ne veut surtout pas que son amie se fasse du mauvais sang au sujet de sa santé alors qu'elle est déjà débordée de soucis.

– Yas, tu crois que tu pourrais me ramener un test de grossesse, quand tu iras à la pharmacie?

Chapitre seize

Éléonore a fait pipi sur la petite languette. Elle a replacé le tube de plastique blanc dans son étui. Elle est assise par terre, adossée au bol de toilette. Yasmina est perchée sur le rebord de la baignoire. Elle compte mentalement la longue minute qui les sépare du résultat.

Un test de grossesse pour Éléonore? Elle est vraiment tombée en bas de sa chaise. Elle se dit que son amie est simplement mélangée, que dans le tourbillon du scandale familial, elle a à peine remarqué lorsque… ou bien c'est ce stress justement, qui aurait… Pourtant, Éléonore semble étrangement sûre de son affaire. L'a-t-elle fait dans les mauvaises dates? Ou bien a-t-elle un partenaire régulier? Yasmina nage dans l'ignorance absolue, mais n'ose pas encore questionner son amie. Pour le moment, elle se contente d'être là, pendant que s'égrènent les longues secondes.

– Ça fait une minute, je pense, Élé.
– Je vais attendre une minute de plus. Juste pour être sûre.

Le silence se fait dans la salle de bains. Puis, n'en pouvant plus, Éléonore retourne le test d'un coup sec et observe les deux lignes bleues tracées clairement dans la fenêtre blanche. Sans mot dire, elle tend le test à Yasmina.

Elle amorce un geste vers son paquet de cigarettes, puis se retient.

– Ah, *fuck*...

Yasmina reste assise bien tranquillement, attendant l'explosion, la crise ou les larmes. Rien ne semble vouloir jaillir d'une Éléonore vidée de toute émotion. Rien d'autre que ce cri de frustration en se voyant interdite la cigarette consolatrice. Yasmina décide de prendre les choses en main et revient quelques minutes plus tard avec deux tasses de thé à la menthe, le remède que proposait sa mère à tous les maux du cœur. Elle ouvre un paquet de biscuits au chocolat et en tend un à Éléonore, toujours appuyée sur la toilette.

– Je suis aussi bien. Si je ne peux plus fumer, plus boire, il ne me reste qu'à manger.

Éléonore semble toujours hébétée. Enceinte, elle est enceinte. Quelle malchance, elle qui doit être à peu près la fille la plus abstinente depuis Mère Teresa ! Elle n'arrive pas à y croire. Elle est en état de choc. Les pensées se succèdent en pagaille dans sa tête. Elle est enceinte. Célibataire, enceinte. D'un gars qui s'est moqué d'elle. D'un homme à femmes fini, misogyne sur les bords. Éléonore n'arrive pas à réfléchir à ce que cela signifie, tant elle est soufflée. Et épuisée. Soudain, elle rêve de se recroqueviller dans son lit en petite boule et de dormir pour oublier tout ça. Demain matin. Ça aura plus de sens demain matin. C'est ce qu'elle annonce à Yasmina et elle part se coucher séance tenante. Elle est reconnaissante envers son amie de ne pas lui poser de questions.

Le lendemain matin, leurs adieux sont brefs. Le taxi passe chercher Yasmina à 7 heures, son vol passant par

Toronto, où elle fera escale pour la journée. Autour d'un bol de céréales, les filles ont seulement quelques minutes pour parler. Yasmina ne met pas de gants blancs pour demander qui est le père du bébé.

– Je ne peux pas encore te le dire, Yas… Excuse-moi. Quand je te le dirai, tu comprendras pourquoi. Il faut que je prenne le temps d'assimiler ce qui m'arrive.

Yasmina la quitte, perplexe, et blessée par le manque de confiance que son amie lui témoigne.

Pendant une longue nuit d'insomnie, la stratégie d'Éléonore s'est précisée. Il est hors de question, et ce, depuis la première minute, de ne pas garder ce bébé. Éléonore est férocement en faveur du droit à l'avortement, mais s'en croit tout à fait incapable. Sa situation familiale est précaire, soit ; mais elle a un bon emploi, un appartement payé grâce à l'héritage de sa grand-mère et il existe des congés de maternité, des garderies… tout un monde qui lui semble aussi lointain qu'une contrée étrangère.

Le père. Même dans ses pensées, elle refuse de le nommer. C'est plus facile de penser à lui comme ça. Par fierté, elle refuse de lui demander quoi que ce soit. C'est sa décision de garder cet enfant, c'est à elle de l'assumer. Mais elle n'entend pas non plus exclure le père de la vie de son enfant. S'il en exprime le désir, il pourra s'impliquer. Éléonore a bien pensé l'appeler, lui écrire, lui envoyer un message par Yasmina ; son orgueil meurtri le lui interdit. Sa stratégie sera donc de ne rien dire, de ne rien faire. Il saura très vite qu'elle est enceinte, Yasmina étant proche de son frère et de nature bavarde. À ce moment-là, ce sera à lui de décider d'entrer en contact avec elle ou de continuer à vivre comme si cette histoire ne le concernait pas. Une petite voix chuchote à Éléonore que ce n'est pas logique, que Malik ne pourra pas deviner que le bébé est de lui. Elle en fait fi, se répétant que s'il est intéressé, il s'arrangera pour obtenir plus de précisions. Sinon, elle prendra son silence comme un message d'indifférence et planifiera sa vie et la vie de son bébé sans lui.

Jusqu'à ce que le père se manifeste, Éléonore ne révélera à personne qui il est ; et s'il ne se manifeste jamais, eh bien son enfant ne sera ni le premier, ni le dernier à avoir la mention « père inconnu » sur son certificat de naissance. C'est la seule manière qu'elle ait trouvée de garder la tête haute. Elle mourrait d'humiliation s'il lui fallait appeler Malik... lui dire qu'elle est enceinte de lui... entendre son sursaut horrifié et ses protestations incrédules. Elle ne peut pas, elle ne veut pas s'abaisser à ça. À lui de faire ses preuves.

La semaine suivante, Éléonore se présente au centre de détention pour un entretien de dix minutes avec son père. Elle sort une cartouche de cigarettes de son sac en cuir et la dépose sur la table, sans dire un mot. Claude demeure silencieux quelques instants. Triturant nerveusement le papier cellophane d'un paquet de cigarettes, il ose se confier.

– Éléonore, j'ai un problème.

– Vas-y.

– J'ai... j'ai des problèmes d'argent. Ça me tue de te mettre ça sur le dos, j'aurais tellement voulu que tu sois fière de ton vieux père, que...

– Papa, arrête, OK ? Arrête. C'est quoi tes problèmes d'argent ?

– Il y a l'hypothèque sur la maison à payer, pis il y a les frais d'avocat. Maître Vincelli, il est bien bon, mais il coûte pas des pinottes. Si je réussis pas à le payer, ils vont m'assigner un avocat de l'aide juridique.

– Non, non, on peut pas laisser faire ça. Ça prend le meilleur pour te défendre !

– Je veux bien, mais des honoraires d'avocat comme lui, sais-tu comment ça monte vite ?

– Donne-moi sa facture, pour voir.

Éléonore ne peut s'empêcher d'écarquiller les yeux en voyant la somme faramineuse écrite dans l'enveloppe.

– OK. Je vais voir ce que je peux faire. Quoi d'autre ?

– L'hypothèque…

– Elle est pas payée ta maison ? Mon dieu, ça doit bien faire trente ans que tu vis là !

– Juge-moi pas, Éléonore, mais j'ai… j'ai repris une hypothèque quand j'ai fondé ma compagnie de disques. Je voulais pas que ça soit Franz qui mette tout l'argent. Un bel imbécile. Tu dois avoir assez honte de ton père !

– Papa, j'ai dit arrête ça, OK ? On est ici pour trouver des solutions. C'est combien, ton hypothèque ?

Éléonore déglutit péniblement à l'énoncé du montant astronomique des paiements mensuels.

– La maison, on pourrait pas la vendre ?

– La vendre ? Et mettre ta mère à la rue ? Jamais !

– Papa… Tu sais bien que Charlie n'habite plus là… La maison est vide, il y a juste madame Gaston qui passe de temps en temps, pour épousseter. Il faudrait d'ailleurs songer à la payer, elle aussi.

– Elle va revenir, répond Claude, borné. Un jour, elle va revenir et il faut que la maison soit là pour elle.

– Écoute, je serai jamais capable d'assumer tout ça.

– Tu pourrais demander un prêt à la banque.

– Un prêt ?

– Prends une hypothèque, je sais pas.

– Mon appartement, c'est tout ce que j'ai.

–Éléonore… si tu fais pas ça pour moi, fais-le pour
ta mère !

Une larme perle au coin de l'œil de Claude. Éléonore
ne l'a jamais vu pleurer. Est-ce bien son père, cet homme
gris, vieilli, affaissé devant elle ? Elle joue nerveusement
avec le collier de perles que sa grand-mère lui a légué. Elle
soupire. Claude regarde sa fille, qui semble avoir si honte
de lui. Il étouffe un sanglot.

Dix minutes plus tard, Éléonore quitte la prison, l'air
las. Elle sort son téléphone cellulaire. Elle parle brièvement
à son banquier et fixe un rendez-vous pour le lendemain
matin. Elle tourne en rond longtemps, essayant de trouver
une place de stationnement pour sa vieille Honda Civic.
Elle se rappelle avec un pincement le sourire fier de son
père lorsqu'il lui avait offert cette voiture neuve pour ses
dix-huit ans.

Elle trouve finalement une place sur Mont-Royal et
part à pied sur la montagne cacher sa peine. Le chemin
des calèches, un petit sentier, et voilà Éléonore assise sur
une roche plate, à pleurer encore toutes les larmes de son
corps. Elle songe un instant à appeler maître Paquin, puis
se raisonne en se disant qu'il serait injuste de lui mettre ce
poids sur les épaules. C'est simple, la note d'avocat doit
être payée, sinon c'est l'aide juridique. Et pour la maison…

Éléonore prend une grande inspiration et essaie de
mettre de l'ordre dans ses idées. C'est peine perdue, tout
ce qu'elle a en tête, c'est le regard de chien battu de son
père. Son papa. Derrière les barreaux. Elle éclate de plus
belle, se mouchant dans la manche de son chandail comme
un enfant.

Le lendemain, Éléonore tente de demeurer impassible malgré sa nervosité. L'entretien ne se déroule pas comme elle l'aurait souhaité.

– Pourtant, monsieur Aloun, vous connaissez la valeur de mon appartement, dit-elle calmement. Avec une hypothèque, je ne vois pas où est le problème.

– Le problème, mademoiselle Castel, c'est que vous n'avez pas de revenus suffisants pour assurer les paiements mensuels.

– Ça, c'est à moi de m'organiser !

– Avec respect, mademoiselle, mon rôle est d'évaluer les risques avant d'autoriser un prêt et dans ce cas-ci, le risque est trop élevé. Si je peux me permettre d'être franc, cette idée de prêt est au mieux déraisonnable. Vous êtes jeune, célibataire… Il est de mon devoir de vous refuser ce prêt, je suis désolé.

Éléonore part en claquant la porte. Elle est assise devant un café au lait à la Croissanterie quand son téléphone cellulaire sonne. C'est Yasmina qui appelle de Paris, lui demandant d'un ton ferme si elle a pris rendez-vous chez le médecin. La réponse est toujours non. Éléonore semble être dans le déni total, dépassée par les événements, et Yasmina lui a promis de la harceler jusqu'à ce qu'elle se prenne en main. Éléonore n'ose pas, comme elle est dans un lieu public, raconter à Yasmina le dernier développement de cette saga interminable. Elle raccroche rapidement et rentre chez elle, se demandant ce qu'elle va bien pouvoir faire pour son père.

Charlie sirote un gin tonic pendant que Mike parle au téléphone. Il semble très agité. Lorsqu'il revient s'asseoir, il lui dit que c'était sa fille au téléphone.

– Ma fille ? Mon Dieu, qu'est-ce qu'elle te voulait ?

– Elle voulait parler à sa mère. Il paraît que ça fait des semaines que tu ne retournes pas ses appels?

– Écoute, Mike, tu sais comme je suis traquée. S'il fallait que je retourne tous mes appels...

– On parle pas de tous tes appels, crisse, on parle de ta fille! Je te jure, des fois, Charlie, je pourrais...

Devant la fureur évidente de Mike, Charlie se fait câline. Elle joue à la petite fille perdue et promet d'inviter sa fille chez eux, quand les choses se seront calmées. Mike se laisse convaincre et passe au sujet qui le tracasse vraiment.

– Ta fille nous demande de l'argent.

– Encore! s'exclame Charlie, de mauvaise foi. Vraiment, elle n'a que ce mot-là à la bouche.

– Pas pour elle, pour Claude. Il a des frais d'avocat, une grosse hypothèque à rembourser, et Éléonore arrive pas à trouver les sous.

– Voyons donc, Mike! Claude est assez grand pour se débrouiller tout seul.

– C'est un peu plus compliqué que ça, ma chouchoune. Comme l'a dit Éléonore, quand Claude va sortir de là, il lui restera plus rien. Il faudrait au moins qu'il lui reste sa maison.

Le ton affolé d'Éléonore a ému Mike. Et elle demeure la fille de Charlie. Malgré ce que croient plusieurs de ses coéquipiers, il souhaite réellement faire sa vie avec cette femme attachante, drôle et enjôleuse. Il espérait depuis belle lurette qu'elle quitte son mari et doit admettre que les événements récents, même s'ils ont terrassé Charlie, ont eu l'avantage de les faire sortir du *statu quo*. Mike est au septième ciel d'avoir enfin sa Charlie sous son toit.

Et d'une certaine manière, ça lui plaît de jouer le rôle du chef de famille qui règle les problèmes de tout le monde avec son gros chéquier, y compris ceux du mari de sa maîtresse. Surtout, il se doute bien que ça fera un sale coup d'orgueil à Claude. Il ricane un peu et se dit que jamais les problèmes du cocu n'auront autant profité à l'amant.

Mike rappelle Éléonore le lendemain, après avoir parlé à son avocat. Il lui dit qu'il se charge du premier versement hypothécaire, qui arrive à échéance à la fin de la semaine. Éléonore lui est en extrêmement reconnaissante et elle entreprend d'économiser autant qu'elle le peut sur son maigre salaire afin de pouvoir régler les notes d'avocat.

Sur de l'Esplanade, Allegra met au four un plat de cannellonis aux épinards lorsqu'elle entend la porte d'entrée s'ouvrir, ce qui l'étonne puisque sa mère est à l'opéra.
– C'est moi! lance Chiara en gravissant les escaliers qui mènent au deuxième.
– T'as encore ta clé, toi? demande Allegra.
– Bah, c'est quand même moins pire que d'habiter encore chez ma mère!

Les deux sœurs se taquinent, mais l'animosité qui régnait autrefois entre elles a disparu. Après des années de thérapie, Allegra ne se sent plus intimidée par sa grande sœur. Son attitude plus sereine a, à son tour, attiré le respect de Chiara, qui commence à percevoir sa sœur davantage comme une copine. Son franc-parler ne se dément pas; par contre, Allegra est maintenant capable d'en prendre et de renvoyer la balle à sa sœur.

– Ça sent bon, j'ai pas mangé encore.
– Ah, c'est ça, tu viens chercher ton souper?

– Tu peux bien parler, l'autre jour j'ai surpris maman en train de faire ton lavage !

Depuis son retour à Montréal, Chiara habite un minuscule appartement sur Laurier est, qu'elle adore pour son immense terrasse. Elle est tour à tour traductrice, pigiste, rédactrice, et ne semble pas vouloir se brancher côté carrière. Ni côté cœur ; Allegra et Nicole ont vite perdu le compte des amoureux de Chiara. C'est d'ailleurs un sujet qui passionne les deux sœurs. Maintenant qu'elles sont toutes deux adultes et que la différence d'âge se fait moins sentir, elles aiment se confier leurs déboires amoureux.

– Le maudit Charles Massicotte m'a pas rappelée, dit Chiara.
– Moi non plus, Malik m'a pas rappelée.
– Oui, mais là, reviens-en ! Ça fait deux mois, Allegra.
– Je sais, mais il est loin. C'est pas pareil, ça compte pas. S'il pouvait me voir en vrai, je suis sûre qu'il m'appellerait.
– Mais tu y vas, toi, à New York, des fois, pour le travail. Pourquoi tu l'appelles pas de là ?
– Ben voyons, j'y ai pensé. Mais ça marche pas, il travaille à Londres maintenant. J'ai questionné Élé, après la visite de Yasmina.
– Bon, ben d'abord, vas-y, à Londres !
– Voyons donc, j'aurais l'air complètement folle de me pointer comme ça !
– Il est pas obligé de savoir que tu y vas juste pour lui, épaisse. Fais semblant d'avoir un contrat.
– Ouin, c'est vrai que c'est pas bête.
– Tu vois, ta grande sœur, elle sait de quoi elle parle !
– Ben oui, c'est sûr, t'es une experte, tu les as tous passés !
– Heille !

Chiara fait mine de décocher un coup de pied à sa sœur sous la table. Celle-ci lui tire la langue et leur souper s'achève dans la bonne humeur, jusqu'au retour de Nicole qui est ravie de retrouver ses deux grandes filles attablées autour d'une bouteille de vin rouge.

Au cours des jours qui suivent, la suggestion de Chiara fait son chemin dans la tête d'Allegra. De rêve fou, la possibilité de voir Malik lui semble de plus en plus réaliste. Son année de célibat l'a rendue beaucoup plus pointilleuse. Depuis leur rencontre à New York, aucun autre gars n'a même réussi à l'intéresser. Aucun n'est aussi beau que Malik, aucun n'a autant de succès, aucun ne lui apparaît comme un aussi bon parti. Dans le cœur d'Allegra demeure le souhait inexprimé de faire un bon mariage, de bien se caser dans la vie. Les leçons de sa mère ne s'oublient pas si facilement. En plus, Malik jouit du statut supplémentaire d'avoir été le plus beau gars de Brébeuf, celui auquel elle a rêvé pendant tant d'années.

Impulsive comme toujours, Allegra réserve un billet d'avion pour Londres pendant la semaine de congé de février au cégep, ainsi qu'une chambre dans un *bed & breakfast* londonien. Sur les conseils de sa sœur, elle décide de n'appeler Malik qu'une fois arrivée.

Voulant se pomper avant son départ, elle appelle Éléonore afin de ressasser une énième fois les détails de leur histoire. La fois où Malik a accepté de l'accompagner à son bal, la fois où ils se sont recroisés à New York, la fois où ils sont sortis souper… Elle trouve Éléonore étrangement distante. Cette dernière répond par monosyllabes et ne l'encourage pas comme elle l'aurait souhaité. Allegra raccroche, déçue, se disant qu'Éléonore a vraiment changé. Elle admet que ses problèmes familiaux peuvent la rendre morose, mais là, vraiment, elle dépasse les bornes. Si elle n'est plus capable d'écouter ses amies, c'est qu'il y a un problème. Allegra hausse les épaules et appelle plutôt Chiara, qui se répand en encouragements. Rassérénée, Allegra se rend à l'aéroport, pleine d'optimisme.

C'est son premier séjour à Londres. Elle est tout de suite charmée par les taxis noirs londoniens, les téléphones rouges, les mots « *Look Right* » peints sur le sol à chaque intersection piétonnière. La ville lui semble moderne, pleine d'excentricité, moins épuisante que New York. *Je me verrais vivre ici*, se dit-elle, tout à ses rêves romantiques. Elle prend quelques jours pour trouver ses repères, visiter un peu la ville et ajouter de la crédibilité à son prétendu contrat londonien. Elle remarque un bar à vins à l'éclairage tamisé, près de la City, et en note l'adresse pour le proposer à Malik lors de leur rendez-vous.

Elle a longuement discuté avec Chiara de la stratégie à suivre. Si elle appelle Malik, elle a peur qu'il trouve une excuse pour ne pas la voir, alors que s'il la voit, elle a confiance de pouvoir le faire céder. Mais comment peut-elle se présenter devant lui sans paraître complètement désespérée ? Les deux sœurs ont élaboré un stratagème à tout casser.

En fin de journée, vers 18 heures, Allegra appelle Malik d'une cabine téléphonique près de son bureau.
– Malik Saadi.
La voix est autoritaire, tranchante. Allegra dissimule sa nervosité en adoptant un ton calme et posé.
– Malik ? C'est Allegra.
– Allegra ?
– Oui, Allegra Montalcini.
– Euh, salut, ça va ?

– Oui, écoute, je t'appelle vite, vite. Imagines-tu, je termine une séance de photos, tout prêt de ton bureau ! Je me suis dit qu'il fallait fêter ça. Aurais-tu envie d'aller prendre un verre ? Je suis juste à côté du Two Candles.

– Euh, j'aimerais bien, mais j'ai beaucoup de travail.

– Allez, un petit verre pour te donner de l'énergie ! J'ai fait un super *shooting* aujourd'hui, je t'attends avec un verre de champagne. C'est pas tous les jours que tu as de la grande visite de Montréal.

– Bon, OK, avec plaisir. Je te rejoins dans une demi-heure.

Lorsqu'il entre dans le bar enfumé, Malik aperçoit de loin Allegra qui lui fait signe, un seau et une bouteille de champagne sur un trépied à côté d'elle. Elle se lève pour lui faire la bise et il avale de travers, malgré lui. Allegra est resplendissante. Elle a vraiment mis le paquet, se disant que sa supposée séance de photos lui donne le droit d'être maquillée et coiffée à outrance. Les yeux sexy, la bouche rouge, les cheveux dorés tombant en cascade sur ses bras bronzés, elle a fait tourner toutes les têtes en entrant dans le bar. Elle porte des jeans et une camisole blanche qui soulignent ses courbes mieux que n'importe quelle robe de soirée.

Elle verse un verre à Malik et babille gaiement. Elle appuie son coude sur la table, passe la main dans ses cheveux, chaque mouvement mettant en valeur son décolleté ensorcelant. Malik déglutit péniblement. Ils font honneur au champagne, parlant de Londres, de Montréal, de New York. Vers 19 heures, Allegra sent son estomac qui crie famine et suggère à Malik d'aller souper dans un bistrot italien qu'elle a vu pas trop loin. À sa grande surprise, Malik fait signe à la serveuse, paie galamment la bouteille de champagne, fait la bise à Allegra, puis annonce qu'il rentre au bureau. Elle se fait câline, tente de l'intéresser à un souper, lui met doucement la main sur l'avant-bras, mais rien n'y fait. Malik semble préoccupé, plaide un dossier important à régler et se sauve dans la nuit londonienne.

Allegra est estomaquée et, surtout, se sent profondément humiliée. Ses vieux réflexes refont surface et elle en vient vite à se dire qu'elle n'est bonne à rien et pas assez belle pour séduire un homme. De se trouver sur cette pente dangereuse lui fait peur; elle rentre à toute vitesse dans son *bed & breakfast* et appelle sa thérapeute, dont elle a le numéro personnel en cas d'urgence. Elles passent de longues heures au téléphone; Allegra accepte finalement que tout le monde ne peut pas être pâmé d'admiration devant elle et que cela n'enlève rien à ses qualités intrinsèques. De retour à Montréal, sa thérapeute la félicite d'avoir pu traverser l'épreuve d'une déception amoureuse sans perdre les pédales. Allegra décide de reporter ses énergies sur ses travaux de fin de session et sent son estime de soi se gonfler d'avoir pu surmonter cette épreuve avec maturité. Malgré tout, elle ne peut s'empêcher de continuer à rêver à Malik. Elle se dit que c'est peut-être la distance géographique qui a rendu leur histoire impossible, mais que, qui sait, un jour…

N'étant pas de nature rancunière, Allegra a vite oublié l'agacement qu'elle avait ressenti envers Éléonore avant son départ. Elle s'empresse de l'inviter à prendre un café à la Croissanterie pour lui raconter son séjour. Éléonore semble distraite.

– Pis, c'est cool comme ville, Londres?

– Oui, oui. C'est une belle ville.

– Ah, c'est le fun. Yasmina aussi elle a l'air d'aimer beaucoup Paris. Penses-tu… penses-tu y retourner?

– Non… pas pour le moment, en tout cas. Il s'est rien passé, Élé. Je comprends vraiment pas.

– Ah bon ?

– Inquiète-toi pas que ça m'a pris des heures en thérapie pour *dealer* avec ça, mais là, ça va. Enfin, on sait jamais
ce que l'avenir nous réserve… Je continue à penser que…
que tout est possible avec lui.

– Ah ?

Éléonore boit son café d'une traite et s'esquive rapidement. Allegra commande un deuxième espresso, se
demandant ce qu'ils ont tous à être si pressés.

Chapitre dix-sept

À Paris, Yasmina est ravie de recevoir pour la première fois la visite de son grand frère. Ils sortent marcher sur la Butte Montmartre, puis se retrouvent dans un café enfumé de Saint-Germain-des-Prés. Malik sirote son espresso d'un air songeur. Il regarde sa sœur, qui est si enflammée lorsqu'un sujet la passionne.

– Vraiment, si tu ne comprends pas que tu perpétues le pire stéréotype masculin... Et puis quoi, tu vas me ressortir la classique de l'homme qui a la compulsion de propager son ADN ? C'est un impératif biologique, c'est ça ?

– Allez, Yaya, dit Malik en reprenant son diminutif d'enfant. Ne prends pas tout si au sérieux.

– Et tes copines, elles prennent ça au sérieux, elles ?

– Écoute, puisque tu insistes, je ne crois simplement pas que la monogamie soit un état naturel. Ni pour l'homme, ni pour la femme. Ceux qui s'y limitent finissent malheureux, brimés, aigris.

– Quoi ? Et papa et maman, tu les trouves brimés ?

– Et qu'est-ce que t'en sais, s'ils ont été fidèles ?

– Arrête !

– Nomme-moi un seul grand homme qui ait été monogame. Napoléon a répudié Joséphine. Mitterrand avait sa maîtresse. La royauté, on n'en parle même pas. C'est simple : dès qu'un homme a assez de pouvoir pour se permettre d'avoir plus d'une femme, il le fait.

Yasmina sirote son café crème. Elle toise son frère d'un air narquois.

– T'es sûr que ce n'est pas ton côté musulman qui ressort, grand frère ? Tu vas vouloir prendre quatre femmes maintenant ?

– Mais non ! Voyons ! Tout ce que je te dis, c'est que je ne suis pas près de me caser. Le monde regorge de femmes superbes et je ne vois rien de mal à rester célibataire pour pouvoir mieux en profiter, c'est tout. À cinquante ans, quand je serai fatigué, je marierai une pitoune et je songerai à ma descendance, dit-il en rigolant.

Un cas classique d'évitement, se dit Yasmina. Qu'est-ce qui a bien pu pousser son frère à développer une telle vision des rapports hommes-femmes ? Pourtant, leurs parents ont été heureux ensemble. *C'est plutôt moi qui aurais dû me révolter*, songe-t-elle, en regardant l'exemple soumis de sa mère. Malik avait pourtant un modèle facile à suivre ; leur père est à peu près l'antithèse parfaite de l'homme rose.

Quand même, elle trouve qu'il y a aussi une question de valeurs, là-dedans.

– Mais, officiellement, tu as déjà eu des copines, non ? reprend-elle. Ça ne te dérange pas de mentir, de tromper ?

– Je ne mens pas.

– Quoi, tu veux dire qu'elles ont toujours su…

– Disons qu'au pire, je mens par omission. Tu sais, Yasmina… il n'y en a jamais une qui me l'a demandé. Elles ne m'ont jamais posé la question.

Cela donne à réfléchir à Yasmina quelques instants. Peut-être, en effet, existe-t-il des femmes qui préfèrent regarder ailleurs, qui décident, la tête froide, que les bénéfices d'une relation valent bien de partager un peu. Des femmes qui préfèrent ne pas savoir. Yasmina ne comprend pas cette abdication. Sa nature entière ne permet pas de tels compromis.

D'autant plus qu'elle soupçonne que, le plus souvent, ce sont des femmes naïves qui font confiance, sans arrière-pensée ; elle parierait que les mystérieuses copines de son frère si charmant font partie de ce groupe. Et le voilà qui se justifie en prétextant l'absence de méfiance de celles-ci. Yasmina se dit en soupirant que jamais elle n'oubliera de poser cette question fondamentale à ses futurs amants : « Chéri, me trompes-tu ? » Quelle question ! Ça se demande quand ? Entre le coït et la brosse à dents ? Vraiment, si ce n'était pas son frère adoré qui pérorait ainsi... elle aurait déjà quitté le café enfumé pour le grand lit qui l'attend dans l'appartement cossu du XVIᵉ.

Malik demande un deuxième espresso. Jamais il n'avouerait à sa petite sœur que la seule femme qui aurait pu lui faire abandonner toutes les autres, la seule qui... Elle ne l'a jamais rappelé. Elle a changé son numéro de téléphone cellulaire. Elle s'est affichée avec un musicien à la con. Et c'est sans doute mieux ainsi. Malik s'est relancé de plus belle dans son travail, ses voyages, ses liaisons sans lendemain. Et le plaisir de fréquenter plus souvent sa petite sœur, puisque Londres et Paris sont presque voisines depuis l'inauguration de l'Eurostar.

Yasmina se plaît à Paris. Elle « bosse » toutes les heures du jour et de la nuit, sa maîtrise de littérature française à la Sorbonne étant extrêmement difficile, mais elle trouve tout de même le moyen de le faire dans des endroits agréables. Elle passe de longues heures perdue dans un bouquin, assise bien tranquillement dans le Jardin des Tuileries, sur les escaliers de Montmartre ou dans un café de Saint-Germain-des-Prés.

Yasmina a trouvé sa vocation. Une vocation double : la littérature et Paris. La Ville lumière lui fait l'effet d'un intense stimulant intellectuel. Tout Paris lui parle de vieux bouquins, de manuscrits, de grands penseurs : le Panthéon, les bouquinistes, l'auguste Sorbonne. L'air même qu'elle y respire l'emplit d'une folle envie d'apprendre.

Elle y mène une vie de solitude qui lui convient bien. Hormis Éléonore, Yasmina n'a jamais eu beaucoup d'amies. Son quotidien est d'autant plus agréable qu'au lieu de crécher dans une minuscule chambre de bonne, comme la plupart de ses confrères, Yasmina a l'immense privilège de régner sur l'appartement de son oncle Mohammed, le frère de son père. Celui-ci vit à Rabat, mais garde un pied-à-terre à Paris pour les séjours occasionnels de sa femme, qui y dévalise les boutiques deux ou trois fois par année.

L'imposant appartement, bourré de bibelots et de tapis persans, n'est pas au goût de Yasmina, mais elle a réussi à faire sienne une petite chambre, en tapissant un mur entier de vieux livres et en l'agrémentant chaque semaine d'un bouquet de fleurs acheté au marché des Halles.

Malik promettant d'être souvent de passage en voyage d'affaires, Yasmina ne s'ennuie pas trop de sa chère famille. De plus, ses parents ont l'intention de venir au printemps. Il ne lui manque qu'Éléonore. Il y a très peu de chances que celle-ci fasse le voyage. Elle sera sans le sou au moins pendant la durée du procès de son père, puisque c'est elle qui assume les frais d'avocats. Et enceinte ! Yasmina trouve cela très dur à croire. *Quelle cachottière, quand même*, se dit-elle. Elle demeure estomaquée que son amie lui ait caché un si gros secret que la présence d'un homme dans sa vie. Et qu'elle refuse toujours de lui en parler ! Yasmina n'en croyait pas ses yeux quand elle a vu la deuxième petite ligne bleue apparaître sur le test. Elle se demande vraiment si elle connaît sa meilleure amie aussi bien qu'elle le pense.

Est-ce pour cela que Yasmina n'a pas mentionné la nouvelle à Malik ce soir? Par dépit? Elle respecte l'intimité de son amie, qui est manifestement très secrète à ce sujet. Éléonore n'a même pas encore été capable d'en parler à ses parents. Et puis, on n'en est qu'au tout début. Les choses peuvent encore mal tourner. Ou encore, Éléonore pourrait peut-être changer d'idée et décider de...? *Non*, décide Yasmina, *ce n'est pas dans son tempérament*. Elle embrasse distraitement son frère et se dépêche de rentrer. Une fois bien installée dans sa chambre, un bol de tilleul à ses côtés, elle ouvre les *Mémoires d'une jeune fille rangée*, de Simone de Beauvoir, et soupire d'aise en se plongeant dans sa lecture.

À l'hôpital Sainte-Justine, Éléonore croise les jambes et serre la jaquette d'hôpital autour d'elle.

– Cela voudrait donc dire, mademoiselle, que vous êtes enceinte de quatorze semaines.

– Quatorze semaines? Je pensais que ça faisait même pas trois mois!

– C'est qu'on compte depuis la date de vos dernières menstruations, comme on ne peut savoir avec précision quand la fécondation a eu lieu.

Moi, je peux vous le dire avec précision, quand la fécondation a eu lieu, bougonne Éléonore dans sa tête. *À moins qu'on ait affaire à l'Immaculée Conception!*

Le docteur Lanthier hésite avant de continuer.

– Je préfère vous dire tout de suite qu'il est un peu tard si vous songiez à...

– Ah, parce que vous trouvez que j'ai une tête à ça ?

– Je m'excuse, mademoiselle, mais les patientes qu'on ne voit pas avant le deuxième trimestre sont souvent ambivalentes par rapport à leur grossesse. Je préférais mettre tout de suite les choses au clair.

Éléonore s'adoucit. Après tout, ce que dit le docteur est un peu vrai.

– Merci. Non, il n'en a jamais été question. Mais pour tout vous dire, je suis célibataire et le père… disons qu'il n'est plus dans le portrait.

– C'est une situation qui n'est pas du tout inhabituelle. J'ai beaucoup d'information à vous remettre, il y a des groupes d'entraide, des programmes gouvernementaux, rassurez-vous.

– Je ne m'inquiète pas pour ça, dit Éléonore.

– Vous seriez bien la première, sourit le docteur. En attendant, vous êtes un peu en retard pour la première échographie, on va vous arranger ça pour la semaine prochaine. L'échographie suivante est à vingt semaines. Prenez rendez-vous pour me revoir la semaine d'après, on aura les résultats. En attendant, voici un dépliant sur les précautions à prendre. Évitez l'alcool, les fromages de lait cru, arrêtez de fumer et pour le reste, c'est la nature qui s'en occupe. Avez-vous des questions ?

– Non, je vous remercie.

Éléonore se sent revigorée par sa visite chez le médecin. Sa grossesse cesse d'être une angoisse silencieuse et devient une réalité concrète, à laquelle elle peut faire face. Elle se rend directement chez Renaud-Bray, sur Côte-des-Neiges, et achète un gros livre sur la grossesse. Elle s'assoit en face, au bistro de l'Olivieri et commande un sandwich jambon-fromage. Ses faibles nausées l'ont enfin quittée et elle dévore son lunch avec appétit en feuilletant l'imposant bouquin. Voyons voir, quatorze semaines. Éléonore regarde de près l'image du petit embryon. Il peut déjà faire la grimace, sucer son pouce, et mesure neuf centimètres! Elle s'imagine un petit bébé miniature qui tiendrait dans le creux de sa main.

Éléonore se sent remplie d'un bonheur calme en prenant conscience du miracle qui se produit en elle. Parmi les mois de malheur et de mauvaises nouvelles, voilà enfin une petite étincelle de joie qu'elle saisit à pleines mains.

En rentrant à la maison, elle appelle Yasmina et lui confirme qu'elle est maintenant suivie par un médecin. Yasmina pousse un soupir de soulagement. Puis, elle passe tout de suite à son prochain cheval de bataille: quand Éléonore a-t-elle l'intention d'en parler au père? Éléonore lui explique patiemment: «Yas, j'ai pas besoin de lui dire. Il le sait.»

– Comment veux-tu qu'il le sache si tu lui as pas dit?
– Écoute, sans entrer dans les détails, c'est quelqu'un qui me connaît bien. C'est sûr qu'il le sait. Je peux pas t'expliquer pourquoi, mais il le sait, crois-moi.
– Je sais pas comment tu peux en être si certaine. Et puis, s'il le savait, pourquoi il ne t'aurait pas contactée?
– Parce qu'il veut rien savoir, c'est pour ça!
– Si c'est un tel salaud, je pense pas que tu devrais le laisser s'en tirer à si bon compte. Confronte-le. Force-le à prendre ses responsabilités. J'ai promis que je ne t'écœurerais pas pour savoir c'est qui, mais j'ai bien de la misère à tenir ma promesse. J'aimerais bien aller dire ses quatre vérités à ce gars-là.

Éléonore rit malgré elle en imaginant la scène.

– T'en fais pas, ça va bien aller. Yasmina, je vais avoir un bébé !!! Te rends-tu compte ?

Yasmina est au septième ciel d'entendre enfin un grain d'enthousiasme dans la voix de son amie. Elle avait peur que cette nouvelle responsabilité soit la goutte qui fasse déborder le vase, qu'Éléonore perde les pédales. Elle est ravie de voir que son amie est faite plus forte que ça, qu'elle est capable de vivre ses joies, sans se laisser engloutir par ses peines. Éléonore déballe tous les détails qu'elle a lus sur le développement du bébé, parle de son petit cœur qui bat, de ses mains, de ses cheveux qui poussent.

Lorsqu'elle mentionne à Yasmina qu'elle est enceinte de trois mois, Yasmina se fait la réflexion qu'elle est déjà à Paris depuis trois mois. Puis, en raccrochant, une pensée la frappe. Il y a trois mois, c'était son party de départ. Il y a trois mois, Matthew était à Montréal. Matthew qui n'a jamais caché l'admiration profonde qu'il porte à Éléonore. Et Yasmina voit difficilement avec qui d'autre Éléonore aurait pu céder à des amours d'un soir, elle qui est si sauvage. Matthew... Mais Matthew est un bon gars, ça ne se peut pas ? À moins qu'Éléonore se trompe et que Matthew ne sache toujours rien ? *Au diable les promesses*, se dit Yasmina, *il est temps de prendre les choses en main.*

Dès le lendemain matin, elle téléphone à Matthew. Elle lui annonce d'emblée qu'elle n'ira pas par quatre chemins et lui demande s'il sait qu'Éléonore est enceinte. Matthew tombe littéralement en bas de sa chaise.

– Enceinte ? Mais c'est qui le père ?

– J'espérais que tu puisses me le dire.

– Pourquoi je pourrais te le dire? *Oh, Yasmina, you don't think it's me, do you? I wish*[11]!

Le ton est si sincère que Yasmina ne peut faire autrement que de le croire. Matthew s'inquiète tout de suite d'Éléonore, veut avoir de ses nouvelles en détail. Yasmina lui explique qu'Éléonore va bien, qu'elle est positive par rapport à sa grossesse, encore atterrée par ce qui arrive à son père et surtout, très seule.

C'est le seul encouragement dont Matthew avait besoin. Il songe, depuis déjà un moment, à demander un arrêt de travail temporaire et se rendre à Montréal pour épauler Éléonore. Il ne l'a pas fait plus tôt par crainte de heurter l'orgueil d'Éléonore. Mais si même Yasmina s'inquiète de sa solitude… Et enceinte, en plus! Ça change un peu les choses, mais… pas entièrement. Éléonore demeure sa meilleure amie, qu'il aime d'un amour profond, et il ne peut rester là sans rien faire alors qu'elle a besoin d'être entourée. Il parle de ses intentions à Yasmina, qui l'encourage fortement. Dès le lendemain, il obtient les autorisations nécessaires au travail, achète un billet d'avion en ligne et décide de ne pas prévenir Éléonore de son arrivée, au cas où elle se braquerait. Les deux semaines d'attente jusqu'à son départ lui semblent interminables, mais son patron ne l'a pas laissé partir sans exiger qu'il termine certains dossiers.

Pendant ce temps, Éléonore prend son courage à deux mains et décide d'annoncer la nouvelle à ses parents. De toute manière, elle se dit que ça risque de paraître bientôt et elle ne veut pas qu'ils le devinent de cette façon. Elle a l'impression d'avoir si peu de contrôle sur sa situation qu'elle tient à conserver le peu qu'il lui reste.

---

11. Oh, Yasmina, tu penses quand même pas que c'est moi? Si seulement!

Charlie semble étonnée lorsqu'Éléonore l'appelle pour la voir. Elle l'invite à se rendre à Rosemère, mais Éléonore refuse. Elle ne se sent pas encore prête. «Où, alors?» demande Charlie. «Tu sais qu'on ne peut pas se voir en public, par les temps qui courent.» Éléonore invite sa mère chez elle. Lorsqu'elle arrive, Charlie pose un regard curieux sur tout. Elle n'avait vu l'appartement que très brièvement, lorsqu'Éléonore avait décidé de l'acheter. De voir l'intérieur de sa fille, son intimité, donne à Charlie l'impression de mieux la connaître, d'avoir une fenêtre ouverte sur ses pensées.

Sa fille si fermée... Charlie refuse de se blâmer pour leurs rapports tendus et persiste à n'y voir qu'une crise d'adolescence qui perdure. Quant à Éléonore, sa nature intraitable lui permet difficilement de passer l'éponge. Tout de même, avec les années qui passent, sa rancœur s'est effritée. Elle se surprend à accueillir sa mère de bon cœur, malgré ses déclarations publiques au sujet de Mike et de son père. On dirait qu'Éléonore accepte mieux le comportement de sa mère maintenant qu'il est franc et sans ombres. C'est la trahison qu'elle ne pouvait digérer. Elle ressent malgré elle un certain respect envers sa mère, qui a osé clamer son choix sur tous les toits.

Leur discussion est brève. Éléonore annonce à sa mère qu'elle est enceinte, qu'elle va élever le bébé seule, qu'il ne sert à rien de lui demander qui est le père. Charlie est estomaquée, ne sait par où commencer, quelles questions poser. C'est aujourd'hui que les années de distance entre la mère et la fille blessent: Charlie se sent incapable de parler à Éléonore autrement qu'avec des généralités. Elle demeure donc réservée, lui dit qu'elle est contente pour elle. Elle quitte vite le Mile-End et passe une partie de l'après-midi chez Holt Renfrew, tentant de noyer son inquiétude dans les achats frivoles.

Étrangement, son premier réflexe aurait été d'appeler Claude. C'est de leur fille qu'il s'agit et personne d'autre au monde ne partagera le mélange de fierté et d'appréhension que Charlie ressent en ce moment. Faute de mieux, elle dialogue avec Claude dans sa tête. *Grands-parents! On va être grands-parents! Qui l'aurait cru.*

Charlie, qui a connu une maternité si lourde à porter, ne peut s'empêcher de s'inquiéter pour sa fille, qui affrontera cette épreuve seule et sans grands moyens. En même temps, elle est une femme libérée et conçoit très bien qu'Éléonore décide d'entreprendre cela sans le soutien d'un homme. *À la limite*, se dit-elle, *ça pourrait être presque plus facile d'arranger sa vie comme elle l'entend, sans avoir à tenir compte des attentes et des exigences du père.* Elle essaie de s'imaginer la réaction de Claude, mais n'arrive pas à deviner s'il sera au septième ciel d'être grand-père, ou en colère noire qu'Éléonore devienne mère célibataire.

Éléonore se pose la même question. Elle découvre le dimanche suivant que la réponse de Claude est autrement plus posée. Il demeure songeur. Il contemple Éléonore à travers les volutes de fumée de sa cigarette. Il lui fait ensuite un discours alambiqué sur la vie, l'avenir, le temps. Sa conclusion est qu'un enfant, c'est toujours un cadeau, et il semble très heureux d'apprendre la nouvelle. Par contre, Éléonore est étonnée du calme de son père, de son ton réfléchi. Il faut croire que la solitude en prison l'affecte plus qu'elle ne le croyait. Ça lui fait mal jusqu'aux tripes de voir son père dans cet état. Elle ressent une flambée de rage envers les criminels qui ont abusé de lui, qui l'ont froidement choisi comme victime. Une vie ruinée pour gagner une piastre ou deux. Elle est emplie de fureur en se rappelant que Franz Hess a un jour osé s'asseoir à leur table pour le souper du réveillon.

Mais Éléonore ne veut surtout pas ajouter aux malheurs de Claude. Elle conserve donc un ton très enjoué lorsqu'elle parle de ses plans d'avenir avec le bébé. Jamais elle ne laisse poindre le moindre doute, la moindre angoisse. Elle est épuisée en repartant, comme une comédienne vidée après une scène troublante.

Le lendemain, elle se rend au bureau de maître Paquin, qui l'accueille comme à son habitude avec un sourire chaleureux et une tasse de café bien chaud. Il la tient régulièrement au courant des progrès de l'enquête et Éléonore apprécie sa présence solide et réconfortante. Elle lui fait part de ses inquiétudes.

– Mon père, ça lui fait pas, d'être en prison. Il n'est plus lui-même.

– Je sais, je m'en rends bien compte.

– Faut que ça avance, cette histoire-là. Faut qu'on lui donne des raisons d'espérer.

– La procédure est vraiment longue. Maître Vincelli a beau pousser, il y a pas mal de preuve à ramasser. Je pense que ça va prendre encore quelques mois.

– Penses-tu que ça a des chances de se régler avant la fin mai ?

– Je sais pas, pourquoi ?

– Parce que je viens d'apprendre à mon père qu'il va être grand-père, à la fin mai. Si tout va bien, il pourrait peut-être être sorti de prison pour la naissance ?

– Éléonore, toutes mes félicitations !

Les yeux bleu acier de l'avocat s'éclairent d'un sourire sincère.

– Tu sais, j'ai un garçon de trois ans, qui s'appelle Thomas. Il n'y a rien de plus formidable au monde. Par contre, je ne voudrais pas que tu te fasses de faux espoirs. C'est pas garanti que le procès ait lieu à temps, ni que ton père soit innocenté.

– Mais s'il a rien fait !

– Des fois, c'est pas nécessaire d'avoir volontairement commis un acte criminel. Aux yeux de la loi, on peut aussi être reconnu coupable de s'être fermé les yeux devant une situation irrégulière. C'est par ça qu'ils vont essayer d'attraper Claude. Surtout que Franz Hess est toujours au large, et ça va leur prendre un coupable pour justifier leur grosse opération policière. Alors, je veux que tu te prépares.

Abattue, Éléonore acquiesce. Elle se dit qu'il vaut peut-être mieux s'attendre au pire plutôt que risquer d'être déçue. Tout de même, cela la rend triste. Son pauvre bébé, qui n'a pas de père et qui n'aura peut-être pas de grand-père non plus ! Elle refoule l'émotion qui lui serre la gorge et remercie Jérôme, la tête haute. Elle retourne au bureau et se plonge dans une épineuse question technique liée aux effets spéciaux requis par ses vampires. Elle préfère s'abrutir de travail plutôt que de laisser ses pensées morose tourner en boucle dans sa tête.

Éléonore est très surprise de voir Matthew débarquer chez elle le week-end suivant. Tout d'abord, elle s'imagine qu'il a encore une fois été envoyé à Montréal à la dernière minute pour son travail. Lorsqu'elle voit la taille de sa valise, elle lui demande combien de temps il compte rester. Il lui répond « *Indefinitely*[12] ». Elle le regarde, n'osant pas comprendre qu'il est là pour elle. Il lui explique l'appel de Yasmina, ses craintes, sa décision de venir l'épauler.

---

12. Indéfiniment.

Éléonore est folle de rage. « Mais pour qui elle se prend, Yasmina Saadi ? Veux-tu bien me le dire ? Elle va-tu se mêler de ses affaires, une fois dans sa vie ? » Elle veut immédiatement sauter sur le téléphone pour invectiver son amie. Matthew réussit à la calmer, lui répétant à maintes reprises que Yasmina a agi seulement par amour, qu'il pensait venir depuis longtemps, que vraiment, ça ne change rien, que...

– Et ma grossesse, ça ne change rien non plus ? demande Éléonore, cruellement moqueuse. T'es venu changer des couches, c'est ça ?

Devant l'air résigné de Matthew, elle s'en veut tout de suite de cette pointe inutile. Elle le serre dans ses bras et s'excuse doucement. Matthew entre dans la cuisine et offre de préparer du thé. « Tout sauf du thé à la menthe », répond Éléonore, qui a envie d'oublier jusqu'à l'existence de la famille Saadi.

Les premiers jours, Matthew se fait discret. Il tâte le pouls de la situation et ne veut surtout pas brusquer Éléonore. Elle accueille avec plaisir les discussions sur le bébé à venir, mais s'est refermée comme une huître quand il a osé parler des origines de l'enfant. Il se le tient pour dit et ne touche plus à ce sujet épineux.

Pendant qu'Éléonore travaille, plongée dans son projet de film amérindien, Matthew savoure une rare sabbatique. Il a un tempérament actif et c'est la première fois depuis son enfance qu'il jouit de longues journées de liberté. Il en profite pour lire beaucoup, surtout des ouvrages de vulgarisation scientifique sur les origines de l'univers et l'évolution de l'homme. Chaque soir, il fait part à Éléonore de ses découvertes d'un ton passionné. Ça la repose

beaucoup de penser à ces questions existentielles et uni-
verselles qui l'éloignent de son quotidien et elle embarque
dans la discussion avec vigueur. Matthew passe la plupart
de ses après-midi à faire du ski de fond sur le mont Royal,
savourant un hiver précoce.

Chaque soir, il est de retour à la maison avant Éléonore
et lui mijote des petits plats gourmets qui l'étonnent. Elle
savait bien que les parents de Matthew sont les hôtes d'un
bed & breakfast en Colombie-Britannique, mais jusqu'à ce
jour, Matthew ne s'était jamais vanté des étés qu'il avait
passés comme apprenti cuistot dans leur cuisine. Quand
il était étudiant, il se satisfaisait comme tout le monde de
nouilles et de pizza. Maintenant qu'il a le temps, qu'il a un
public des plus appréciateurs, Matthew redécouvre avec
joie l'art culinaire et expérimente chaque soir de nouvelles
saveurs. Éléonore, qui a toujours été gourmande, devient
de plus en plus insatiable au fur et à mesure que sa grossesse avance.

Leur intimité si facile la surprend. Elle choisit de ne pas
trop penser à ce que signifie la présence de Matthew. C'est
peut-être lâche de sa part, peut-être devrait-elle s'inquiéter
davantage de ses sentiments, mais elle n'en a pas la force.
Elle se dit qu'à chaque jour suffit sa peine et se promet
d'avoir une discussion sérieuse avec Matthew, quand
elle se sentira assez en forme. Leurs soirées se passent
en parties de Scrabble et d'échecs, ou devant les films de
répertoire qu'Éléonore affectionne particulièrement.

Les semaines passent et Matthew commence à timidement parler de la possibilité de trouver un emploi à
Montréal. Il a repris contact avec des amis de McGill qui
ont des pistes intéressantes pour lui. Éléonore ne dit ni oui,

ni non, préférant se conforter dans l'illusion que Matthew prend ses propres décisions sans influence de sa part.

Éléonore est allongée sur le lit incliné en vinyle bleu. À côté d'elle, Matthew se mord nerveusement la peau du pouce. La technicienne entre dans la pièce et invite Éléonore à lever son chandail. Elle étend une gelée turquoise froide sur son ventre et y pose la sonde. L'écran s'anime. Matthew plisse les yeux. La technicienne se met à parler du cœur qui bat, des poumons, de l'estomac. Sur l'écran en noir et blanc, Matthew ne continue à voir que du brouillage de télévision entre deux postes. Tout à coup, une forme grise se précise et l'on peut apercevoir une main! De cette main, les yeux de Matthew remontent et distinguent le profil, un profil de bébé! D'excitation, il serre si fort la main d'Éléonore qu'elle doit gentiment la lui retirer.

– Désirez-vous connaître le sexe du bébé? demande la technicienne.
– Bien sûr!
Éléonore a l'impression que de savoir si c'est un garçon ou une fille lui permettra de commencer à apprivoiser cette petite personne qui niche en elle. Lui imaginer un visage, un nom.

– Je réussis mal à voir les organes génitaux. Je vais vous demander de bouger les hanches, question de faire bouger un peu le bébé.

Éléonore gigote de son mieux. Le bébé bouge, bouge… et fait une pirouette! Matthew est ébahi.

– T'as vu ça? Quel acrobate!

– Les papas sont toujours bien fiers des prouesses athlétiques de leurs enfants, remarque la technicienne en souriant avec bienveillance.

Gênée, Éléonore n'ose pas la corriger.

– Alors voilà... on voit ici les jambes... je ne vois pas encore clairement, mais j'ai l'impression que... ça y est, vous allez avoir une fille!

Une fille. Éléonore n'en revient pas. Elle sent ses yeux s'emplir de larmes et cette fois-ci, c'est elle qui broie la main de Matthew dans la sienne. Une petite fille! En sortant de l'hôpital, Éléonore s'emmitoufle pour se protéger du vent glacial de janvier. Elle et Matthew se réfugient à la Petite Ardoise, sur Laurier, pour y boire un chocolat chaud réconfortant. Ils parlent de la petite fille qui s'annonce. Éléonore confie avoir quelques craintes, à cause de sa relation difficile avec sa mère.

– Un garçon, il me semble que c'est plus simple. C'est plus facile à cerner.

– Merci bien! De toute manière, Élé, souviens-toi que tu n'es pas ta mère. Pas du tout. Tu vas faire une excellente mère, j'en suis convaincu. Tu as des principes forts et tu t'y tiens.

– Comme ma grand-mère Castel... J'aurais tellement aimé que tu puisses la rencontrer. Si elle était là... Si elle savait que je vais avoir une petite fille, elle serait tellement contente! Elle m'en parlait tout le temps. Tu sais, je pense qu'il n'y a rien qu'elle a préféré dans sa vie, que d'être mère.

– Tu vois! Tu vas être exactement comme elle.

– J'espère. Je vais te dire un secret, d'un côté, j'espérais avoir un garçon pour faire plaisir à mon père, parce que je sais qu'il a toujours regretté ne pas en avoir eu un. Mais moi, je rêvais d'une fille, pour l'appeler Mathilde, en souvenir de ma grand-mère. Ça lui aurait fait plaisir, hein ? Une petite Mathilde…

Éléonore essuie une larme. Matthew la regarde avec tant d'amour dans les yeux lorsqu'il lui propose d'aller ensemble, le dimanche suivant, visiter la tombe de grand-maman Castel pour lui apprendre la nouvelle.

– T'es fou, il doit bien y avoir cinq pieds de neige au cimetière ! On n'est pas en Colombie-Britannique, ici.
– C'est pas grave ! On va grimper sur la neige et on va quand même aller lui porter le message. C'est une grande nouvelle, ça ne peut pas attendre au printemps, quand même.

Éléonore éclate de rire et accepte avec plaisir de se prêter au plan saugrenu.

En se préparant à affronter de nouveau le froid, Éléonore se dit qu'elle ne réussira bientôt plus à fermer son manteau d'hiver. Son ventre tarde à poindre, comme le docteur Lanthier l'en avait prévenue. Elle est grande et faite forte, le bébé a donc de la place à prendre et surtout, ses forts abdominaux de sportive retiennent l'utérus plus longtemps en place. Mais depuis une semaine, elle sent son ventre éclore et se dit qu'il sera bientôt temps d'ajuster sa garde-robe.

Dès le lendemain, elle doit s'avouer vaincue lorsqu'elle est incapable de boutonner ses jeans préférés, même s'ils sont très taille basse. Elle quitte le travail un peu plus tôt qu'à son habitude et se rend dans une boutique de maternité qu'elle a aperçue sur Sherbrooke, à Westmount, lors d'un lunch d'affaires quelques semaines plus tôt. Elle trouve les vêtements affreusement chers, mais n'a pas l'âme d'une magasineuse et préfère régler ses achats d'un seul coup. Elle se contentera de quelques pièces clés, voilà tout. Une paire de jeans, un pantalon noir, une chemise blanche, deux t-shirts noirs et… une superbe robe, d'un rouge vif profond, qui la séduit au premier coup d'œil. Le décolleté et la coupe de biais flattent indéniablement ses formes qui s'arrondissent. Éléonore tergiverse, mais la vendeuse chante tant les louanges du rouge, qui met en valeur les riches tons noisette de sa chevelure, qu'Éléonore finit par céder. Elle est bien fière de ses achats et lorsqu'elle enfile une paire de jeans de maternité, elle se demande comment elle a pu se serrer dans ses Lee aussi longtemps. La chemise blanche à pans semble faire prendre de l'ampleur à son ventre bourgeonnant. L'image que lui renvoie le miroir la choque. Enceinte, elle est enceinte ! De se voir avec un ventre lui rend la chose encore plus réelle que d'avoir vu un petit bébé bouger sur un écran en noir et blanc.

En sortant de la boutique, elle se dirige vers la Gascogne pour y acheter des croissants. La file est longue et il fait une chaleur étouffante dans la boutique surchauffée. Éléonore se sent étourdie et elle enlève son manteau pour se rafraîchir. Elle reçoit une petite tape sur le dos et se retourne, tombant face à face avec le journaliste à potins Gilles Cossette, celui-là même qui s'était délecté de lui révéler les détails du scandale qui frappait son père. Il la salue chaleureusement et elle se méfie tout de suite de son air intéressé.

– Mon Dieu, Éléonore, tu t'épanouis ! Est-ce un beau ventre que je vois là ? Je savais même pas que tu avais un chum *steady* !

Éléonore voudrait nier, mais elle sait que la chemise blanche met son ventre en évidence et, comble de malheur, elle tient à la main un sac clairement marqué «Future maman». Elle salue rapidement le journaliste et rentre chez elle, n'attendant pas ses croissants.

La sortie dominicale au cimetière est aussi émouvante qu'Éléonore l'avait anticipée. Matthew fait le bouffon et la distrait de sa peine, en se comportant en explorateur de l'Everest lorsqu'il grimpe chaque banc de neige. Il laisse quand même quelques minutes de silence à Élé lorsqu'elle s'adresse, dans sa tête, à sa chère grand-mère.

Grand-maman, c'est à mon tour. Je vais avoir un bébé, un beau bébé! Je m'ennuie de toi, grand-maman, je m'ennuie telle-ment de toi!

Elle se sent envahie d'une certaine sérénité. En effet, c'est la vie qui continue, une génération après l'autre. Sa chère grand-maman fera place à une petite Mathilde, qui a encore toute la vie devant elle.

Lundi matin, à la première heure, le téléphone sonne dans le bureau d'Éléonore. C'est Martin Delaroche, un journaliste très respecté de la section Arts et spectacles du journal *La Chronique*. Éléonore a souvent eu affaire à lui dans le cadre de son travail auprès de Jacques Martel et c'est l'un des rares journalistes qu'elle respecte énormément.

– Éléonore, mauvaise nouvelle.

Le sang d'Éléonore ne fait qu'un tour.

– Quoi encore?

– Écoute, je ne sais pas si l'histoire est fondée, mais je voulais te prévenir que j'ai eu des échos d'un *scoop* que Gilles Cossette s'apprête à sortir aujourd'hui. Il parle de morale douteuse chez les Castel et affirme que tu seras mère célibataire. Il a une source qui fait des suppositions sur le présumé père. Selon la source, tu ne saurais même pas toi-même qui est le père, mais on parle de Franz Hess, ou bien même, je suis désolée de te dire ça, de Mike.

– Mike ? Quel Mike ?

– Le euh, le conjoint de ta mère.

– Quoi ? Mais c'est une belle gang de malades ! C'est qui, cette source-là ?

– Je le sais pas et ma source à moi ne le sait pas non plus.

– Ça sort quand, cette horreur-là ?

– C'est en train d'être imprimé, ça sort en kiosque demain.

– Qui publie ça ?

– Le magazine *Stars d'aujourd'hui*. C'est très *trash* mais malheureusement, ils ont un gros lectorat.

– J'appelle tout de suite mon avocat et je leur envoie une mise en demeure.

Malheureusement, les espoirs que place Éléonore dans le système judiciaire sont encore une fois mal fondés. Maître Paquin s'excuse à nouveau de ne pouvoir donner suite à l'histoire.

– Tu perdrais ton temps et ton argent. C'est vrai que tu es enceinte et célibataire. Pour le reste, c'est juste des suppositions, on ne peut pas poursuivre pour ça. La liberté d'expression est très protégée au Québec, plus que le droit à la réputation.

Dès la parution de l'article, les caméras sont de nouveau braquées sur Éléonore, qui opte de se cacher dans d'immenses chandails difformes et n'étrenne jamais sa belle robe rouge.

Des coups violents sont frappés à la porte. Inquiète, Éléonore n'ose pas répondre. Matthew n'est pas encore rentré et elle est seule. Le téléphone sonne.

– Allo ?

– C'est quoi le problème, t'es là pis tu me laisses pas rentrer !

– Allegra ? C'est toi qui cognes comme ça ? Tu m'as fait une peur bleue !

– Ouvre la porte !

La porte s'ouvre sur une Allegra en furie. Elle attaque Éléonore d'entrée de jeu, absolument furieuse d'avoir dû apprendre la grossesse de son amie dans les journaux.

– Je suppose que Yasmina le savait, elle ?

– Euh oui, ben c'est parce qu'elle était là quand j'ai fait le test.

– Et Matthew le sait ?

– Euh oui, c'est Yasmina qui lui a dit.

– Ah bon ! Et personne m'appelle, moi ? Je compte pour du beurre, là-dedans ? Ça a pas d'allure, Élé, qu'est-ce qui nous arrive ? C'est quoi cette histoire-là ?

– Écoute, euh…

– Pis à part de ça, ça fait des mois que tu m'évites ! Depuis toute cette histoire-là avec ton père, je t'ai presque pas vue ! Veux-tu bien me dire ce que je t'ai fait ?

– Tu m'as rien fait, c'est juste que…

– C'est juste que quoi ???

Éléonore n'ose pas dire la vérité à Allegra. N'ose pas lui dire que sa douleur à elle ne pouvait en plus supporter celle de son amie, qui pleurait le même homme. À chacune de ses tentatives, de ses appels, lors de son faux voyage à Londres, Éléonore se sentait incapable de l'écouter sans avoir envie de pleurer, tant elle était tenaillée par l'envie sourde de s'abaisser de pareille manière, de tout faire pour le revoir une fois, juste une fois. Ça prenait toute sa fierté pour ne pas crier à Allegra : «Moi aussi ! Moi aussi j'ai pensé qu'il m'aimait, OK ?» De plus, elle ne veut pas faire cette peine à son amie, dont elle connaît si bien les limites. Un gars qui ne la rappelle pas, il y a toujours espoir. Un gars qui a séduit et mis enceinte sa meilleure amie, ça la mettrait carrément à terre.

Allegra s'est inventé tout un scénario, toute une fable autour du personnage de Malik qu'elle voit en prince de conte de fée. Éléonore n'en pouvait plus de l'entendre vanter les mérites de Malik et elle a volontairement espacé ses rencontres avec son amie.

Elle ne sait donc que dire pour expliquer les choses. Allegra se fâche et la discussion s'envenime, lorsque Matthew les interrompt en entrant dans le salon. Sans paraître remarquer la tension qui règne, il fait la bise à Allegra et lui demande si elle reste à souper. «Je prépare des vol-au-vent aux pétoncles hallucinants.»

– Non, moi ça a l'air que je ne suis plus la bienvenue ici, alors je sacre mon camp.

Allegra enfile son manteau et claque la porte en sortant. Matthew voit bien qu'Éléonore est bouleversée. La dernière chose qu'elle souhaitait, c'était de faire de la peine à son amie.

Dans le silence qui suit le départ d'Allegra, Éléonore pousse un «Oh !» surpris, puis son visage s'éclaire d'un large sourire. «Matthew, chuchote-t-elle, mets ta main juste ici.» Matthew pose doucement sa main sur le ventre d'Éléonore et c'est ensemble qu'ils sentent les premiers coups de la petite Mathilde.

Chapitre dix-huit

Charlie termine sa mise en plis et se sourit dans le miroir. Elle tapote ses petites pattes d'oie et se demande si le temps ne serait pas venu de demander l'aide de la médecine dans sa quête constante de beauté. C'est là une idée à laquelle elle a toujours résisté, craignant de finir momifiée comme certaines femmes de sa connaissance. *Non*, se dit Charlie, *pour le moment les crèmes et les massages faciaux font encore l'affaire.*

Depuis qu'elle est officiellement la conjointe de Mike, aux yeux du public comme à ceux de leurs familles et amis, Charlie ressent davantage le poids de son âge. Elle a assisté à quelques matchs au Centre Molson en compagnie des autres femmes de joueurs, et de se retrouver au milieu de ces poulettes dans la vingtaine lui a donné tout un coup de vieux. Charlie se sent encore à la hauteur, se complait à se dire qu'elle était quand même la plus belle et la mieux habillée de tout le groupe, mais elle sait au fond d'elle-même que sa période de gloire tire à sa fin. Bientôt, elle aura cinquante ans, puis soixante... Et Mike restera toujours beaucoup plus jeune.

Elle consacre donc tous ses efforts à l'accrocher le plus solidement possible. L'ensorceler, toujours le surprendre. Être une tigresse au lit un jour, un exemple de domesticité le lendemain. Être toutes les femmes et satisfaire tous ses désirs. Mike ayant plus d'une fois questionné Charlie sur ses responsabilités de mère à l'égard d'Éléonore, elle décide qu'il serait de bon ton de s'impliquer un peu plus dans la grossesse de sa fille et de lui organiser un *shower* de bébé.

Elle invite ses sœurs Ginette et Suzanne et retrace un groupe de copines du cégep, Julie Mercier, Charlotte Bonsecours et Caroline Laurier. Yasmina est à Paris ; l'invitation envoyée à Allegra est restée sans réponse.

Charlie est à son aise dans son rôle de châtelaine de Rosemère. Elle sert café et cupcakes dans son salon tout blanc, faisant admirer à ses invitées les photos de Mike en action qui ornent les murs. « Ça, c'est son 50ᵉ but de la saison 98 ! » répète-t-elle à qui veut l'entendre.

Après avoir craint de se sentir mal à l'aise chez l'amant de sa mère, Éléonore finit par se détendre peu à peu. Après tout, sa mère ne changera jamais ; il vaut mieux apprendre à l'accepter comme elle est. Éléonore se demande, en riant intérieurement, si ce sont les hormones de grossesse qui la rendent si conciliante. Gentille mais maladroite, Charlie met tout le monde mal à l'aise en annonçant qu'il est interdit de demander à Éléonore qui est le père du bébé, mais qu'elle est certaine que sa fille l'a choisi beau, son donneur de sperme. Éléonore se crispe légèrement, puis se dit que c'est la manière que sa mère a trouvée pour détendre l'atmosphère. Par contre, elle la trouve moins drôle quand sa mère enchaîne en expliquant qu'Éléonore a déjà choisi un père adoptif qui est très bel homme.

– Un anglophone de la Colombie-Britannique, spécifie-t-elle à ses sœurs, toujours avides de détails. Beau garçon. Pis, il parle bien français, à part ça.
– Ouin, t'es pas mal chanceuse, Éléonore !

Éléonore décrète que Matthew est seulement un ami et clôt la conversation. Elle se sert un autre cupcake, puis discute avec ses copines Caroline et Julie.

– Dire que j'aurai une petite-fille! Si jeune! s'exclame Charlie devant ses sœurs, ramenant l'attention sur elle comme à son habitude.

– Félicitations grand-maman! ricane Ginette.

– Ah non, rétorque Charlie, je ne serai jamais grand-maman!

– Comment tu veux que le bébé t'appelle, alors? demande Éléonore.

– Euh… pourquoi pas Charlie? Comme toi. Ça fait plus jeune.

– Ce n'est plus le temps d'être jeune, continue Ginette, quand on est grand-mère.

– L'âge, c'est dans la tête, ma chérie.

Charlie sert du café de nouveau et change de sujet.

Éléonore remarque que Charlotte broie du noir. Elle lui demande discrètement ce qui lui arrive.

– Rien, c'est rien.

– Charlotte, *come on*, c'est à moi que tu parles. Qu'est-ce que tu as?

– Je me sens mal de te dire ça… de m'apitoyer sur mon sort quand le tien est pire… mais c'est mon père!

– Quoi, ton père?

– Il s'est installé chez sa maîtresse!

– Pas…

– Johanne Lachance? Oui! Tu le savais, c'est ça? Tout le monde le savait, sauf moi.

– Depuis quand il est parti?

– Ça fait juste trois jours, mais il refuse de me voir ou de me parler. Il nous a carrément abandonnées. Tu devrais voir l'état de ma mère, elle sort même plus de son lit. Je te jure, elle va faire une dépression.

– Mon Dieu, pauvre chouette, je savais pas tout ça.

– Personne ne le sait encore. À date, les relationnistes de la ville ont réussi à étouffer l'affaire. Mais ça ne peut pas durer longtemps. Ils lui ont bien dit que c'était un coup mortel pour ses chances de réélection, mais il dit qu'il s'en fout, qu'il l'aime assez pour tout envoyer en l'air. C'est dégueulasse!

– Écoute, je sais que c'est *tough*, mais pour être honnête ça va être encore pire quand ça va sortir. Lis pas les journaux et essaie de pas y penser.

– Facile à dire, la maudite Johanne Lachance est associée à mon bureau! Je la croise tous les jours!

Éléonore ne trouve pas les mots pour apaiser son amie. Elle sait d'expérience qu'il n'y a que le temps qui peut guérir certaines blessures.

Quand le moment est venu de déballer les cadeaux, Éléonore se prête au jeu de bonne grâce. Ses copines et sa famille ont été très généreuses. Yasmina a envoyé de Paris une collection complète de cache-couches Petit Bateau, de toutes les tailles. Éléonore est émue de tenir dans ses mains un cache-couche vert pâle de taille nouveau-né. Le vêtement lui semble si menu, si délicat, presque fragile. La réalité de ce qui l'attend la frappe de plein fouet. Elle éclate en sanglots et court se réfugier dans la salle de bains.

Après quelques minutes, elle entend Charlie qui lui parle de l'autre côté de la porte.

– Éléonore? Ça va?

Éléonore ouvre la porte en reniflant. Elle est assise contre le bol de toilette.

– Je n'imaginais pas qu'il allait être aussi petit! sanglote-t-elle. Maman, comment je vais faire pour m'occuper d'un bébé? Je sais pas quoi faire. Je serai jamais capable! Je vis dans un petit appart, j'ai même pas de place pour un bébé!

Calmement, Charlie allume une cigarette.
– Il y a personne qui sait vraiment quoi faire, dit-elle. Il n'y a pas de recette parfaite pour être mère.

Éléonore s'essuie les yeux du revers de la main.
– Tu sais, reprend sa mère, ce n'est facile pour personne. Tu étais une terreur, bébé. Tu faisais de ces coliques!
– Ça devait quand même être moins pire que la crise d'adolescence, répond Éléonore avec un sourire en coin. C'est la première fois qu'elle aborde avec sa mère le sujet de ces années turbulentes.
– Viens ici, ma chouette, dit Charlie, enveloppant sa fille de leur première étreinte depuis ses douze ans.

Les deux femmes restent longtemps à parler, assises sur le bord de la baignoire en marbre rose. Leurs invitées sirotent poliment un thé devenu froid, pendant que la maman et sa grande fille tentent timidement de reconstruire quelques ponts dans leur relation si abîmée. Maintenant qu'elle s'apprête à être mère, Éléonore comprend un peu mieux les angoisses de Charlie, qui s'est démenée pour conserver une identité à part, au-delà de celles d'épouse et de mère de famille. Éléonore rentre chez elle les bras chargés de cadeaux, en se sentant un peu plus prête au défi qui l'attend.

Si seulement *il* pouvait lui donner signe de vie… Éléonore s'était bien juré qu'elle ne le contacterait jamais, qu'elle se débrouillerait sans lui, mais… Elle ne peut s'empêcher de ressentir une certaine part de rancœur: elle ne doute pas que Malik soit au courant de sa grossesse, par Yasmina, par les rumeurs qui courent. Comment a-t-il pu garder le silence? Il ne veut sûrement rien savoir. Elle se console en se disant que son bébé est bien mieux sans un père comme lui.

Et puis, elle doit s'avouer que dans ses rêves d'avenir, elle lui voit peut-être un père, à sa petite Mathilde. Sa relation avec Matthew ne cesse de s'approfondir. C'est lui qui, tous les soirs, masse ses pieds endoloris par la grossesse. C'est lui qui lui mijote de bons petits plats, qui l'écoute raconter ses problèmes, qui sait la faire rire lorsque son monde menace de s'écrouler autour d'elle.

Éléonore commence aussi à porter plus d'attention à la présence physique de Matthew. Elle ne sait pas si c'est la faute aux hormones de grossesse, mais elle se sent des envies de chatte en chaleur. Elle se colle contre Matthew à la moindre occasion et est toujours profondément frustrée lorsque ses mains restent sagement dans les limites de la décence. Elle n'ose rien dire, elle ne sait pas s'il en a envie, si elle peut même lui demander ça, alors qu'elle est si évidemment enceinte d'un autre homme. Elle continue à avoir peur, aussi, que sa grande amitié avec Matthew ne survive pas à une aventure physique potentiellement décevante.

Et surtout, elle n'est pas encore sûre de vouloir autre chose qu'un baume à la démangeaison qui l'afflige. Certains soirs, elle en a si envie qu'elle pourrait hurler! Éléonore n'a pas l'habitude de faire confiance à ses sens, elle s'empêche donc de réclamer ce que son corps désire, mais elle voudrait donc qu'un soir, Matthew, de lui-même... Peut-être faudrait-il lui donner un petit coup de pouce. Éléonore planifie en catimini un souper intime à la maison le samedi soir suivant, à l'occasion duquel elle a l'intention d'étrenner la fameuse robe rouge...

Yasmina est très surprise lorsqu'elle entre pour la première fois chez son frère. Malik a acheté un appartement dans les Docklands, un nouveau projet immobilier à la fine pointe des développements architecturaux de Londres. De l'extérieur, l'immeuble ressemble à ses attentes : beaucoup de vitre, d'acier, d'angles aigus. Par contre, l'intérieur détonne. Le hall d'entrée est confortable. L'appartement de son frère s'ouvre sur un salon spacieux et chaleureux. Les fauteuils de cuir brun usés par le temps seraient plus à leur place dans un club huppé de chasse et pêche. Les immenses baies vitrées donnant sur la Tamise renforcent cette impression étrange de se trouver à la campagne, plutôt que dans l'une des grandes capitales occidentales. Yasmina complimente Malik pour son tapis persan, en se disant que son cher frère réussira toujours à la surprendre.

Malik est excité comme un enfant à l'idée de recevoir sa sœur chez lui. Depuis qu'elle est à Paris, elle prétexte toujours une surcharge de travail scolaire pour le convaincre de se déplacer afin de la voir. Enfin, elle a pris l'Eurostar à son tour et Malik se réjouit à l'idée de lui faire découvrir Londres. Il souhaite l'emmener errer dans les rues de Notting Hill, lui faire découvrir le marché aux puces de Portobello Road, la faire saliver devant les étalages de la boutique alimentaire de Harrods et refaire le monde avec elle dans un pub enfumé. Yasmina lui rappelle qu'elle doit quand même étudier. « Plus tard ! » répond Malik en entraînant sa sœur vers le Spotted Dick, un vieux pub mal famé comme il les aime. Il commande une pinte de Guinness pour lui et un Shandy pour sa sœur.

– Un Shandy?

– Moitié bière, moitié limonade.

– Limonade de Montréal ou limonade européenne?

– Limonade européenne. Du Seven-Up, quoi.

– Tu m'as fait venir jusqu'ici pour me faire boire du Seven-Up? À Paris, je t'aurais servi du champagne!

– Bois et tais-toi, dit Malik en lui donnant une tape affectueuse sur la tête.

Yasmina et Malik n'ont que dix-sept mois de différence d'âge. Tout petits, ils avaient parfois l'impression d'être jumeaux. Leur complicité ne s'est jamais démentie malgré le temps, et c'est tout naturellement qu'ils retrouvent leurs taquineries d'enfance.

– Bon, passons aux choses sérieuses, dit Malik en sortant une copie du magazine *Time Out*. Tu veux aller voir un *show* ce week-end?

– Oh oui, une comédie musicale, s'il te plaît! *Le Fantôme de l'Opéra*!

– *Le Fantôme de l'Opéra*? À qui tu penses que tu parles, là? Un *show*, c'est pas du monde déguisé en clown qui court partout sur la scène, un *show* c'est un guitariste, un *drum*, de la *bass*... De la musique, quoi!

– C'est moi l'invitée ou non? Oh, s'il te plaît, Malik, j'ai vu ça dans l'avion, je veux aller voir le fantôme, s'il te plaît!

– Bon, bon, bon, si tu tiens absolument à me faire honte, on va y aller. C'est pas fort pour une prétendue grande intellectuelle comme toi, en passant. Je vais regarder l'horaire. On est mieux de pas croiser quelqu'un que je connais.

Yasmina observe la clientèle du pub. De jeunes entrepreneurs, penchés sur leur ordinateur portable, côtoient gaiement les vieux habitués qui bougonnent dans leur pinte et gesticulent en fumant leur énième cigarette.

– Heille, changement de sujet, est-ce que je t'ai dit qu'Éléonore m'a demandé d'être marraine? s'exclame joyeusement Yasmina. Elle prend une gorgée de Shandy.
– Comment? Marraine de quoi? demande distraitement Malik en tournant les pages du *Time Out*.
– Mais de son bébé, voyons!

À ces mots, Malik devient blême. Il regarde sa sœur fixement et lui demande d'un air tendu de quoi elle veut bien parler.
– Mais voyons, tu sais bien qu'Élé est enceinte!
Les mois ayant passé, Yasmina a oublié à la fois ses réticences et le fait qu'elle avait initialement décidé de ne pas claironner la grossesse d'Éléonore sur tous les toits.

– Mais comment, enceinte? De qui?
– Ah, ça, c'est un mystère. Elle est complètement bornée et refuse de le dire. Pour te dire la vérité, poursuit Yasmina en baissant la tête, hésitant à trahir un tel secret: ça m'étonne vraiment. Elle n'a pas eu beaucoup de chums, Élé.
– Mais son chanteur?
– Un chanteur? Quel chanteur?
– Je l'ai vue à la télé, pas longtemps après l'arrestation de son père. Avec le chanteur rock, celui de la comédie musicale, en manteau de cuir noir!
– Tu veux dire Georges Claudel?
– C'est ça. Ils ont dit à la télé que c'était une relation de longue date.
– Ils disent n'importe quoi à la télé! Georges Claudel! conclut Yasmina en riant.
– Mais qu'est-ce que ça a de si drôle?

– Georges Claudel est gai, nono. C'était un des clients de Claude, il connaît Élé depuis des années. Il était juste là pour la soutenir, elle n'avait personne. Moi j'étais ici, en exam, sa mère était terrée avec son joueur de hockey et Allegra était encore partie sur une balloune.

Malik avale sa bière sans la goûter. Il se sent étourdi tout à coup, pendant que son cerveau tente au ralenti de comprendre cette réalité que son cœur battant la chamade a déjà saisie. Cela change tout. Tout. À moins que…

– Elle est enceinte de combien de mois ? demande-t-il d'un air innocent.
– Déjà presque sept mois ! Elle est tombée enceinte autour de mon départ de Montréal, même qu'à cause de ça j'ai pensé un moment que c'était son ami Matthew, le père. Mais finalement, non. Il est en amour fou avec elle, mais c'est pas lui.

Le départ de Yasmina de Montréal… La soirée au Tokyo… Les pièces du casse-tête se mettent lentement en place dans le cerveau de Malik.
– Mais veux-tu bien me dire ce que tu as ? On dirait que t'as vu un fantôme.
– Il faut que j'aille à Montréal, Yas, il faut que je la voie.
– Que tu voies qui ? Élé ? C'est quoi le rapport ?

Malik est agité et consulte déjà son agenda électronique. Puis, de son BlackBerry, il tape l'adresse du site internet d'Air Canada et y cherche l'horaire des vols pour le lendemain. Il ne répond pas aux questions dont le bombarde sa sœur.

Yasmina commence à y voir clair et pourrait se gifler de n'avoir pas perçu une vérité si évidente, juste sous son nez. Elle qui se targue d'avoir l'œil, elle se dit qu'elle s'en est fait passer toute une. Malik et Éléonore! La surprise initiale passée, Yasmina se sent emplie de colère. Son frère à elle, et Éléonore qui ne lui a rien dit! Elle se sent trahie, mise de côté. Éléonore ne lui a pas fait confiance. Et Malik n'est pas bien mieux! Les deux personnes de qui elle est le plus proche, qui font des choses aussi sérieuses dans son dos... Yasmina trouve immature de s'arrêter à de telles considérations quand il y a un enfant en jeu, mais il n'en demeure pas moins qu'elle se sent lésée, presque rejetée par son frère et sa meilleure amie. Malik termine un appel placé au bureau des réservations de British Airways et raccroche en annonçant qu'il part le lendemain.

– C'est toi, c'est ça? J'aurais donc dû m'en douter!

– Écoute, je suis pas sûr, mais on dirait bien que c'est moi. Les dates concordent. Et si tu as raison de dire qu'elle ne court pas les bars de rencontres...

– Ça, c'est sûr. Pourquoi tu m'as rien dit? Pis de toute manière, t'es un grand garçon, t'es pas capable de mettre un condom? Et là, qu'est-ce que tu comptes faire?

– Une question à la fois. Je ne te l'ai pas dit parce que ça ne te regarde pas. Si j'ai pas mis de condom, ça doit bien être la première fois de ma vie que ça m'arrive. Disons que pour une fois, j'avais vraiment pas la tête à ça. Et ce que je compte faire, c'est aller lui parler face à face. Cette fille-là se promène avec mon enfant dans le ventre, mon enfant à la veille de naître! Pis, il y a personne qui a cru bon de m'en informer. Même pas ma propre sœur.

– Franchement, ça, c'est fort. Comment tu voulais que je t'informe, je savais rien! J'en reviens pas que tu m'aies rien dit et elle non plus! Quoique, j'aurais bien pu m'en douter. T'as toujours eu les principes moraux d'un chat de gouttière, toi. Pauvre Élé.

– Comment ça, pauvre Élé, pourquoi pas pauvre moi?

– Parce qu'Élé, c'est une femme d'honneur, qui donne pas son cœur à n'importe qui.
– Moi non plus, tu sauras !

Malik sort en claquant la porte. Prendre l'air, il a besoin de sortir prendre l'air.

Chapitre dix-neuf

– Là, vraiment, tu me gâtes !

Éléonore s'est réveillée ce matin avec une odeur de gaufres dans le nez. Matthew est dans la cuisine, vêtu d'un tablier orné de grosses pommes vertes qu'il porte sans rougir.

– Est-ce que tu sais que c'est ma grand-mère qui m'a donné ce tablier-là ?

– Est-ce que tu sais que je préfère porter ton tablier à pommes que de passer la journée couvert de mélange à gaufre ?

– Je savais même pas que j'avais du mélange à gaufre ici.

– Euh, Élé, du mélange à gaufre c'est de la farine et des œufs... Ça ne vient pas juste en paquet, tu sais !

– OK, OK, je te concède la victoire, c'est toi le grand cuisiner, moi pauvre mortelle qui n'y connait rien.

– Tu veux des bleuets sur tes gaufres ? Tu sais, les bleuets c'est plein d'antioxydants et c'est...

– Oui, oui, je sais, très bon pour le bébé, comme tout ce que tu me prépares ! En passant, ce soir, congé de cuisine ! Je te prépare une surprise.

Éléonore s'attaque à peine à ses gaufres que le téléphone sonne. Elle grogne, de mauvaise humeur qu'on la dérange de si bon matin.

– Élé?

– Yasmina!

Toute mauvaise humeur évanouie, Éléonore est ravie d'avoir des nouvelles de son amie.

– Ça va? Heille, devine ce que je suis en train de manger. Des gaufres maison! Oui ma chère. Faites à la main, à part ça. Par notre cuistot résident, qui se trouve bon, pas à peu près.

Matthew sourit et commence à manger son déjeuner, se résignant à écouter une autre longue séance de potinage dont il ne saisira pas un mot. Les deux amies jacassent toujours à une vitesse folle, s'interrompent, parlent en même temps, et adorent saupoudrer leur conversation d'expressions québécoises qui lui sont incompréhensibles. Matthew a fait des progrès en français, mais devant leurs séances intenses de bavardage, il s'avoue vaincu.

Cette fois, Éléonore est étrangement silencieuse. Matthew tend l'oreille. Élé semble répondre par monosyllabes, demandant «Quoi? Mais comment ça? Il savait pas? T'es sûre? Quand, tu dis? Je sais, je sais, j'aurais dû te le dire… Je pouvais pas. Je m'excuse, Yasmina. OK, je t'appelle après. Merci.»

Elle raccroche et se retourne vers Matthew, l'air soucieux.

– C'était Yasmina.

– J'avais compris.

– Elle a dit à son frère que j'étais enceinte.

– O-kay... répond Matthew, ne comprenant toujours pas où la conversation s'en va.

– Il s'en vient.

– Il s'en vient ici? De Londres? Mais pour quoi faire?

Éléonore a le regard triste. Matthew croit y lire une pointe de compassion. C'est le même air qu'il avait, quand il a annoncé à sa blonde de Vancouver qu'il partait. Un air qui dit « Je sais que je vais te faire de la peine, et ça me fait de la peine de te faire de la peine. »

Tout à coup, il voit clair. Quel imbécile. Ça aurait dû être évident depuis le début. Pourtant, il n'avait pas voulu croire Éléonore, sa belle et fière Éléonore, capable de tomber sous le charme d'un tel don Juan. Il avait voulu croire que c'était un autre, une histoire d'un soir, une erreur, un gars qu'Éléonore ne reverrait jamais plus, et qu'elle reconnaîtrait à peine si elle le croisait dans la rue dans dix ans. Il se rend compte qu'il a volontairement maintenu cette illusion, ayant évité de questionner Éléonore sur la paternité du bébé. Quel imbécile. Et lui qui avait cru... Il hausse les épaules, abattu.

– Yasmina m'a donné son numéro de vol, continue Éléonore. Il voulait me surprendre, mais elle a préféré me prévenir. Je vais aller le chercher à l'aéroport.
– *Sounds great*[13], répond automatiquement Matthew, toujours perdu dans ses pensées.
– Matthew, il va falloir qu'on se parle. Malik et moi.
– OK.

Éléonore hésite.

– Euh, j'aimerais ça lui parler en privé.
– Inquiète-toi pas pour moi, je vais aller au cinéma.
– Mais notre souper, ce soir ?
– Je pense que tu vas avoir autre chose en tête que ça. On se reprendra.

---

13. Super.

Matthew se lève de table sans finir son assiette. Il prend son manteau, ses clés et sort en embrassant distraitement Éléonore sur la joue. Elle regarde partir son ami. Elle se dit que jamais sa vie n'a été aussi compliquée.

Malik est le premier à sortir de l'avion, une petite valise Tumi noire à la main. Il prend toujours soin de ne voyager qu'avec un bagage à main, évitant ainsi les attentes dans les nombreux aéroports qu'il fréquente. Il a profité du vol confortable en classe affaires pour mettre de l'ordre dans ses idées, tout en dégustant un saumon du Pacifique en croûte et en calmant ses nerfs agités avec une demi-bouteille d'un excellent Chardonnay sud-africain. Il se sent toujours confus, une sensation qu'il déteste; au moins, il a le trajet en taxi pour essayer d'y voir un peu plus clair. Il compte se rendre directement chez Éléonore, espérant la trouver à la maison. De s'imaginer Éléonore chez elle lui ramène en mémoire leur nuit passée ensemble dans son grand lit blanc.

Quelle femme... Malik ne se ment pas, il sait que ce qui l'a d'abord attiré chez Éléonore, c'est son air farouche, son petit côté sauvage. En homme qui adore la conquête, il ne pouvait résister longtemps à une forteresse en apparence imprenable. Mais depuis la nuit qu'ils ont passée ensemble, il y a déjà quelques mois, il n'a pas réussi à chasser Éléonore de ses pensées. Bien sûr, c'est en partie une question d'orgueil: elle est probablement la seule femme qui ne l'ait jamais rappelé. Mais c'est aussi son rire, sa force de caractère, sa gaieté, qui viennent troubler ses moments oisifs.

Au fil des années, il a vu Éléonore grandir et il la connaît de manière beaucoup plus approfondie que ses habituelles conquêtes d'un soir. Cette intimité, loin de l'étouffer, a su donner à leurs rapports une complicité qui est normalement absente de ses ébats amoureux. Et puis, si elle est enceinte... Enceinte de lui... En homme à femmes, Malik a toujours pris ses précautions. Mais il conserve en lui l'éducation traditionnelle que lui a inculquée son père. Il se considère comme étant un homme d'honneur. L'idée de faire face à ses responsabilités lui semble même étrangement attrayante : il se voit bien dans le rôle du chevalier servant, à la rescousse de la damoiselle en détresse.

Et puis, maintenant qu'il approche de la trentaine, Malik commence à ressentir le besoin d'une certaine stabilité, ne serait-ce que pour sa carrière. Les hommes avec qui il transige en Asie et au Moyen-Orient comprennent difficilement son célibat. Il a même déjà songé à porter une fausse alliance pendant ses voyages d'affaires ! Mais il semblerait que son destin se soit chargé d'arranger les choses pour lui.

Tout à ses pensées, Malik ne remarque pas Éléonore qui se tient devant lui. Elle l'interpelle. Il redresse la tête, surpris d'entendre son nom. Il regarde la femme devant lui. Elle est grande, les joues rondes, et semble avoir dissimulé un ballon de basket sous son col roulé noir. Un gros ballon de basket. Le cerveau de Malik fonctionne au ralenti. Ses yeux lui disent que c'est Éléonore qui est devant lui. Sa tête refuse d'y croire. Il est ébahi devant sa transformation. Une idée qui était demeurée très théorique dans sa tête lui tombe maintenant dessus comme une tonne de briques. Éléonore s'impatiente et finit par lui demander bêtement si le chat a avalé sa langue. « On a passé l'époque des p'tites *games*, me semble », continue-t-elle. Malik se ressaisit et l'embrasse sur les deux joues.

– Je suis stationnée par là, dit Élé.

Malik lui emboîte le pas. Il demeure silencieux, soudainement mal à l'aise. Éléonore n'a pas trop l'air d'une damoiselle en détresse. Elle a plutôt l'air d'une amazone, d'une matriarche des temps anciens. Leur rencontre ne suit pas le scénario que Malik s'est créé dans sa tête et il cherche à reprendre pied.

– Alors, quand est-ce que tu dois avoir le bébé ?
– *Nous* allons avoir un bébé à la mi-juin.
Elle le fusille du regard.

En se rendant à l'aéroport, Éléonore s'est juré de tenir son bout, quoi qu'il advienne. Elle a beau être enceinte, il demeure que Malik n'a pas très bien agi dans toute cette histoire. Elle a encore peine à croire qu'il ignorait sa grossesse jusqu'à la veille ; une partie d'elle-même soupçonne Yasmina de mentir pour protéger son frère aîné. Mais même si c'est vrai, ça ne change rien au fait que Malik a été un beau salaud, qu'il a eu une histoire avec Allegra en même temps, qu'il... les arguments d'Éléonore s'essoufflent d'eux-mêmes.

Après un trajet inconfortablement silencieux, ils arrivent enfin chez Élé. Malik remarque tout de suite les bottes de marche masculines dans l'escalier. Il fronce les sourcils, mais ne dit rien. Éléonore lui offre à boire. Malik refuse poliment. Elle décide quand même de s'esquiver à la cuisine y préparer du thé, afin de se donner le temps de réfléchir un peu.

Elle voudrait se mentir, mais elle n'y arrive pas : comme toujours, revoir Malik lui fait de l'effet. Elle qui a toujours été réticente envers les hommes, devant Malik son ventre se serre. Elle a senti un frisson lorsqu'il l'a frôlée en voulant lui ouvrir la portière de la voiture. Elle se dit que ça ne peut pas être pour rien que cet homme lui fait tant d'effet; cette connexion qu'il y a entre eux, elle ne peut pas l'avoir seulement rêvée.

Elle s'assoit au salon, face à un Malik toujours aussi silencieux. Il prend une gorgée de thé brûlant, puis il se lance.

– Je suppose que c'est moi?

– Oui.

– Je suis carrément tombé en bas de ma chaise en apprenant la nouvelle. Et il faut que j'apprenne ça de ma sœur! C'est quoi, t'avais l'intention de jamais m'appeler?

Éléonore est surprise de se retrouver si vite sur la défensive.

– Une minute, tu penses vraiment que j'allais t'appeler après le beau coup de salaud que tu m'as fait?

– Le coup de salaud? On peut savoir sur quelle planète tu vis? Écoute, on était deux adultes consentants, je t'ai dit que j'allais t'appeler, je t'ai appelée, tu n'as jamais retourné mes appels! Alors, je me suis dit bon, ça ne l'intéresse pas plus que pour une nuit, je peux comprendre ça. Je suis un grand garçon et je suis passé à autre chose! C'est pas un crime, quand même!

– Malik Saadi, ne viens pas me raconter tes salades. Tu sais très bien que tu fréquentais Allegra en même temps. Une de mes meilleures amies. Je ne suis peut-être pas sophistiquée comme tes Londoniennes, mais je ne suis quand même pas née de la dernière pluie.

– Comment, Allegra? Allegra? Écoute, je pense que je suis sorti souper avec elle un soir à New York, mais je ne pourrais même pas te dire quand.

– Ah oui? Ben moi je pourrais te le dire exactement, c'était quand. C'était pile le soir avant qu'on se voie. Elle en a parlé pendant des semaines!

– Écoute Élé, j'ai invité la fille un soir à souper. C'est pas mon problème si elle s'est fait des idées !

– Pas juste des idées, elle dit qu'il s'est… passé quelque chose entre vous.

– Ça, je dois dire que ça se peut. Et puis ? Quand bien même j'aurais sauté la ville de Montréal au grand complet avant de te revoir, en quoi ça ferait de moi un salaud ? Pis, ton amie Allegra, elle t'a dit qu'elle m'a relancé, à Londres ?

– Euh, oui.

– Pis qu'il s'est rien passé ? Il s'est rien passé, pourquoi ? À cause d'une fille qui m'avait rejeté trois mois avant !

– Comment ça, rejeté ?

– De mon point de vue à moi, c'est toi qui m'as complètement *flushé*, Élé. C'est toi qui m'as jamais rappelé. Si je faisais ça à une fille, inquiète-toi pas qu'elle et ses amies me trouveraient des insultes autrement plus fortes que ça.

– Mais…

– C'est deux poids deux mesures, c'est ça ? Les filles ont le droit de faire la pluie et le beau temps avec les sentiments des gars ? Tu prends ton plaisir, on n'en entend plus jamais parler, sauf si oups, tu tombes enceinte, pis même là, c'est ma petite sœur qui m'apprend ça ?

Plus Malik s'échauffe, plus Éléonore devient hésitante. Les mois qui ont passé et le fait qu'à part la soirée ratée à Londres, Allegra n'ait jamais revu Malik, l'ont peu à peu fait douter de sa version des faits. C'est vrai que, de son point de vue à lui… Éléonore a été si prompte à se sentir lésée qu'elle en a oublié de considérer la chose sous un autre angle. *Encore ma tête de cochon*, se dit-elle avec un léger sourire. Devant son visage qui s'éclaire, Malik interrompt le flot de ses paroles. Il s'est laissé emporter et il s'en veut. Il se lève et s'assoit à côté d'Éléonore sur le fauteuil blanc.

– Éléonore…

– Quoi ?

– Je peux… je peux toucher ?

Émue, elle place la main forte de Malik sur son ventre dur. La petite choisit ce moment pour bouger. Ce n'est pas un coup, c'est plutôt comme une longue vague qui déferle. La main de Malik tremble, il lève des yeux ébahis vers Éléonore. Il s'approche d'elle, passe un bras autour de ses épaules en gardant l'autre main bien installée sur son ventre. Elle se love au creux de son épaule.

– C'est fou, hein ?

– C'est complètement extraordinaire, répond-il.

Ils demeurent ainsi installés de longues minutes, en parlant tout bas. Maintenant que la distance s'est envolée, les confidences coulent entre eux. Éléonore ose avouer sa déception, la douleur qui l'a assommée lorsqu'elle a cru qu'elle n'était qu'un numéro comme un autre pour Malik. Elle avoue qu'elle ne lui a guère laissé la chance de prouver le contraire. Malik lui caresse doucement les cheveux et lui murmure que pour lui, elle est unique. Ses lèvres se posent doucement sur le front d'Éléonore. Saisie, elle le laisse faire. Les baisers parcourent son visage, tout doucement. Elle se retourne face à lui. Malik se penche au-dessus du ventre gonflé d'Éléonore et l'embrasse sur les lèvres, d'abord lentement, puis de manière plus urgente lorsqu'il sent ses mains qui lui répondent, qui saisissent ses cheveux et son cou, comme si elle voulait se fondre en lui.

La sonnerie du téléphone les sépare. Ils se dévisagent, pantelants. Éléonore répond. C'est Matthew, qui demande si elle va bien. Il lui annonce qu'il va passer la nuit chez un ami. Éléonore se désole tout de suite de sembler mettre Matthew à la porte, elle lui demande de revenir, l'assure qu'il ne dérangera pas. Matthew raccroche en promettant de l'appeler le lendemain matin.

– C'était mon ami Matthew.

– J'avais compris. Écoute, Élé, je ne veux pas bouleverser ta vie. Je suis ici pour te parler, parce que c'est important, mais je n'attends rien de plus. Je vais chez mes parents ce soir.

– C'est pas ce que tu penses. Matthew, c'est mon grand ami, c'est tout.

– Et il est ici en visite ?

– Ben, oui, il est ici, mais en visite prolongée. En fait, il avait décidé de m'épauler, de… je ne sais pas pour combien de temps, mais…

– Élé, je t'arrête. Juste à tes hésitations, je vois que c'est plus compliqué que ça. Je te laisse régler tes affaires et quand tu veux me parler, tu m'appelles. Je passe le week-end chez mes parents. Tu te souviens du numéro ?

La question fait rire Éléonore qui a composé le numéro de la résidence familiale des Saadi au moins quatre fois par soir pendant des années, afin de raconter à Yasmina ses mille tracas quotidiens d'adolescente.

Lorsque Malik part, Éléonore se recroqueville sur sa chaise berçante en osier, la même qui trônait dans la cuisine de sa grand-mère Castel. En se balançant doucement, elle essaie de penser à son affaire. Elle se force à réfléchir, à aborder la chose du point de vue de la raison, et non pas de la passion qu'elle sent sur le point de l'emporter. Il s'agit de son avenir, de l'avenir de son enfant. D'ailleurs, ils en ont bien peu parlé, de l'avenir. Pour le moment, Malik est là, c'est l'essentiel. Et avec leur début de relation en dents de scie, c'est tout ce qu'elle se sent en droit de lui demander : simplement d'avoir fait l'effort d'être là.

Éléonore voudrait bien discuter de Malik, en savoir plus sur ses motivations et sa capacité à prendre un engagement réel. Mais avec qui ? Yasmina n'est pas objective et elle hésite à l'impliquer davantage dans cette histoire. Allegra en ferait une crise de nerfs ; savoir que le beau Malik est là, d'imaginer qu'il pense peut-être se caser avec une fille qui n'est pas elle. Et Matthew ? Éléonore ne sait même pas par où commencer cette discussion si essentielle.

Elle se résigne à passer la soirée seule pour affronter les mille questionnements qui l'assaillent. Elle aime Malik depuis toujours, elle en est presque sûre. Elle se dit même que c'est peut-être pour ça que les autres gars ne l'ont jamais tellement intéressée. Mais est-ce vraiment de l'amour ? N'est-ce pas plutôt un engouement de jeune fille ? Malik est-il fiable ? Elle ne le connaît qu'en homme à femmes, est-il vraiment capable de s'engager ? Éléonore s'oblige à se rappeler qu'elle et Malik n'ont encore discuté de rien, il a accouru à l'annonce de sa grossesse, il l'a embrassée, ce qui ne veut peut-être rien dire. Le coup de l'émotion, c'est tout.

Elle tourne en rond avec ces pensées disparates et allume la télé pour tenter de se distraire un peu et essayer de s'endormir. C'est peine perdue, elle se résigne d'avance à la longue nuit qui l'attend. Avec le bébé qui la réveille en faisant d'énergiques séances de gymnastique nocturne, sa vessie qui se fait plus insistante et la présence ambiguë de Malik, c'est tout de même réconfortant de se dire que le lendemain est un dimanche et qu'elle pourra faire la grasse matinée.

C'est sans savoir que Matthew, fou d'angoisse, sonnera chez elle à 8 heures le lendemain matin.
– Mais pourquoi t'as pas utilisé ta clé ? Je dormais !

– Désolé, Élé, je ne voulais pas déranger. Retourne te coucher, tu as besoin de dormir, tu…

Éléonore regarde les yeux rougis de Matthew et se dit que, pour une fois, c'est au tour de son ami d'avoir besoin d'elle. Elle l'entraîne vers la cuisine et se dépêche de préparer un café qui leur est clairement nécessaire à tous les deux. Assis devant un bol de café au lait fumant, Matthew lui demande timidement comment ça s'est passé.

– Bien…

– Ah bon?

– Ne va pas croire que je suis avare de détails, Matthew, je sais vraiment pas quoi te dire de plus. On a parlé un peu, on… écoute, je pense que c'est tout un choc pour lui et il n'est pas resté longtemps.

– Il est parti? Tu veux dire…

– Non, pas comme tu penses. Il voulait me laisser le temps de réfléchir, et… de te parler.

– De me parler?

Éléonore ne sait comment aborder une discussion qu'ils n'ont jamais eue, elle et Matthew.

– Entre nous, Matthew, c'est… c'est compliqué, non?

– Je ne vois pas en quoi, répond-il, tout de suite borné. Nous sommes amis, on peut bien avoir des amitiés entre gars et filles, non?

Éléonore le regarde tendrement.

– Et si Malik revient dans ma vie… S'il élève ma fille… S'il vit avec moi?

– Quoi, vous en êtes déjà là?

– Non, pas du tout, on n'a même pas parlé de tout ça. Mais l'important, c'est de savoir si ça serait un problème pour toi.

– Mais non, écoute, tu vis ta vie comme tu l'entends.

Matthew n'en démord pas et refuse de parler du cœur du problème. À moins qu'Éléonore ait tout faux et qu'il n'y ait aucun problème ? Elle se sent confuse, tout à coup. Elle qui a si mal lu la situation avec Malik, elle se demande tout à coup s'il en est de même avec Matthew. S'est-elle inventé que l'un n'est pas intéressé à elle et que l'autre l'est, alors que c'est la situation contraire ? Matthew s'active dans la cuisine, lui demande ce qu'elle veut à déjeuner. Devant son estomac qui crie famine, Éléonore abandonne la partie, contente de remettre la mise au point aux calendes grecques. Elle dévore un bol de muesli maison agrémenté de fruits frais et se dit qu'il sera toujours temps de reparler de tout ça plus tard.

Pendant ce temps, Malik fait face à la musique chez ses parents. Jamel Saadi est atterré. En homme d'honneur, il ne peut concevoir que son fils ait ainsi mis une fille enceinte, surtout pas celle qui demeure dans ses souvenirs la mignonne petite amie de Yasmina. Madame Saadi, elle, s'inquiète surtout pour Éléonore, qu'elle sait dans une situation familiale précaire. Elle supplie son fils de demander à la jeune femme si elle accepterait qu'elle lui rende visite. Elle ne souhaite pas s'imposer, encore moins se mêler de la vie de son fils, mais son cœur se serre à la pensée d'Éléonore seule devant le barrage médiatique qui a redoublé d'ardeur lorsque sa grossesse est devenue visible.

Quand monsieur Saadi a fini de tonner, il s'assoit et demande simplement à son fils :
– Et qu'est-ce que tu comptes faire ?
– Épouser Éléonore. Si elle dit oui.

Remerciements

Merci à Maymuchka et Sophie, mes lectrices (et relectrices!) de la première heure; à Ingrid Remazeilles, qui m'a si bien guidée pour transformer une première ébauche en roman; à l'équipe des Éditions Goélette, à mes correctrices émérites et à Judith Landry, pour leur soutien et leur professionnalisme; à mon oncle Michael Hanigan et à Élise Gravel pour leurs judicieux conseils; à Véronique Saine de la boutique Billie sur Laurier, pour ses conseils de stylisme et l'utilisation des photos de son blogue (www.billiegirls.ca); à ma mère, qui a encore le premier livre que j'ai écrit, à l'âge de six ans; à mon père, qui a créé un menu exceptionnel pour mes personnages au Latini; to Sheridan, for his endless support and faith in me; et enfin, à Samuel, qui a fait de si belles siestes pour permettre à maman d'écrire, et qui continue d'ensoleiller toutes mes journées.

Merci surtout à tous ceux qui me liront. Je vous invite à me visiter sur ma page facebook.

www.facebook.com/NadiaLakhdariKing

L'utilisation de 6440 lb de SILVA EDITION 106 plutôt
que du papier vierge réduit votre empreinte écologique de :
Arbre(s) : 55
Eau : 149 253 L
Émissions atmosphériques : 3 465 kg
Déchets solides : 1 578 kg

C'est l'équivalent de :
Arbre(s) : 1,1 terrain(s) de football américain
Eau : douche de 6,9 jour(s)
Émissions atmosphériques : émissions de 0,7 voiture(s) par année

Marquis imprimeur inc.

Québec, Canada

2010

Recyclé
Contribue à l'utilisation responsable
des ressources forestières
www.fsc.org Cert no. SGS-COC-003153
© 1996 Forest Stewardship Council